Two week loan

Please return on or
date stamped be
Charges are

ELFRIEDE JELINEK

OH WILDNIS, OH SCHUTZ VOR IHR

Prosa

Rowohlt

Umschlaggestaltung Wolfgang Schröder

Lektorat Delf Schmidt

1.–6. Tausend September 1985
7.–8. Tausend April 1988
Copyright © 1985 by Rowohlt Verlag GmbH,
Reinbek bei Hamburg
Alle Rechte vorbehalten
Satz aus der Janson-Antiqua auf der Linotron 202
Gesamtherstellung Clausen & Bosse, Leck
Printed in Germany
ISBN 3 498 03317 4

1. AUSSENTAG

Gedicht

An keinem besonderen Tag vor dem Wintergefrier geschieht es endlich, es zieht einer sich festlich an (wie er sich das so vorstellt!), er singt nicht was ein Wanderer singt, während er kräftig atmet. Er steigt in den Hohlweg ein. Er geht ohne Verwunderung, denn er kennt den Weg schon lebenslang, einer windigen Höhe entgegen. Er folgt einer Einladung von ganz oben. Das armselige Gras ist in der Nacht gefroren und muß am Tag mühsam auferstehen. Bald gibts viel Schnee für die Hiergebliebenen, um den Wintersport anzuheizen. Schief sind die Zäune und haben Lücken in unhaltbarem Gestänge. Müssen ja keine Landtiere, die gegen sie anbranden ohne Schreie, zurückhalten. Nichts ist da um gesperrt zu werden, nichts um eingesperrt, außer den Bewohnern. Nichts bietet dem Ausflügler Einhalt, reckt der seine glänzenden Schwingen. Die einen meiden mit gutem Grund die Amtierenden, andere wollen mit Tieren nicht zusammenstoßen. Ihr gutes Recht. Es sind keine Tiere mehr hier. Schönere Gegenden könnten Funken von Gewinn aus ihrem Bergundtal schlagen, diese aber nicht. Die Gegend ist so ungeschickt, daß man ihr zahlenmäßig nur wenige Gäste schickt. Kein großer See. Es wird gesperrt und gespart. Holzskeletten ähneln diese miesen Zäune, man kann es nicht einmal Räume nennen, was sie entgrenzen. Dieser Mann ist an Holz geschult worden in der Schule des Lebens. Ärmliches Moos, kümmerliche Flechte, nirgends das Echte vom Bildschirm. Jahre haben ohne Grund das meiste zerstört, keine Essenz in diesen Jahren, nur der Essig des Lebens von Daheimgebliebenen. Ringsherum wohin man schweift das peinigende Hüttenwesen. Ungesunde leicht entzündliche Stahlkochereien. Ein Walzwerk um Gerätschaften zu bauen. Gierige. Das Zementwerk für die Selbstbeflecker auf der Bundesstraße, es tut nichts als grauen Staub blasen. Der ungelöschte Kalk ißt Knochen, ob in Tierhaut oder in einem Menschenpelz. Zu einer Jause mit Kaffee ist der Mann eingeladen! Alles Genagelte dieser Gegend ist ein Handwerk von ihm. Ich schuf persönlich mit diesen Händen Bankerln und Gatter. Ihre Zahl hält jeder Forstprüfung stand, in Zeiten der Arbeitslosigkeit folgte ein Bankerl dem anderen, was sollte ich sonst bauen, um den Gast zu erfreuen. Kürzlich wurden hören Sie zu meine beiden Kinder von meiner geschiedenen Frau ins Tirolerische verbracht. Der Tüchtige steigt bergan, der Ungelenke einem anderen aufs Fußgelenk. Pseudo-Sportbekleidung kann man sich erkaufen. Sie bildet die Schönheit der innerlichen Vorstellung von Olympiade ab (Sport! Sport! Herrlich. Die Vereinigten Staaten von Amerika, unsere Außenstelle!). Beachten Sie. Der vom Regen giftig aufgeschwollene Bach kommt mir bereits entgegengerannt. Ich steige ohne Mühe, etwas ist mir entgangen. Es ist eine Stille seit die Kinder fort sind. Meine Ohren klingen von nichts und halten es nicht aus. Pflanzenhafte Erinnerung an entsetzliches Spielgebrüll. Er: Er wagte das entschlossene Handheben gegen die Kinder. Viele Zeitungen lehnen es ab. Eine Hand hält ein bebildertes Aufklärungsbuch. Im Buch schematisch der Frauenunterleib. Es sieht so aus als sollte die besinnlichste Zeit des Jahres ohne sie stattfinden. Keine Avancen kein Adventkranz. Keine. In übereinstimmender Gemütlichkeit zerren meine ehemaligen Schwiegereltern meine Sachen aus dem Haus ich habe nichts. Meine kostspieligen Bücher aus dem Postversand sind im Schlamm. Sind doch so lang von mir gesammelt worden! Es war so. Er scheuchte uns die Tochter aus dem Haus, nun tut er scheu. Er muß gehen als ein schuldiger Teil. Es ist unsere Wohnung unser Haus unser Alles. Die Kinder sind unser Ein und Zwei gewesen. Meine Frau hat einen neuen Lebensplan aufgestellt in ihrer alltäglichen hübschen Art. Er weiß nichts. Die Natur ist ihm ein Rätsel, er verdient an ihr. Was bewegt sie dazu, Gesteine zu häufen. Leute zu tyrannisieren? Ansichtskarten von sich abfertigen zu lassen? Zum Verdienst zu werden? Die Natur ist schmutzig, wo man mit ihr in Berührung kommt. Es handelt meine Frau nach neuem Lebensplan. Ich prügelte meine beiden Kleinkinder auch später, als Volksschulkinder. Und die Natur schlug mich dafür wie ein eisenhartes Kissen ohne Daunen. Der letzte Stand meiner Lernschwächlinge: zweite und dritte Klasse Volks. Doch jetzt heraus aus irgendwelchem Haus, es ist doch nichts das Seinige. Hollerstauden. Der Hohlweg türmt sich auf wie: Menschenwachs von einem sehr großen Wespenbau. Es geht ein Ansuchen vom Anrainer aus: bitte etwas befahrsam mit PKW machen! Eine Erschließung von Wunderbarem für den Sommergast, kein kleiner Entschluß für den Berghäusler. Dieser Weg ist eine Neuerwerbung, Fremde gehen als Attraktionen auf ihm. Er geht eine alte Frau besuchen, die ihn zu einer Jause eingeladen hat. Er ist gleich wie ein anderer, nur ist er von hierorts. Diese alte Frau: eine sehr eine feine Frau, importiert aus einem Land. Sie ist süchtig nach Ansprache selbst der gemeinsten Art mit einem gemeinen Menschen. Wenn nur einer mit ihr redet. Sie ist ein Ausname! Sie ist Deutschrumänin. Sie war Französischlehrerin als es ihr noch gut ging. Es geht ihr schlecht. Sie schaut rechts, links, geradeaus, zum Fenster naus. Eine dieser Keuschen hat sie gepachtet. Billig. Sie ist vollzählig, sie ist nur diese eine. Das Einkaufen wird ihr zum Problem, der junge Mann hier löst ihr manches, sein Hals ist jung, sein Kopf ist jung, seine Arme sind jung, sein Rumpf ist dumpf und jung. Unten im Ort wird eingekauft. Gegen Barzahlung bringt der junge Mann einen Rucksack mit Speisen und Getränken. Das Büchel zum Abrechnen baumelt ihm vom Bund, kichernde Frauenhände trugen Lügen dort ein. Der Preis ist aus Phantasie geboren. Den

9

Rest stecken sie ein, diese Handiklatscherinnen. Die alte Frau will Menschen unter ihren Fingern wachsen fühlen, diese Gärtnerin aus Liebe, junge Männer, auch wenn wild. Sie ist über siebzig! Der Mund ist zum Sprechen da. Das Problem der Frau sind außerdem Hennen. Die sind alles, was sie an Leib und Leben zu zuechten vermag. Stark aufgebläht fällt dieses Getier in ihre Hände herunter. Einer, den sie nicht kennt, begeht ein Delikt an stillen von Tieratem schwach gewärmten Orten. Und Ochs und Kuh, die machen nicht muh dazu. Schweigend duldet das treue doch jämmerliche Getier. Das Vieh ist klein. Wo einer duldet, da können doch wohl mehrere dulden. Das Übertreten wird nicht geduldet. Die Frau will eine Meinung austauschen und Verkehr haben. So alt diese Frau und bebt doch vor Gier nach saftiger Existenz. Sie will sich die Krone der Eroberin aufhäupteln. Tiere zu schänden ist nicht gut. Es bin doch ich da. Ich bin geistig noch frisch. Ich bin rege. Ich erwünsche Pflege. Da ist sie nicht allein, ähnliches käme auch anderen gelegen. Auf Ruf kriechen schwachsinnige schon ältliche Bauerntöchter, gut ansonsten im Versteck, diese ungehobenen Schätze, unter einem Stapel hervor. Käfertiere mit Steinchen schwerstens belastet, welch funktionierendes Experiment am ungehobelten Lebendigen am Wesen selbst! Eine Schwachsinnige («Rauschtochter») namens Luzi unter dem Joch fremden Urlaubs. Ihr Vater vermietet und mit Erfolg! Des einen Freud des andern Leid. Die völlig depperte Tochter von jemandem: das Tragetier das Tränentier. So macht sie sich nützlich die Idiotin. Dörfer stoßen solchen Müll nicht fort, verwerten ihn, das Dorf ist mitgefühlig, das Dorf ist auswärts, das Dorf ist persönlicher als die Stadt, das Dorf ist geschwürig, das Dorf ist wie gemalt, das Dorf kennt jeden. Das Dorf wirft nichts weg! Es ist der Natur gesund. Es bekommt der Natur. Auch die Natur bekommt dem Dorf gut, wenn das Wasser zudem noch warm fließen kann! Nichts wird in eine Anstalt geworfen, vorher muß es noch hervorragend ausgemolken werden. Misten müssen wir auch zumindest das Gröbste an Gestanksbelästigung und Geruchsbeleidigung. Die Luzi ist leer von Geist aber voll von Kraft. Bei ihr stürmte alles rege in den Muskel, der Umweg übers Hirn ist langwierig und nicht lohnend. Sie arbeitet für Gotteslohn. Der, nach dem der Lohn benamst ist, hängt an seinem Gestell in den Gastzimmern, überkotet von Stubenfliegen Mach dein Kreuzerl! Ihr lebendigen Miniaturen! Ihr Uninteressanten, ihr Nichtadressaten! Ich sage jetzt etwas über meine Kinder: Habe neulich dem Buben ein Fahrrad, neu wie ein Nagel, auf Raten und dem Mäderl eine riesige Puppenküche gekauft. Alles klein alles kein. Jetzt habe ich nichts mehr. Das Lesen macht mir Mühe. Kleiner Druck. Es drückt alles entsetzlich auf mich! In Hülle und Fülle suhlt sich das Dreckmensch in seiner Küchenwühle. Nein, ist nicht so. Die Kinder sagen doch glatt zu mir wir dürfen von dir nichts annehmen. Papa. Die Mutti erlaubt es nicht. Lieber spielen wir mit Laub als mit Geschenktem von dir. Mit dummem Kopf führte ich sie zum letzten frohen Prügeln hinters Haus, Schwiegereltern sollen nicht Kinderschreie vernehmen. Katzengeschrei. Wer nicht will, der muß viel. Ich habe dabei nichts empfunden. Die Frau ist einkaufen gegangen. Das Herrgotterl ließ unschuldige Kinder vorübergehend unbeschirmt, der Schutzengel schlief wohl. Gut kann er nicht geschlafen haben, er ruckelte im Traum mit den Wimpern. Jetzt werden sie den neuen Lebensabschnitt wohl begonnen haben wohl bekomms! Zahnbrechendes Gewinsel, dorniges Geheul, dann Armabbruch, galliges Erbrechen, glatt durch, der Kindsknochen. Das Hundstrumm. In Mut wirft sich das Mädel vor den Buben hin, bin älter, meine Knochen halten bereits ein Ganzjahr länger! Es hat mir nachher leidgetan, doch im Gespräch mit mir muß Behutsamkeit das Vorherrschende sein. Man muß sich an meinen guten Kern herantasten! Dieses Mäderl wurde von seiner Mutter zur Opferbereitschaft (es muß unweit bleiben) für den Bruder eigens gezüchtet. Solche herrlichen Überlegungen der Mutter inbezüglich Vertrauen gegen Vertrauen, daß die Tochter eine Beilagscheibe werden muß nach dem Vater aber noch vor dem Bruder. Blumi! Hockend verbirgt sich die Landschaft vor dem Fotoapparat, verbringt still Zeit. Schau ein Pferterl! Der neue Mann ist durch Prüfung Förster. Er wartet mit seinen flammenden Gerätschaften Hektar Wald. Er ist Nichtraucher, wird dem Baum nicht brandgefährlich. Diesmal ist die Frau gut gepackt ins Gehege. Werdet ihr den alten Papa immer liebhaben, wenn ihr woanders seid? Schnell vergessen Kinder sogar Wunden. Jesus verhielt seine Wunden dem Vater gegenüber. Wir fangen noch einmal von vorne an, daher war nichts. Was bei mir zurückgeblieben ist, sind ein zwei Kindergehirn und eine trockene Kinderzahnbürste mit einem verdorrten Zahnpastawürstel drauf. Zahndiputzen! Längst erloschener Befehl. Aus einem Waldstück stammt das Schlagerlied, daß die Frau in zweiter Ehe einen Förster heiratet und sich mit ihm nach Tirol verzieht. Ich erschlage diesen von Harz triefenden Tiertöter. Früh übt sich, was ein Pflegefall werden will, es übt sich die alte Frau am Berg. Sie ist rüstig. Blutende Naturwunden auch in meinen Handflächen lieber Heiland lieber Engrosist. (In folgender Ware: die Menschen zum Besten halten!) Dieses läufige Land vernichtet mich, ist hinter mir her. Die Kinder gefallen mir nicht. Da überkommt es mich halt, Erfolg: Kindsschweigen (jäh) in der schottrigen Einfahrt zum Haus. Plastikkübelschweigen. Fahrradschwingen zum Wegfliegen. Puppenwagenzeigen das neueste Modell in Klein. Ich lege mich in meinem Bett auf den Rücken, denn leider trug ich zahlreiche schwere Verletzungsspuren aus dem Holz heraus. Furchtbarster Gemeinheiten machte dieser Wald sich schuldig, äußerlich ist er freilich beeindruckend in seiner vielbewachsenen Gesamtheit und Gangart. Dennoch war er der eigentlich schuldige Teil bei unserer Scheidung. Manche glauben an Wunder. Vom Muttergottesbild flitzen die Tropfen herunter. Für den Partieführer ist Wundversorgung ein Fremdwort aus dem Katechismus. Gehst eben nach Haus in dein Wurmloch. Menschen lassen Holzknechte schief zusammenwachsen, aber sie bemühen sich, rasend vor Eifer, den Schischenkel schön grade zu strekken. Der Schifahrer auftauchend aus Ausland genießt die höchste Versorgungsstufe. Denn er zeigt in der Stadt unsere bewährte Wunderarbeit vor. Andere, kärgliche Hiesige, begraben dagegen unsere Nachlässigkeiten ohnehin still unter dem Land, von dem gerade nur der kleine Deckel (über ihrer Leichenscheibtruhe) ihnen gehört. Kommet alle ihr Widersager! Behörden werden von einem Vorgang in Kenntnis gesetzt. Es tut so weh! Als eine oberflächlich zusammengesetzte Gliederpuppe stapft der Mann in den Hohlweg ein. Eine alte Frau wartet mit unauffällig hochgeschlagenen Augen auf ihn. Ihre Augenlider lasten auf ihr. Sie zuckt vor Gier, ein Fisch auf dem Erdboden. Die Forstgesetze sind heftig, die Naturgesetze sanft. Leider eine sehr eine schwere Pflicht die Verständigung, lustiger die Versündigung. Arbeit macht das Leben süß. Ein süßes Geheimnis teilt die Frau mit dem Vorgesetzten des Waldes, dem Förster. Das Geheimnis ist nur in Tirol zu lösen. Sie sprang aus unserer Ehe wie ein Güterwaggon aus den Schienen. Gütig ist sie nicht mehr. Jetzt ist sie ehrgeizig. Arbeitslose springen aus Fenstern in dritten Stöcken der Werkssiedlung. Eine Ansammlung Menschen wird verstreut. Drei Wochen voraus sprang ihm die Frau. Die Natur stelle den Ort bereit für außereheliche Bettkammern!

Aus Fäkalien entsteht auch Natur. Diese Frau trägt nun freudig fremd lächelnde Last. Wann kommt dieses Butzerl an? Was er ihr eigens gezahlt hat ist ein Bad. Es wurde in der Speis der Schwiegereltern eingerichtet. Das Eigenbad ist komplett Eigenbau. Vielleicht gesellt sich noch eine Sauna hinzu. Wer weiß, zipfeln wir sie zu, diese Frau im Polypack, die Ecken werden oben über sie drübergezogen. Das Etui für diese Ehe war das Eigenheim, das den Schwiegereltern gehört. Jetzt verkaufen sie es. Die Walderde von meinen Füßen ergibt sich dem Badewasser. So fein so warm. Alles neu macht der Mai. Firmen schenken Ausgesuchten eine Werbung. Ein Förster kommt nicht ungern. Einen Förster haben wir erst dazu gebraucht. Aus dem ewigen Zweiten (unter dem Oberförster) ist ein Erster bei einer Dame (nicht schön wie im Film) geworden. Auf dem Land zählt ja das Original nichts, wenn die Kopie besser ist. Die Kopie ist glatter als das Vorbild. Föhnumweht gleiten die Kinder schulwärts. Sie sind fortgeflogen! Oben wird eine Kaffeejause stattfinden. Der Rucksack ist schwer von Gütern. In der alten Frau droben zucken Begiernisse: Blitze am Firmament (gesandt von der Jesusfirma). Selten sieht sie einen Menschen und ist doch dieser fröhlichen Reibung bedürftig, für die sie Vorwände benötigt. Er soll kommen und etwas machen. Keine jubelnden Zeichen über den wassertriefenden Wäldern. Längst wurde der Viehtrieb eingestellt. Die Resttiere werden zu den Akten gelegt, in die Kreaturen wird hineingestochen. Messer werden in sie gestoßen. Als Frau vermag man anzugeben, was das ist: Frau! Als Frau braucht man viel. Allein zum Anziehen! Eine rasend verzückte alte Frau erwartet jemanden, sie kratzt sich derb. Es sieht keiner. Unten teilt sie sich. Sie gäbe sich gern aus. Anderer Frau kommt die Säuberlichkeit des Fremdenverkehrs noch lieber unter die Nägel als der Dreck des Stalls die Schweinerei des Kindbetts.

Das Gästebett so nett das Wochenbett so verdreckt. Übernachtung statt Blutung. Abtritt: keine Zumutung mit solchen Kacheln mit einem Muster drauf ja solche (mit Dusche!) (WC) anstatt täglicher Abreibung. An Stelle der Abtreibung. Der Almabtrieb ist vorübergehend außer Betrieb. Wir sind dem Erwerb gegenüber positiv eingestellt. Von Eiter gequält ruht der Nagel in seinem Bett. Das Vieh ist stumpf an beiden seinen Enden. Keiner spricht mit keinem. Das Vieh ist schön, muß man es nur ansehen (nicht warten). Pflücke die Blume solang sie noch nicht Pflanzengeschütz ist. Ein frischer Blumenstrauß aus flaumigem Unkraut bringt eine gewisse Unruhe auf den Schweinsbratenabsteller. Das Kind gibt sich Mühe. Der Fremde freut sich auch. Das Vieh ist hell. Der Tag ist schön. Er verspricht etwas und muß es dann nicht halten. Der Mann im Hohlweg sieht etwas Unerwartetes, was für eine Freude, erwünscht er sich doch nichts mehr. Ein altes Comicsheft, ein Relikt, sein Name ist Bussi Bär. Wasser, Langzeitgift und die Zeit solo haben eine Farbätzung durchgeführt, so nimmt die Natur dem Sommer noch eine letzte Beute ab. Kein Kind vermißt mehr dieses Heft. Natur verdaut erfolgreich Kunst. Natur gewinnt. Keiner vermißt ein Kind. Der Vater hier vermißt zwei Kinder. Sie treten immer gemeinsam auf. Mit der Mutter sind sie wohl im Tirolerischen bereits eingetroffen. Er will das Heft schon aufheben. Für mein Mädel, es liest so gern. Jetzt trampelt er das geduldige Papier samt Papierbrösel in die Erdsohle hinein, Hülle zu Fülle. Noch das unbedeutendste Tier wird vom Sommergast aufmerksam studiert. Manche züchten Tiere eigens für ihn! Der Zahlende macht dem Land entschlossen das Leben zur Hölle. Er hinterläßt sanfte ekelverschmierte Stempel unmenschlicher Gastlichkeit. Widerwärtige Gemütlichkeit, selbstbewußte Grausamkeit machen sich allerorten breit. Andere erleichtern sich öffentlich, wenn auch aus der Not herausgetrieben, hinter einer Lärche. Tonnenweise Nahrung von Geist, Papier, eher Ausspeisung des Kopfes, wie sie da liegen in ihren Liebesstühlen, Speckseiten, Schweinehälften, Schlachtplatten. Würste. Ein Gast wartet (ehrlich!) ein Jahr in seiner Anzugpanier, unterbricht sein Leben, wartet aufs neue ein ganzes Jahr. Es wird schon alt es wird schon kalt. Meine Kinder haben so gerne Bilder angeschaut. Schon um fünf Uhr früh aufgeweckte Kinder haben, was für ein sanftes Licht für das Alter, das verspricht es nämlich! Eine Stunde Fuß und Bus. Jetzt Tiroler Erde füßlings unter Tischen. Die Erde sei ihnen leicht. Tirol stellt sich, es ist steil. Kinder fallen aus Tirol. Nicht dem leiblichen Vater zu Füßen. In seinem Hemd aus Haut wohnt der Vater bequem. Stumpf zerrt er an seiner Geschlechtswurst so angenehm anzufühlen. Guter Geruch. Zum Sonntagsgewand wächst ihm die Vorhaut zu mit Schmutz aus Wäldern. Sehen Sie dieses Boot dort auf dem Wasser? Die Tiefe verdient ihren bleichen Namen zurecht. Unten treiben die versteinerten Reste von Überfahrten in Landtracht. Prozessionen zum Sangesfroh enden im tierischen Ernst von 20 m See. Unten sehen manche einen Teppich aus Menschenwachs. Der Adler taucht. Es gibt ihn nicht. Die Kinderfalle Tirol, behält der Vater recht der Natur gegenüber. Nicht, Frau. Besser hier aufheben die Kinderlein! Alle Hefter einheizen. Als Ehemann ein Versager rast das Gericht durch das Dorf. Dieser Mann war zu oft in der Krankheit Hand. Gliederfetzen fallen aus den trächtigen Ärmeln in Grün und Braun. Lassen Sie mich aus Ihren Schnallen, Herr Dummhohn Alkohol. In der Küche alle Hefter brennen lassen. Ernstliches Ringen dieser Kinder gegen einen Schmalhans von Geldhäutel. Bitte Vati. Das eine Kind schaut hinein dann das andere was kommt dabei heraus kein Hundslohn. Bitte ein Hunterl. Nur geglotzt und

16

schon wieder rasen die Geier um ein Kilo Wochenlohn für die Familie Froh. Eine Geldvernichtungsmaschine die Hefter für die Kinder. Wo sind die Kinder nun? In Tirol. Aus dem Geglieder des Vaters haben sie sich hinausgeworfen bitte nicht. Die Frau hat ihnen nickend etwas angestrickt, ein Handi. Wir können uns das nicht leisten. Willst einen Kaugummi. Mäherhaft ist die Frau über die Eigenheiten der Kinder gerast, stellen Sie sich vor, sie hat denen Kindern ihr Fell ihre Schonbezüge fürs Fleischerl komplett eingesackt. Und was ist mir geblieben. Nur das Hundstrumm zwischen meinen Henkeln zum Streicheln, wenn man es denn kann. Ich schuf ihr das Heim, und was ist jetzt damit. Sie essen das Aas von Hirschen in Tierol. Faktisch hat ein jedes nur ein Manterl am Geleib, durch Frauenfleiß können sie sich tagsüber an die zwanzigmal Kleidung umtauschen. Hier darin steckt mein Geld, für das ich mir die Rippen aus der Lunge riß. Die Kälte stellte des öfteren meinen Atem ruhig. Das Mäderl ist wie aus dem Schachterl, der Sohn wie aus dem Ei geknallt. Fast ausgelernte Schneiderin diese Bestie diese Ehesau. Fort die Kinder fort die Kinder. Alles Lesematerial in der Beiläufigkeit des Feuers verschallt. Ja. Er geht hinauf, feste Schuhe über den Füßen. Diese Schuhe sind Gegenstände der Warnung und Mahnung niemals der Wartung für den Touristen. Im Halbschuh wirft es ihn bodenlos ins schunkelnde Tal hinab. Frühzeitig ist er wieder vor dem Wirtshaus angelangt, sein kleines Gebein noch stürmisch erhitzt von Prall und Fall. Der Einheimische hat trübe Erfahrung im Gelände, der Fremde muß es selber lernen. Er fliegt und sein Knickstock über ihm. (Wo geht es hier zu meinen Kindern?) Sie fallen über die Leute her und zerbrechen in ihrem Gepolster von Gliedern. Nie ist sein eines oder sein anderes Kind in den Wildbach gestürzt, gibt dieser Vater als Dienst an. Sein Geschlechtsstengel nothalber zwischen den Fingern ein einziges blindes Gezupfe. Die Harfe seines Unterbauchs spielt er voll Unmut. Die Frau soll ihm das gefälligst machen! Autos durchpflügen dieses neue Stahlgeländer und können nur noch tot geborgen werden. Weinend schwitzen die Besitzer am Abgrund. Nennen Alkohol einen tückischen Ratgeber, ihre Frau, die daneben saß, eine gedankenlos bohrende Zecke. Turmhohe Wut der Versicherung. Die Prämie wird erhöht, der Eigentümer geduckt. Vieles verkommt ja auf den Straßen, in seinem Leibespelz macht sichs der Bauer absichtlich unbequem. Der Knecht stülpt sich über hilfloses Tier. Stößt in unwillige unwegsame Ziegen. Ratloses Geschwein im klobigen Schweinshaus. Welch ein Ausweg dieses Leben. Herzlich die Kinder kitzeln nützt auch nicht mehr. Der Sohn wird gezeugt, die Tochter geboren. Der Berg schlägt ungemähte Wiesen Stück um Stück von seinem Gemäntel ab, fort! Die Schwester ist von den Ärzten bereits aufgegeben, es wuchert schlammig in ihr wie von heißen Quellen, es bricht auf. Kein duldiger Getierleib wärmt sie in Not. Der Mann steigt hohl auf. In ihm keine Gedärmsäule kein warmer Blutkuchen. Wird doch eine Jause eine Pause aber nicht Zuhause geben. Liebe Frau Aichholzer, ich bin soeben eingetroffen, grüß Gott. Ich machte meine heutige Beobachtung hinsichtlich eines modernden Schwesternrumpfes doch was fange ich damit an? Der Bootskörper meiner Schwester ist leck geschlagen, keck springen ihre Kinder mit ihr um wie mit Erdborsten. Keiner kämmt ihr das Haar, wenn sie unbegeistert schreit. Es heult aus ihr. Doch diese Jause will ich mir schmecken lassen. Die Torte ist gut. Und dieser Kaffee juche. Daraus, wie der Mond heute wieder aussieht, kann ich meine Schlüsse nicht ziehen, denn morgen kann es komplett anders. Dorfkollegen irren sich wiederholt. Zufällig behält einer das Recht und gibt es nicht weiter. Deutet Röte auf Schönes? Der Schwester gerät leider alles zum Unfug. Es schlägt ihr mit Kübeln aus. Ihre Kinder gehen kopfschüttelnd über Wege davon. Mutter wir können dir nicht ein neues Inneres fertigen als Lehrlinge. Wir gewinnen einen Schipokal lieber als Notlinderer zu sein. Dieses Geschlecht gehört mit Butz und Stingel versiegelt und unbrauchbar gemacht wie bei meiner Schwester, in die führt auch kein Laich, an der führt jeder Weg ab sofort vorbei. Dieser Steg kann nicht an sich halten. Pultiert dem Wanderer die Wanderzacke. Ich kann meiner Schwester das Gestell nicht abklauben, so gern ich möchte. Die Zapfen ihrer Krankheit blühen übel aus ihren Flossen hervor. Verwucherte Kiemen tun weh. Bitte. An nichts kann man sich halten, zweifellos undeutbare Zeichen in Natur und Kultur. Grausame Wege, die der Mann aufsteigt, sein Schößling hält Schweigen, meldet sich jetzt einmal nicht. Dankesehr. Ich bin so frei. Das Bauernleben ein einziges Warten auf Geblüh und Gedeih. Schwester verdirb. Maschinen lösen derweil Handwerker ab, der Lehrling spricht zu seinem Gegenstand lieber fahre ich auf meinen Brettln, die die Welt bedeuten. Der Schnee führt etwas mit sich, nämlich ist kalt und alpin giftig. Heute fährt schon das Durchschnittskind Schi, kenntliche glattbunte Spezial-Anzüge füllen Kaufhausalleen. Plastische Fußgehäuse in den Zweigen der Handelsburgen. Dressig steht der Halbwuchs an Kindern vor seiner sterbenden Mutter und führt einen neuen Erfolg ins Hintertreffen. Darf ich dieses Rennen noch mitfahren, Mama. Stirbst doch sowieso. Meine Schwester hat recht fortgeschrittenen Krebs. Ich bin in allem ein Anfänger, im Wald und auf der Heide. Der Pokal des Kalbskinds. Die Plackerette vom Verein. Sogar ihr Hirn ist schon durchspickt mit Geschwulsttöchtern. Die Witterung ist auch danach. Als Holzknecht richte ich meine Neigungen auf ein Ziel. Dann wird abgedrückt. Die Maschine löst mich als Bauer heute ab. Schnee liegt als ein Zeichen des Wetters. Wie wird das langerwartete Morgen sein. Keinen Schluß ziehe ich. Der Winter wird ab sofort lang oder kurz herausschauen. Jedes Tier hat unauffälliges Verhalten lang geübt, vor der Schlachtreife drückt es sich wo es kann. Das Verhalten eines Tieres deutet auf Hunger Durst Krankheit Melksucht Schwangerschaft. Diesem jungen Mann, der hohlwegs aufsteigt, ist Verhalten meist ein Rätsel. Solche Sorten Blumen neu vom Herbst! Der Sommer hat sie noch nicht gekannt. Der Bub wachst ein Brettl. Weiß nicht, wie diese Blume heißt. Im Schlafrock seiner Wut windet sich ein Vater zornig herum, wo ist mein Sohn, wo ist meine Tochter? Wo ist der Leibspolster meiner Gattin. Was dient mir nun als Vertreib von Tagesschrecken jeder Sorte. Allein sein beinander bleiben. Dieses Gewächs erdient den schönen Namen Enzian nicht. Auch Selbstzeitlose paßt nicht zu ihm. Meine Schwester wird frühestens in einem halben spätestens in einem ganzen Jahr nichts als Kot sein. Doch irrt sich die Natur, irrt sich auch der Arzt bisweilen. Schenken wir ihm diesmal entschlossen Glauben. Das Menscherl brockte gerade diese Blume besonders frühzeitig. Wie liebte dieses spezielle Kind Natur, der Sohn liebte die Technik mehr. Die Tochter hat schon mit fünf Jahren blütige Produkte für die Muttergottes erzeugt. Dazu Gestank aus Kinderkehle. Ein moderner Schlager vom Lehrling auf Schiern. Im Langlauf gleichgut wie alpin. Ein und Alles! Die Kinderkeule trifft die Bäuerin, um sie herum verwahrlosen Gästebetten, verwelkt die Küche, verkommt der Herrgottswinkel aus Preßspan. Sie spricht folgendes: Kann der Mann denn nicht ein einziges Mal mit dem Bakterienfetzen über das Resopal gleiten? Gleitet der Sohn lang. Die Tochter bevorzugt alpin, denn beim Lift jemand kennenlernen, der die Stadt und das Leben darin seinerseits die Freude ist bei mir ganz meinerseits. Danke ebenfalls. Keine milden Fruchtfalten keine Wurmparadiese (Pestizide) keine Plantagen unfreundlicher Gewächse im Tagbau dieses Tals. Nur Horden von In- und Ausland, die gern herkommen und es bleiben wollen. Die Bäuerin ist erschöpft, kaum hebt sich ihr die Hand aus dem Ärmel zum täglichen Gebet. Von Vogelflügeln gezogen breitet sich eine schützende Materialhaube über das Dorf, im letzten Augenblick spritzt das goldene Handwerk darunter hervor. Davon profitiert der Handel. Er trägt sich liebhaft mit Schistallgedanken und Sportstubengedanken. Stämme krachen wie von weit (stinkende Erde!) vor lauter Axtfroh. Der liebe Sparefroh dieses Männchen aus Gummiertem kommt einmal jährlich zu den Kindern wie das Christkind. Neidig hetzt das Getreide, will auch ein Haus mit Aufschrift in Rustik. Die Schwester stirbt derzeit an Krebs, ratlos in ihrem Jaucheglück eine Stunde schmerzfrei. Es noch ausnützen! Bunte Motorenmützen beleben farbig, unbunte Jogger, dem ersten Alter entschlüpft, tun es der Jugend nach. Noch leben bitte! Verrecken zuckend im Laufschuh. Von Lungen siedend krachen sie ins Gebüsch, wo andere schon der Liebe geduldigt haben. Die Kinder kratzen den Schorf von ihren leerradierten Schulheften. Sie verpesten zweimal täglich die Luft im Postauto gründlich. Die Wahl Bus oder Nichtbus stellt sich dem Fremden nicht. Er hat eigenes zu besteigen! Der Hohlweg zieht sich darmartig zusammen und seine Menschenspeise ruckend vorwärts. Aufwärts! Der Mann muß sich ab sofort selbst das Geschlechtsmelken beibringen, es ertönt internationale Musiksprache aus dem Radio. In Ländlergestalt. Länderweit verbinden protzende Volkstöne. Das Hochplateau wird von Tieren übergangen, die in ihrem Gefolge Fotoapparate mit sich bringen. Unter Narben darbt der Mann, dem die Frau entschlüpfte, wo bitte sind heute meine Kinder. Mein Bub singt moderne Schlager auf

Nichtenglisch nach. Diese Englischsprache wird nie vor Jesus als Englisch geltend gemacht werden können. Mein Ein und mein Alles, abgebrockt und jetzt im Kot. Eure Tante stirbt ab heute mittag zwölf Uhr dreißig. Ihr habt euch zum Kirchenkehren pünktlich einzufinden. Ihr Volksläufer. Trainierer. Anzugstierer. Jenseits der Kurve wartet das Haus der Aichholzerin, schon mehrere Wanderfratzen haben ihre Bogen drum herum gemacht. Manchem ist die Torte ein Fremdwort. Sie sind vernachlässigt. Jäger rasen über das Plateau hinweg. Aus dem Wald hängen Tierzungen hervor. Erbrechen sich in Haushaltskübel. Vor Medikamenten ist die Schwester innengeschwülstig. Sie war es schon vorher. Der Eimer ist rot. Der Sohn rennt um dieses Plastikwunderwerk auf Verlangen der Mutter. Er bringt in Form Gegossenes herbei. Seine Pokale strahlen mit dem Tod um die Wette. Dieses Blut verläßt seine Ader nicht mehr! Der junge Mann steigt in den Hohlweg und meidet gleichzeitig eine Veränderung in seinem Wesen. Er steht und geht gleichzeitig. Dieser Tag brachte dem Krankenstand eine Einladung. Sie platzen herein als Bezirksärzte und weiden Leid wie kauendes Vieh. Wo bitte kann ich hier jemanden kennenlernen und mit ihm wenn möglich bekannt bleiben? Die Touristin fragt. Die Bäuerin setzt eine Runde Schmerz aus, bis sie das nächste Mal würfeln darf. Dann keult das Schicksal ihrer minderjährigen Tochter sie erneut nieder. Sie erwartet still die Abtreibung im Geheimen, mit der Katholikennadel. Jetzt darf sie noch einmal. Aus der Windrichtung läßt sich nichts ablesen, nicht der Weg zum Kurhotel, nicht die Schneise zum Almtrieb. Das Wetter aber schon gar nicht. Das Wetter liest der Bauer an seiner Kleidung ab. Ein Geräusch in den Büschen treibt das Wild vor sich her. Ein Fremder setzt einen Haufen ins Gezweig, nachher weht ein sanftes Papier, junge Fichten beschirmen den braunen Brand. Die Bedürfnisse der Ausflügler sind gegen die Kunst in der Natur gerichtet und gelungen. Sie haben das Bankerl das liebe im Handumdrehen demoliert, das ich mit meinem Buben eigengebaut habe. Tiere diese Sommergäste! Bestien diese Schiakrobaten. An unterseeischen Landestegen drängt sich der krötige Wildwuchs. Stadthocker. Filmseher. Theaterschauer. Einige fallen hinein in das nasse Element, andere können geborgen werden. Einfallslos deckengehüllt sitzen sie dann im Wirtshaus, aus dem sie einst kamen. Flecken verschwinden von den Terrassen der Einfamilienhäuser. Vermietet wird an diesem Ort und später an einem anderen. Sie müssen vorher nicht anklopfen Herr lieber Gast, der uns beschert hat. Keine Gestalt wirft einen Schatten gegen eine Schnitzerei. Nichts Pflanzliches wird aus der Nähe untersucht, denn es gefällt nicht. Kein Mineral geht vom Weg ab in eine Tirolertasche. Kein Hammer klopft gegen Gefels. Höchstens ein Schnappmesser an eine Getierwand. Kein Insekt geht freiwillig und gern in die Glasröhre mit Giftgas. Einer schaut in die Röhre, ein anderer hat kein Gas. Nur elektrisch. Dann nicht. Bittesehr. Kein Schmetterling prüft erst einen Glaskasten von innen. Die Kohlweißlinge werden fingerzwischen eingegatscht. Bei der Berufswahl folgte dieser junge Mann seiner ganz speziellen Neigung: Holzarbeiter. In die Sonne nicht zu lang schauen. Die krebssterbende Schwester ist seit Jahren überdies schneeblind. Ihr besonderes Kennzeichen: schwarze Brille, selbst zu Hause auf der Schlummerkeule. Schwämme einsacken. Ganz aus der Nähe etwas zu untersuchen, drängt den Mann nichts. Naturregeln kennt er keine, die Natur schöpft sich ins Maß. Schreckliche Schwerkraftgesetze werfen Bäume auf Leute. Tolle Füchse springen vor. Bitte die Büchse. Es herrscht Geräuschbetrieb auf den Motorrädern und Motormähern. Freundlich plustern sich Frauen in Kunstfaser vor ihrer

Natur, der sie Geld abnehmen. Ihre Männer staunen stumpf aus den Motorsägen hervor. Sie sind teilweise. Unwirsch tobt der Kettenhund vor seinem Eingang. Er verweigert dem zahlenden Gast eine Runde Geleit. Ein Horn blökt. Eine Sprengung wellt die Kämme der Berge. Mit gekauften Apparaten fesseln Landschaftszwerge die Natur an sich. Hundestrahlen pissen in bleierne Randgräser. Die Kinder sind heuer recht blaß ausgefallen. Sie essen aus gifternen Vorgärten Selbstgezüchtetes. Sie waschen es kaum. Sie sparen auf ein Auto. Das Auto erspart ihnen nichts. Ausgelassen fährt der Mann nach Tobelbad und kommt mit einer frischen Villacherin bepackt zurück. Sie ersetzt mir die total krebsige Frau schon recht brav. Ist in dieser Natur ein voll ausgebildeter Wächter vorrätig? Baum fällt trotzdem. Die Natur ist mir gegenüber zum Gläubiger geworden, nichts an ihr deutet auf etwas hin. Alles ist Laune an der Natur. Nichts ist Gesetz und schon gar nichts sanft. Mürb geworden ist der Wettbewerb zwischen Beherbergungsbetrieben der Kategorien. Pfeifend entringt sich ein erschöpfter Atemzug, die Bäuerin sinkt auf ihr eisiges Fernsehkissen. Sie stirbt ungern. Sie will auch jung sein. Sie scheut Schimmel am Mauerwerk. Alles macht etwas schmutzig. Schon verkackt die Schwester ihr Sterbebett. Betreten umlagert die pokalsüchtige Brut das metallene Leintuch. Bräunlich zieht ein Duft auf. Der selbstgewählte Beruf revanchiert sich nicht. Man kann ihn oder nicht. Küchenkalender voll Ferne: Abbildungen der Stadt Wien, kommet und besuchet sie bald mit Bus oder Bahn. Ein Firmament glüht, Körperschrauben reiben sich an ihm. Dem Roten Kreuz gegenüber wurde eine Schutzgebühr entrichtet, die den Ärmsten der Entrechteten zugute fällt. Das Verhalten der Borkenkäfer ist überflüssig und für die Natur leicht entbehrlich. Oberförster haben ein bäuerlich imitiertes Großhaus und bewirten. Der Jagdpächter mit seinen Gästen schießt dort auf Scheiben zu. Der Pächter ist der einzige im Dorf, der ein deutscher Großindustrieller ist. Er hat einmal Kaufhäuser besessen, sie aber abgestoßen. Niemand hier stieße, besäße er ein Kaufhaus, dieses von sich. Jeder hofft, einmal ein Kaufhaus sein eigen nennen zu dürfen. Meine Frau hat im Kaufhaus früher als Verkäuferin gearbeitet. Dort hat sie den Förster kennen und lieben gelernt. Das ist hier ein Areal voll Mühe und Plage. Krachend bricht das Tote am Hirschen, von Helferhänden abgepflückt, durch das Bodenkraut. Die Tieruntersucher sind derzeit noch weit. Der Jagdherr zahlt Stamperln Schnaps, und der Hirschtransport schießt angespornt über die Leite. Der Hirschwert steigt mit dem Geweih. Das Hirschfleisch ist zuträgliches viehisches Produkt. Wir halten uns lieber an die Ethik und die Ästhetik. Das Fleisch gehört den Hirschträgern in den Hirschträgerhosen. Einfach dabeisein, als Baumfäller, als Hirschzusteller, ich nehme zwei Kilo von diesem Fleisch hier. Es ist nämlich gratis. Jeder soviel er tragen kann. Der Oberförster kommandiert in den Wald hinein und hört dann zu, ob der Bock schon brünstig ist. Etliche Handwerker bilden mit ihren Werkzeugen, die man Kraftfahrzeuge nennt, einen lockeren Kreis um die Natur. Das Licht erlischt in den einzelnen Abteilen der Natur. Der Schwager und die Villacherin fahren lachend in einem Opel Kadett zum wiederholten Mal über den Schotterweg. Ganz Villach schlösse geblendet die Augen vor dieser Frau in Dralon, die in Sünde lebt mit einem Verheirateten, wie stolz, wie muskelig lebt das neue Auto unter ihr! Was für eine gute Trafikantin sie doch geworden wäre und ist! Die Jagdgäste schießen auf Scheiben. Bewundernde Angst von Kreatur, ob Mensch ob Tier, umlastet das Gelände. Der Gemeindebedienstete und die Villacher Faschingsfrau fahren, abgehoben von der Wirklichkeit und deren infamer Natur, zum

Sonntagswitz an den Scheibenschützen vorüber. Keiner spricht sie an, die Rede ist vielmehr von Rodung und Wiederaufforstung des Millionärseigentums. Der Schwager fährt locker nach Hause, um den Sterbegrad seiner Frau auszumessen, wie groß er den Sarg bestellen muß. Heißes Harz tröpfelt aus den Krebswunden dieser Frau, so daß sie ihren ererbten Hausfrauenberuf nun nicht mehr ausüben kann. Das zähe Wachs der Liebe verklebt die Villacherin mit dem Gemeindebediensteten. Im Schrittempo fährt das Kadettenauto samt Schwager und Liebe vor einem Hintergrund aus Geknall dahin. Der Schwager scheut. Die Villacherin schaut. Jemand zieht einen Vorhang auf. Männer deuten auf die Natur, bis das Ergebnis für morgen aus dem Fernsehgerät herauskommt. Ängstlich die Bäume, Wildkörper pressen sich dagegen. Der Kaufhauskönig organisiert zügig den Wildsport, den Wildtransport, bald saust schon der Hirschschlitten los! Steine reißen Kadavertrümmer aus diesem Tier der Heimat. Freiwillige melden sich unverzüglich. Die zarten Schmerzen des Föhns machen der Sterbenden zusätzlich zu schaffen. Auch ihr Mann wird am Hirschen werkkräftig werden. Im Garten des Oberförsters platzen die Zwetschken aus ihrer Verpackung. Keiner kümmert sich drum. Diese Fruchthäute, ihr Inhalt entgleitet ihnen so rasch. In hellem Wahn stoßen Forellen gegen die Steine. Morgen fahren wir alle zum kaiserlichen Jagdschloß, die Helfer rühren sich träge in ihrer heidnischen heimischen Tracht (sogar die Knöpfe sind aus toten Tieren hergestellt), treiben gallertig dahin, großartig, Wassertote in gedunsener Aufmachung. Sie quellen auf. Der Hirschtransport wird Hosenböden kosten wird Jankerärmel kosten wird Schuhsohlen verschlingen. Die Helfer treiben dicht unter der Oberfläche der Natur dahin, träge spielen die Haare, eifrig schöpfen die Fische Nahrung aus den Augenhöhlen. Die Namen dieser Strauchexoten, Eigentum des Oberförsters, kennen sie alle nicht. Ihre Namen kennt ja auch keiner. Der Oberförster läßt es sich oft gut schmecken. Er läßt es sich oft und gut schmecken. Der Millionär spürt nicht, was er ißt, wenn ihn die Jagdschauer überkommt. Über einen Stand an Nahrung lebendiger Sorte wird försterlich Buch geführt. Manches wurde fürs Geschoß erzogen, zum Beispiel Fasane. Berg und Flur kennen den Auswuchs, den Überschuß, der zurückgestutzt werden muß. Ich bin optimistisch, wie das Wetter morgen wird. Die Hirschhelfer, die Hirschhäuter, die Hirschhacker fragen sich, wann sie wieder ins Wirtshaus kommen werden. Maden und Würmer hocken sofort, als hätten sie drauf gewartet, im Gehäuse dieses Großtiers. Schon ermüdet das Blut im Schußloch. Auf die Wildhelfer wartet der Schrecken des hilflosen Alters (ihnen tut niemand den Gefallen, sie vorzeitig durch Kugeln aus dem Verkehr zu ziehen), vor dem Schrecken des Waldes haben sie blutige Tücher vor Türen und Fenster genäht, diese Tüchtigen. So bleibt der Wald draußen. Die Vorarbeiter stehen vor ihren Sägen. Der Schotter knirscht, der Kies schäumt. Die Erde wogt vor den Todesrohren, die auf sie gerichtet sind. Die Erde zuckt und macht auch sonst schrille Bewegungen, doch sie wird Ziel. Auf den Dachfirsten kauern die Delikatessen aus Vogelkörpern wie Schnepfe und Rebhuhn. Alle aus dem warmen Käfig ausgesetzt. Das Gewehr stellt sich entschlossen vor den Jägersmann. Lang fließt Talg durch die Nacht, so nachgiebig ist die Natur, wenn es dunkel wird. Der Opel Kadett spuckt vor dem Oberförsterhaus aus. Die Villacherin hat ihre Trafik fremden Händen überlassen, derweil sie sich der Liebe ergibt, nun zersorgt sie sich die Hirnfalten nach Villach und Verdienst. Noch lebt die Frau, aber sie stirbt schon von den Rändern her. Der Kuß des Todes steht mit seiner Aktentasche vor dem Einfamilienhaus, das der

Villacherin gerne gehören möchte. Der Todesschmerz zerrt, ohne Ansehen der Person, Gedärme aus der Kuh, die soeben mißgeboren hat. Geäder schlingt sich zu Knoten. Der Kaufhausmillionär behandelt jemand flüchtig wie seinesgleichen, mit weniger Mühe als er auf seine Fußnägel verwendet. In seinem Herzen ist Platz nur für wenige. An seiner Herzenskasse stehen die Schlangen seit gestern früh. Hoffen, daß sein Blick wie Sonne auf sie fällt. Ich schieße auch gern, aber nur mit dem Fotomat, sagt seine Frau. Einer, der die Lokalpresse vertritt (und durch diese schon komplett vertiert wurde, soviele tödliche Unfälle hat er mit angesehn), wankt demütig in seiner Bedarfskleidung. Die Frau des Kaufhauskönigs sagt ein kleines Wort. Einer will sie denn doch im Bikini sehen, scherzt er. Der Jagdherr klotzt Alkohol aus dem Spender. Dankbar übernehmen die Holzarbeiter diese Verantwortung aus seinen Händen. Das tote Haar des Hirschen, das tote Gefelle des Rehs. Sicher und flink gehts ins tobende Gelände. Zuckend entleeren sich die Gipfel, die Holzfäller prallen von den Kogeln, den Mugeln, den Graten, ihre tiererne Beute umschlingend, hinunter ins Tal. Im Tode noch umarmen sie das saftige Beutestück, das sie ihrer Frau mitbringen wollten. Hautfarbe wird mit Blut verschmiert. Die Frau des Kaufhauskönigs schminkt sich beide Lippenteile. Der Oberförster hat den Spiegel dazu beigestellt. Das Mysterium Leben, wie jemand im Fernsehen behauptet, beschäftigt niemand als eine speichelnde Bande von Jagdgekken. Unweit der Stätte ihres Aufenthalts schlägt ein Wildbach gegen sein Bett. Weich sacken die Tiere durch die Gletscherrinnen, sanft prallen die Köpfe, lieb hüpfen die Euter. Sie tragen ihre Kopfzier nicht mehr. Weißglühend fressen sich Sägen in Stämme fressen sich in Knochen. Fräsen Geweihtes vom Kopf. Milchig träufelt die Kuh ihren Atem herum, sie ist freigebig mit ihren Ergebnissen.

Es ist ein Forstrückstand zu vermeiden. Einer rechnet unbesonnen Tier gegen Pflanze auf. Eins schadet dem anderen, und doch ist uns beides so nötig! Hätten wir beides nicht, hätten wir auch uns nicht länger. Kochendes Pech rinnt aus Baumverletzungen. Die Jäger sticheln zögernd in die Waldesbrühe hinein, die Stämme spiegeln sich im teerigen See, ein Betrachter steht auf und geht, weil zu lange nichts passiert ist. Die Natur ist eben meist ruhig, weil sie sich erholen möchte. Die Jagdgesellschaft schlägt, betrunken, mit glühenden Schatten aufeinander ein. Die bäuerlichen Gehilfen proben eine Zusammenrottung von Lichtung und Ladung. Denn: sie sind eingeladen worden zu einer einfachen Speise! Kein Geist hat hier zweimal sich zu Bildungsreisen gemeldet, die der Pfarrer verantworten mußte. Oft sind die Gemsen krank. Räude und Fäule, Seuchen und Infektionsverluste. Was für ein erneuter Schußgrund für den kunstvollen (imitierten, er kann sie ausziehen, wann immer er möchte) Lederhosler! Bestände werden von der kalten Schnauze einer Raubdrossel dezimiert. Kein anderer ist schuld, der machtlose Mensch schon gar nicht. Der junge Holzknecht kennt den Gebeinzerfall aus eigenem Schmerz. Und er sagt es auch. Kennt den fremden Schmerz der Schwester als Anschauungsmaterial. Kennt die Lungenentzündung, von der keiner entzückt ist. Füße, Hände sind ihm schon abgebrannt. Er ist auch nur ein Mensch. Knochen brechen manchmal zwischen Hundekiefern. Tollwütige Füchse in riesigen ausgebauten Erdstallungen, das müssen Sie sich anschauen! Die Bergin (Ja, Sie! Frau wie ich, freuen Sie sich! Kommen Sie her!) stapft über den Schnee. Frau Kaufhaus untersucht etwas an sich, denn aus dem Brunnen ihres Leibes sprudelt wie gipsern eine Quelle. Behängt ist sie mit einem Apparat. Der Apparat ist kein Teil von ihr, baumelt an einem Seil. Ein Schnaps für viele Erwachsene und auch die Kinder. Sie jubeln es sich in die Zähne, spachteln Land- und Jagdwurst aus der Verratspackung. Die Wirtshausdecke senkt sich tief, manche kriechen zu spät darunter hervor, platt wie Fingernägel. Warten Sie einen Augenblick nur, meine Schwester stirbt gerade. Diese Kühlerhauben kennen dennoch ihre Bestimmung, also die Orte. Nebenerwerbsbauern (durch Erwerb die Existenz nicht verdoppeln, sondern halbieren!) scharren, blutig vor Verlegenheit, in der Oberförsterstube den Teppich bis auf die Eingeweide kaputt und entwischen, drinnen noch Gast, draußen Treiber und Getriebene. Die Zungen der Jäger tauchen ins Moor, nicht ohne Opfer werden sie sich zurückziehen. Der junge Mann geht den Hohlweg auf Zehen hinauf, er hat ein echtes Flobertgewehr. Er hat es, und er benützt es. Schwache Knaller entladen sich seinem Herrenstab. Zwei Füchse drehten sich dieses Jahr schon wollig vor einer Luft aus Herbstgrau. Ihre Felle bilden einen schönen Jagdbogen in der Wohnung. Frau und Kinder, nun via Tirol zu erreichen, damals noch hier, duckten sich zu einem Haufen, bestrebt, ihre schwachen Anwesenheiten dem Vater nicht zu fest aufzudrücken. Das ist mein eigen Jagdzimmer, verspricht der Mann seiner bebenden Ernte. Niemand von euch verliert hier etwas! Platschend fallen die Fuchsleichname, von der Frau mit dem Messer entkleidet, aus ihrer Landestracht. Die Felle dann an die Wand genadelt, als Schmuck. Die Plastikfolie von Traktoren, Puppenwagen, Puppenwesten, auf der Stelle und nachdrücklich: hinaus! Der größte Raum der Wohnung wird mit Genickschlägen saubergehalten vom einförmigen Kinderbrei. Nur abstauben und konservieren gilt für die Frau. An der Wand eine möglichst vollständige Liebesbibliothek. Reizende Dämpfe kriechen draus hervor. Der Mann ist ein Liebhaber des weibl. Unterleibs, jawohl. Er weiß, wie man den Schrei weiblicher Empfängnis vermeidet. Er liest ein betreffliches Buch. Er schaut genau auf eine Abbildung. Neben der Jagd ist er fast zum Eber geworden, sogar in der Öffentlichkeit, vor Fremden. Er sucht jetzt eine Freundin. Die Weibssorten kann der Mann jetzt genau beim Namen nennen. Als Kind schon kannte er ein und das andere Kraut, doch seinen Namen weiß er nicht. Die Natur sendet verwirrende Signale, die Frau nur ein einziges, geifernd zieht sie die Liebeslefzen hoch. Kochender Speichel sprüht nadeldünn, zum Zeichen JA geformt, aus ihrem Maul. Der Mann ist dadurch verwirrt. Mit ihrer Liebestatze hilft die Frau dem Begehren nach, verleiht ihm Ordnung, Würde. Die Füchse rotieren im Tau. Der Mann ist ganz verwildert. In tiefem Schlauch führt es in die Frau, in ein Gemantsche von Säften, warum? Jetzt ist sie in Tirol, wie man leider zugeben muß. Das Körperinnere der Frau ist bereit. An der Aufnahme scheitert mancher, wenn auch knapp. Dünn fistelt derzeit die Sterbestimme der Schwester durchs Haus. Die Abbildung im Aufklärungsbuch beweist: an Heimischem, Heimeligem ist die Frau der Pflanze weit überlegen. Andrerseits ist sie dem Waldwuchs wieder ähnlich. Das heißt, sie weiß nicht wohin. Wir geben Ihnen eine Anleitung für eine Versündigung. Die Kirche wendet sich schwankend ab. Die Benützung dieser Frau über den Schlauchweg, den Sie hier schematisch verkürzt sehen, wird dem Mann von diesem Buch anheimgestellt. Er kann sich auch zurückziehen, wenn er will. Der reich prachtbebilderte Versandband in einer Kassette. Gibt Anleitung in galligen Tropfen, widerwillig befolgt man sie. Ob Frau, ob Wiesenknöterich, beide gedeihen sie nach einem einzigen Prinzip, sind zum Abpflükken da, diese Blumen! Dieses Prinzip geben sie nicht ohne Mühe an die Folgegenerationen weiter. Der Vater liest ein Buch, jammernd schlägt seine Frau derweil die Stirn auf die Stufe der Entwicklung, die sie nicht hochsteigen kann.

Das Hirschauge platzt. Dieser Mann möchte bitte endlich Frauen erobern und Wild abschießen. Kinder wollen dableiben! Die Brustfuge der Frau wird entfernt. Der Mann steigt im Hohlweg auf und wird bald oben ankommen. Jetzt ist er fast oben. Die Frau schleift mit den ewigen Brunftkrallen über die Steine. In rotfärbiger Tunke badet sie ab und zu ihre Nägel. Der Fotoapparat der Jagdgästin pendelt an einem Riemen, wie er in keinem Aufklärungsbuch zu finden ist. Auf dem Kopf hockt ein Kopftuch. Sie lehnt gegen einen Range Rover. Wunderbar spannt sich eine Karosserie über den Landweg. Das Laub kalbt raschelnd. Käfer krabbeln daraus hervor. Der Zähler der Natur wird eingeschaltet, damit die Natur schalten und walten kann, eine Münze klappert im Naturkanal. Lied erklinge! Liebe diktiert Farbe, Form, Geruch. Von einer Schallplatte kommt der Name der Natur und das Thema der Natur. Das Thema wird dann verarbeitet. Es ist dies nicht die Frau des Kaufhauskönigs. Es ist eine ganz andere Frau. Diese Frau ist ähnlich wie die Frau des Kaufhauskönigs. Mein Menscherl hatte einst ein ähnliches Kopferl und ein ähnliches Tuch darauf! Es war fesch. In einen Feldstecher schaut die Frau, und die Natur glotzt zurück. Die Natur ist entzückt von all der Beachtung, und sie ist entzückend. Diese Frau ist nicht verrückt. Die Landschaft paßt sich auf der Stelle den Ansprüchen und Formen ihrer Bewohner an. Die Frau trägt daher: Blue Jeans und einen Walkjanker. Sie ist einfach. Sie ist auch kompliziert. Eine zunehmend entkorkte Flasche (sie hat Gold in der Kehle und im Kopf). Wie ein Vogerl sündigt auch diese Frau gern und selten. Sie hat noch nie eine Sakristei von innen gesehen. Diese Frau ist ein verzweifeltes System und hat verzweigte Ansprüche. Ihre Einfachheit schöpft sie aus größter Fülle. Sie rührt halbherzig in sich herum. Der Geländewagen steht hinter der Kurve des Hohlwegs. Es ist eine andere Frau als die Kaufhausfrau, aber von beiden ist ständig die Rede. In einem solchen Roman. Die Frau des jungen Mannes (jetzt wohnhaft: nicht Rio, sondern Tirol) hat ihr schwächlich quietschendes Gestänge jahrelang vor einem Wühltisch voller Pullover abgeknickt. Sie hat einen «Servus» vor den Kunden gerissen. Kreißende Giftgasfarben auf diesen Pullis, und doch soll man so etwas genießen. Senfgasgelb. Zyanblau. So lernte sie schließlich den Förster kennen, frierend in der Kreisstadt. Verhungernden Speichel am Kinn. Schwächliche Klauen wie vom Tod erstarrt um Synthetikpullover geschlungen. Ich bin und war Verkäuferin in einem Kaufhaus. Bei fünfzehn Grad minus an einem Wühltisch eine Pulloveraktion abzuhalten, dazu gehört schon was. Kein Feuer, das wärmt. Diese Frau ist aber eine andere Frau. Sie lehnt an einem geländegängigen Fahrzeug, blank wie Münzen. Sie redet von etwas, wovon ein anderer nie zuvor gehört hat. Jedes ihrer Worte wird ein Stück Aas, gärend in der Herbsthöhle. Es gibt Tage, da wate ich in Blut wie jetzt in diesem Kurort. Sie sagt etwas. Sie grüßt und spricht. Der junge Mann zermartert seinen Kopf nach einer entsprechenden Gegenrede, sie handelt von Hirschen in einem Extrazimmer. Eine Anstrengung fährt wie ein Salamander durch seinen Oberleib. Sein Hemd schmilzt zu Notdurft, er ist ein hübscher Mensch. Er zeugt auf der Stelle kein Kind. Diese Frau ist auch schön. Sie ist ein wahrer Kelch. Er folgt rasch entschlossen ihrer Rede. Sie nennt ihn Schmerzlappen und Knecht, aber er soll morgen kommen, wenn er will. Sie suhlt sich schon heute im Blutruch. Sie sind wie das Fernsehen, sagt er sachverständig. So eine Frau! Schauspielerinnen sind meist herzig. Fremdsprachig ist diese Frau Jäger auch, gewiß! Kippt ihn jetzt aus dem Gespräch, wie eine Ladung Müll, man muß ihm ein Zaumzeug anlegen, morgen macht sie das nur zu gern. Er kann nicht sprechen vor Aufregung, er kann nur stoßen und bocken. Sie möchte nichts wissen. Er kann nichts beantworten. Das Zahnfleisch kracht von der ungewohnten Redemühe. Ihr geht es im Gegensatz dazu leicht vom Kinn herunter. Weiß weht ein Wind aus dem Berg heraus. Die Frau steht auf einem Standbein und hat ihr spielerisches Bein auf das Trittbrett placiert. Sie ist vollkommen nüchtern. Ein Geschäft spart seine Kräfte. Er soll morgen mitfahren. Wie Reptilien saugen manche an den Hülsen ihrer eigenen Worte: wie freudenfertig ist doch ihre Stimme! Wie fertig gemacht und endkontrolliert kommt sie aus dem Rachen und kümmert nur wenige. Alles, was sie sagt, hat geschäftliche Folgen. Unter ihrem Kopftuch quillt etwas, schönes gelbes Kraut. Tote Pflanzen ersticken vollends unter ihren Jagdschuhen, in dieser Gegend verbraucht sie kaum Strom, diese Gegend erzeugt Strom durch Wasserkraft! Schwächlich tickt der Zähler dieser Landschaft, zum Zeichen, daß es bergab geht. Die Frau atmet laut. Er sagt, zu einer Jause, jetzt sofort, bin ich nämlich eingeladen! Kaffee und Kuchen, vielleicht Torte. Zwei Bussarde schlagen mit ihren Stirnen gegen den Felsen. Sie haben Gift gefressen. Die Frau lacht, denn der Mann legt eine Anzüglichkeit dörflicher Art behutsam auf den Stapel seiner Worte. Auf diesen Holzhaufen von Sätzen natürlichen Ursprungs, also über den Körper und dessen Bedeutung für den Benützer. Plötzlich ist man vollständig Knecht geworden, schade! Sie verlangt nach einer zusätzlichen helfenden Hand, im Jagdhaus, können Sie morgen früh kommen? Der Haushälterin hängt schon das Gedärm heraus vor Arbeit. Eine Seilschaft geht in lockerem Freigang über das Plateau. Keine Eisen, keine Haken an ihren Füßen. Der Mann spricht von seiner Scheidung. Die Frau entblößt unmutig ihre Kiefer. Nichts davon möchte ich hören, ich möchte fühlen. Sie schauen beide in die glühende Kette der Schneealpe. Roter Schein über

34

dem Wald. Sonne, herbei! Und jetzt abtreten! Die Frau tritt ihre Zigarette aus. Sie entfernt fußfrisch einige Pflanzenwüchse aus ihrem Reich, der Erde. Ihr Kellergeschoß spricht ruckend an. Der Mann weist seine vom Bruch noch nicht ganz verheilte Vorhand her. Doch leichte Arbeit könnte ich gewiß verrichten. Die Frau rät ihm dringlichst, fahren Sie morgen mit, wenn wir alle fahren, alles weitere finden wir, egal wo. Behalten Sie inzwischen meinen Namen, er gehört Ihnen bis morgen. Der Mann sehnt sich nach Ansprache, die Frau hält ihm keine. Ein Schauder von Fremdheit. Gänsehaut auf dem Wasser. Eine kalte Grotte, diese Frau. Eine Göttin? Herbstvögel, von ihrem Hersteller offenkundig völlig verlassen, beschauen das Land von oben, blutige Fäden quellen aus ihren Mäulern. Die Frau schaut den Mann an wie einen Teil der Schöpfung. Er spricht sie an, im Auge ist eine Flüssigkeit gefangen. Zwei Füchse fallen verkrallt, berühren Erde, werden zu rauchigen Bündeln. Der Schmerz jagt hinter dem Hirschen her, baut ein Tierzelt, gräbt einen Tunnel zum Versteckerlspielen. Die Frau zieht ihr Kopftuch unter dem Kinn zusammen. Sie ängstelt nicht, sich in dieser Eigenschaft (Frau) zu weit vorgewagt zu haben, also Angestellte werden zu müssen. Nichts sei ihm seit seiner Geburt vertrauter als dieser Hohlweg, glaubt der Mann trösten zu müssen. Die Kruste der Erde wölbt sich, ein Berg tritt im Abendschein auf. Die Landschaft wird dieser Frau zum Theater. Holzknechte als Fußvolk und Geschlechtshelfer (ein Geschlecht von voreiligen Übergangenen). Arbeitslos. Einer wird ein Arbeitslos gewinnen. Wespenschwärme umschlingen einen Stapel Lärchenstämme. Die Bearbeiter der Stämme stehen furchtsam daneben. In einer Zeremonie der Arbeit beugen sie unmutig die Rümpfe. Bald wird einer aus der Partie entlassen werden. Voll Eifer stürmt die Rotte frisch angelernter Holzer mit ihrem armseligen Besitz, der noch nicht einmal die Stufe des Werkzeugs erreicht hat, von den Hängen. Neben der Bundesstraße krümmen sich Frischzellenhäuser für Einfamilien. Die Einfamilien vermehren sich zu Kolonien, für die angebaut werden muß, so machen es die fleißigen Bienen! Überfahrene Kleintiere klammern sich an die Balkons, tropfen Blut auf frisch gefiederte Terrassen. Die Schwester stirbt ebenfalls in einem solchen Haus voll Stillstand. Arbeitet die Hausfrau nicht, arbeitet keiner, weil er keine Mutti mehr hat. Sie legt die Hände in den Schoß, steckt den Schlüssel ins Schloß, wankt nicht mehr unter Riesenbinkeln von der Bergleite. Das letzte Gras verwelkt. Den ganzen Tag Straßenlärm. Ein lieber Igel sprenkelt den Asphalt. Im Vorgarten bleiernes Pflanzenleben, so schwer nämlich. Kinder, bleich wie Geister. Gewinnen dennoch sämtliche Pokale! So verwirrt kann die Umwelt also noch nicht sein. Die Vitrinen strotzen vor blechernen Ornamenten, so wie die Erde vor Schwermaterial strotzt. Zu ihren Lehrstellen schleppen sich unmutig diese Erzklöppel von Lehrlingen. Der Vater: Invalide und Gemeindebediensteter. Die Mutter angezogen und bedeckt auf der Küchenbank und danke herzlich. Im Schutz des Krebses wagt sich kein Nachbar tröstend zu ihr. Ansteckungsgefahr! In der Schwester die Töchter von vielmals Geschwülsten, in der Vitrine die Pokale von Schi, dieser Wirtschaftsmacht. Im Tobelbad machte eine Dame aus Villach in Kärnten eine Kur, nie wieder wird der Vater von ihr kuriert sein. Der Gemeindeangestellte und die Trafikantin aus Villach, eine solche ist es, bilden ein großes Paar Menschen. Wasser wird aus einem Hahn gespendet. Keine Unterstützung leistet dieser Mannshahn von Angestelltem der sterbenden Frau. Kurzes Tierheulen, Achtung. Die Schwester stirbt und versorgt niemanden. Niemand hat mehr Achtung vor ihr. Die Schwester weint jetzt. Die Fliegen bescheißen die Fensterscheiben. Strom jagt durch den Draht. Die Schwester stirbt. In ihrer Hülse aus Wundschmalz kauert sie, die Schipokale schauen auf sie, die Kinder schauen nicht auf sie. Diese Villacherin ist aktiv, attraktiv! Geht mit den Kindern zum Anfang Schifahren, damit jemand es schlechter kann als diese Preisfahrer. Sie läßt sich das Haar sogar waschen schneiden legen. Selbständig ist sie in ihrem Wahn als Trafikantin, das Geschäft gibt sie nicht auf, eher noch den Mann, der heraußen wartet. Sie ist zum Herzeigen. Sie ist herzig. Die österr. Tabakregie macht ihr zu schaffen wie vielen Kleintreibenden. Wasser zerrt Forellen unter ihren Steinen hervor. Die Schwester ist demnächst nichts als ein Griesberg von Leichenkrümeln. Die Villacherin meidet Maden und Mädeln, die jünger sind. Sie stellt sich nie daneben hin. Der Gemeindebedienstete hat in ihr eine gleichschwere Partnerin gefunden, nur etwas älter ist sie ausgefallen. Die Oberfläche der Villacherin ist schon fein gekörnt. Ist sie etwa die Krone der Schöpfung, das Weib? Der Mann hat dadurch einen Anspruch auf etwas und macht ihn zu dieser heutigen Urzeit geltend. Es ist alles wie immer. Diese Frau ist eine eindeutige Zeige im Dorf: die Meinige! Der Schnee trägt den Schi ebenso geduldig wie Sie die Liftgebühr. Der Waldesknecht wirft sich in einer Rolle vor dem Fahrer beiseite. Er muß doch immer nach nebenan, wenn etwas Stärkeres vorbeikommt. Schifahrer und Waldhacker verkörpern zwei dunkle mir unverständliche Prinzipien von Arbeit. Die Natur ihrer beider Feind, diese Mimose. Eine eheliche Pflicht wird vom Mann aus Graus nicht mehr eingehalten. Für diese Trafikantin bin ich nämlich ihr Ein und Alles, sie bringt auch Barschaft mit. Für meine sterbende Gattin bin ich doch nur mehr Nummer zwei (als Schicksalsmacht) und ein gewisses profitables Arbeitswerk. Man muß doch einmal tanzen gehen dürfen. Nicht mit mir! Nur Arbeit, kein Vergnügen mit der todwunden Haushaltskuh, das geht nicht. Das Tobelbad verband uns, die Gesundheit ist das höchste Gut, wir haben es nun wieder errungen, die Villacherin und ich. Kurschatten huschen dort über Blumenrabatten. Ganze Wände in Kammern erleuchten sich von der Kraft der Sterbenden, wer braucht da noch meine Geschirrabwäsche. Für meine Frau zählten immer nur die Kinder die Kinder die Kinder. Ich mußte zahlen. Die Untersuchung des Doktors mied sie. Dieser Herr soll nicht von unten in sie hineinkritzeln dürfen. Seine gleichgültigen Blicke sollten nicht über ihr Inneres huschen wie unsere beliebten Schneeläufer übers Gefrorene. Auch im Zieleinlauf der Beste der Berufsschule und des Landkreises in seiner Altersklasse, das muß ihm einmal einer nachmachen! Herr Doktor, dieser Boden lebt ja förmlich. Meine Villacherin, du sorgst gut für uns, nehme ich an. Die blutenden Heiligen der Gemeinde sind vom Nachtzug aus nicht zu erblicken. Sie erblinden von den vielen Leiden hier. Unsere Mutter muß ausgerechnet vor Pokalen sterben. Leistung und Versagen umgrenzen froh die Existenz bis zum Schluß. Ende gut alles gut oder? Nur ein Unfall befreit einen vom Tagwerk. Das Wetter stürzt. Die Villacherin geht schon wieder ganz gut, sie wird seelisch gestützt. Aber Vorsicht, mein Sohn gleitet zehnmal schneller als die! Allerdings nur auf schneeigem Unterfutter. Ich sterbe, was nun, Kinder? Jetzt ist guter Rat teuer. Eine Trafikantin aus Villach ist in dieser Hinsicht ganz anders. Zuerst kommt das Geschäft. Wir werden heiraten. Der Gemeindeangestellte kann seinen Ellbogen zwar noch immer nicht abbiegen, aber er hat eine Frau fürs Leben gefunden, nachdem das Leben seiner ersten Frau sein Ende fand. Der junge Mann ist Bruder einer Sterbenden und steht im Hohlweg wie angenäht. Vor einem Range Rover eine Frau mit einem Kopftuch, so einfach. Er wird im

Jagdhaus aushelfen, das bricht ihm gewiß keine Verzierung aus seiner Arbeiterkrause. Ich bin arbeitslos, gesteht er ein. Arbeitslos in der Natur, diesem giftigen Spaß, diesem blechernen (also unbeweglichen) Raum. Gehe ich eine Woche ins Jagdschloß, wer weiß, gebiert meine Schwester schon wieder neue Tochtergeschwülste in die Leber, in die Lymphe. Ins dunstende Gehirn, wo das Fernsehen wohnt, solange es nicht eingeschaltet ist. Eine andere junge Frau erzählt jauchzend von Schönheiten im Kleid der Berge. In Hülle und Fülle nistet Natur in ihren Zweigen. Eine Schwester stirbt eines natürlichen, dennoch betrüblichen Todes. Von Glück betroffen, wächst die junge Frau aus dem Kiesboden, und entsetzt flüchten Menschen in ihre Häuser aus Kunstmaterial, also luftundurchlässig. Die junge Frau ist äußerlich das was sie scheint, jedoch ihr Amt, das man bedenken sollte! So groß! Hier nennen sich die windschiefen Keuschen gern Haus und sind es gar nicht. Schmiedeeisen, Borke und Ländlergeschnitz. Nur natürliche Baustoffe der Natur entreißen bitteschön! Panoramafenster verfolgen unerbittlich den Waldmann samt Frau, wenn auch ungenau. Nie geriete diese Frau in ein Walzwerk, außer anläßlich einer Besichtigung. Nie sieht sie amerikanische Familien im Fernsehen an, sie ist ja selbst das Fernsehen! Eine neue Schurwolldecke für die Schwester, schon beschmutzt. Pfui, kannst du nicht aufpassen. Kunstwelten auf Bildern, die auch künstlich sind (aber nicht künstlerisch). Kinder beißen in Plastikfladen. Einige essen gleich das Geld, andere polieren ausdauernd Pokalen die Gesichter. Bäume in Vierfarbenabdruck. Der Kunst eine Bresche. Oder? Auf der Hochebene kriechen Herden kreischend übereinander. Bergsteiger, selbst gut im Kälteschutz, gießen Frostschutzmittel in ihre Tanks. Einer ißt ein Wurstbrot, betroffen. Meine Schwester schaltete einst den Infrarotgrill ein. Klobenstiefel zerstampfen

Fuchsfallen und den Fuchs gleich mit. Ein Nachbar praktiziert heute was er in einem Blatt vorgeschrieben bekam: praktische Nächstenliebe, wie es im Ausland heißt. Eine Zauberhand reißt eine Wunde auf. Eine Knochenabsplitterung würde auch bei Ihnen unweigerlich ins Tobelbad führen, wo man bei der Gymnastik vor Schmerz tobt. Daher sind wir dorten. Auch eine Geschwulst oder eine feiste Verstauchung, ihnen ergeht es nicht besser. Ein Wunder ist es, wenn man trotz den Wunden lacht. In den Krankenstand sickert aus Sprüngen Eiter ein, wo ist es heute noch steril genug? Der Villacherin werden auch einmal die Zähne faulen, dieser fleißigen Frau. Haare fallen jetzt schon aus ihrer Hochleistungstrafik. Ihre Brüste (haben sich niemals und) werden sich niemals füllen von einer Kindsvorführung, das Geschäft war wichtiger. Arme Hennen werden gefickt. Es wird etwas gewaltsam in ein Tier gezwängt, das ein Ort Gottes zu sein hätte, sollte man meinen. Was für ein künstlich Häuschen für ein so natürliches Ding! Durch Notlöcher fällt Scheiße und infiziert ein, zwei Gewässer. Die Bauern schütten Jauche in den Fluß, so unbegabt sind die, stellen Sie sich das einmal vor! Wahllos geifert jeder seinen Lungenschleim, Ergebnis des Nachdenkens, ins säuberliche Gewege. Einem Kind bekommt diese Ansteckung nicht. Das Schirennen kennt den Besucherstrom. Wüste Schreie, ließe man ein Schiff drauf zuwasser. Ins Fernsehprogramm starren ganz andere Kinder, die mit frischer Luft nichts anzufangen wissen (die haben sie immer). In fremde Wahrheiten, voll Schande in Verzierungen greifend, so lebt also der Großviehzüchter! Jedenfalls nicht wie wir hier. Der Gemeindebedienstete schaut zu tief ins Glas, die Villacherin läßt sich das nicht gefallen, reißt sich zur Bestrafung zusammen. Das Fernsehen schafft ein Zehrbild, entwendet Arbeit aus dem Fundus der Natur und gibt sie nicht zurück. Was geboren wurde, wirft, sobald es kann, einen Blick in die Zeitung. Was gibt es Neues? Neben dem Spitalbett das Nachtkastel, dieser Jauchzer muß erst mühsam an eine Landschaft gewöhnt werden, bis er erschallen kann. In dieser Landschaft regiert die Natur. Aus den Bäuchen schießt die Nachgeburt in den modisch hochbeinigen Kinderwagen. Sie wird unter Blutwurstdecken aufgetürmt, die Prozent Baumwolle kann man mit der Lupe zählen. Beim Auspuff der Mutter erscheint das Zerrbild eines Kindes und dessen Vaters (also den Vater trägt es jetzt schon ins Gesicht geschrieben, diesen Alkoholiker und schweren Raucher). Seine Verzierungen muß sich das Kind erst an der Kasse abholen. Dafür ein Schein, ein Formular, eine Lebensformel. Dann regnet es Fülle an Naturwuchs, was sagen Sie jetzt was ich alles weiß: Steinbrech Waldgeißbart Alpenheckenrose Kronwicke stumpfblättriges Mannsschild Pyramidengünsel Frauentreu Läusekraut herzblättrige Kugelblume Alpenkamille schwarzrandige Wucherblume Wulfenie Schwalbenwurzenzian Kratzdistel Alpenkreuzkraut Steinraute. Der junge Mann steht immer noch unverloren im Hohlweg. Er hat sehr jung einen Heiratszwang kindswegen auf sich genommen. Die Kinder der Schwester drücken ihre Fußballen jetzt schon Lehrstellen auf. Doch sie werden zerquetscht, so gemein ist die Natur manchmal. Und so unbesonnen der in ihr tätige Lehrherr. Wie gern entläßt er die Ausgelernten, denen er mehr zahlen müßte. Die Kinder des Holzknechts gehen noch in die Volksschul. Sie sind verschwiegen davongegangen, adaptiert an einen Förster. Wie die Winddrachen fliegen diese Kinder heute dem Förster entgegen, ätzen seine Gummistiefel mit ihren Freudentränen. Herrliche Arabesken über ein ferngesteuertes Auto. Zwei egelhafte Kinder am Försterhals, man stelle sich das vor, über all den Spielschund hinwegschwebend, auf den neuen Besitzer zu. Die Plastikseite des Försters liegt noch im Dunkeln. Der leibliche Vater ringt derweil um einen Befehl. Er ist schwach im Charakter, stark im Wald. Giftlimonade flitzt den Kindern zu den Ohren hinaus, er kauft soviel sie wollen. Bis sie erbrechen müssen. Wer trägt schon festliche Slipper an den Füßen, Sie nicht! Ein Tourist stellt sich gratis im Trainingsanzug zur Schau. Er hat eine natürliche Faser gewählt, damit sie ihm schmeichelt. Mit Kunst hat dieser Mann aber schon gar nichts zu schaffen. Der Befehl zur Liebe kommt von der Natur und sollte möglichst geschickt ausgeführt werden. Denn: Nahrung kann mit wertvollen Aufbaustoffen angereichert sein! Ehe Sie sichs versehen. Trotzdem wünscht manchmal einer, es gäbe die Natur nicht. Sie ist ihm nämlich zu groß. Das Nachmittagsprogramm im Fernsehen gibt es zum Glück. Ein weiblicher Jagdgast, den es nicht interessiert, steht vor einem Range Rover und wird aus der Landschaft herausgerissen; es bleibt ein Loch. Nach einer Weile füllt die Landschaft das Loch hinter der Frau mit natürlichen Baustoffen aus. Also: ihre Wertmaßstäbe müssen mit Landschaft gefüllt werden. Ein Mensch würde nicht genügen. Sie ist nicht Kunst. Ein Mann verbraucht gestohlenes Baumaterial. Damit hat er die Beziehung zur Natur abgebrochen. Doch im ungeeignetsten Moment klopft die Natur wieder an die Tür, sie hat frische Eier zu verkaufen. Landschaftstiere werden oft getötet. Dazu werden sie erzogen. Was verbindet die Frau mit dem Boden, auf dem sie steht? Sehr richtig, die Jagd. Immer noch wächst wie zwangsläufig Neues nach. Eine Sorte wird abgeschossen, eine andere verkommt von selbst. Der Gast bedient sich freizügig aus der Fleischschüssel. Einmal Gast beim Jagdherrn sein, dem Kaufhausmillionär. Das wäre gut. Man könnte dann von oben hinunter schauen, in die Aussicht. Die Frau neben dem Geländewagen kennt die Namen von Tier und Pflanze. Auch sonst kennt sie die

Namen gut. Sie läßt die Hirsche mit Fleiß leben. Selbst lebt sie ja auch. Ihre Zehen befinden sich in einem Schuh, der sein Maß nie verliert. Sie befiehlt, was leben soll und was nicht. Und es stimmt! Es jammert aus den Jadglöchern von Getier. Ein Dachs wimmert. Bei der Jausengastgeberin Frau Aichholzer leichte Naturarbeit zum Leben und Lohn verrichten, was die alte Frau nicht mehr kann. Er kann es um so besser. Lasten lächeln betreten von ihrem Träger herab. Die Natur wird im Alter zur Last. Eine Kröte kann man zertrampelt haben, wenn man nicht hinschaut. Ein Lurch wird in der Grotte auf den Rücken gewendet und mit einem Stock gequält. Ornamente gestalten auf sinnlose Weise die Natur aus, so weit geht der Mensch in seinem Drang. Die Natur spottet jeder Beschreibung. Nur der Bahnhofsvorplatz ist noch halbwegs natürlich geschnitten. Ein Güterwagen ist gütiger zum Vieh als der natürliche Besitzer (aber nicht gütiger als der Schöpfer, der das alles gemacht hat, damit das Schwein so mager wird fürs Essen), der Bauersmann, schaut ihn euch an in seinem Mercedes Diesel! Ja, hier ist er. Er wankelt. An den Fettöpfen der Natur muhen die Jagdherren, vor ihnen stehen Gläser. Diese Frau kann einer Kreatur Schutz gewähren, ohne den Kleberand abzuziehen. Sie greift in die Natur, die für sie ein offener Garten ist. Die Hand zieht sie dann wieder zurück aus ihrer Weltschau (das ist die Weltsicht). Sie fährt keinen Mittelklassewagen, für den wir sparen müßten. Sie wird nicht immer erkannt, aber sie ist da! Einer wird aus Not geboren, ein anderer aus der Notlust (Mordlust?) eines Pächters. Über die morsche Wand dieser Frau huscht ein Fächer aus Licht und Liebe, einmal überwiegt das eine, dann das andere. Die Naturmalerei habe, spricht sie zum Holzfäller, zusammen mit der Naturgrotte, ihre größte Blüte erreicht, als die Technik schon mit der Vernichtung der Natur anhub. Ein richtiges Unternehmen kann mit dem Erwerb eines Aktienpakets schon begonnen haben! Ehe der Jauchzer vom Mund spritzt, müssen Sie eine Jagdprüfung ablegen. Erst dann darf die Natur durch Lautgeben so verunreinigt werden wie sie es auch durch Leute wird. Man sollte nichts frei wegwerfen. Hier kommen Tiere, die gegen die Spätmahd eingestellt sind, die zipfelt ihnen die Haxeln weg. Ein Pol hat einen Gegenpol, so geht es in der Liebe vor sich. Die Söhne der Natur, die aus dem Joch gerutscht sind, laufen jetzt auch aus dem Ruder. Sie überschlagen sich im Jagdknall, klammern sich an die Innereien, an das Blutgeweide ihres Tieropfers. Sie rutschen vor den Romantikern auf den Knien herum. Stoßen den Kadaver mit ihren Spachteln vom Fels. Gegen Haarwurzeln stemmt sich die Schädeldecke (gleich darunter). Ein Künstler unter den Jägern zieht sich eine Goldkrone über den Kopf. Er stürzt in seinem Mantel aus Loderndem nieder. Verbrennt murmelnd. Das Bächlein, hier ist es. Aus einer Braut fällt schon wieder eine Kinderleiche. Zu früh gefreut, zu früh verlobt. Es überschlägt sich, taub von einem Streifschuß, das Fuchsgezücht. Daneben! Wie wir alle. Zum Spaß klammert sich das Kaufhaus an seine Lieblingsverkäuferin. Blasse Pullover springen ihr pastellfreudig entgegen. Erbrochenes, dünn wie Grätenfluß, fädelt sich in die Acrylwolle ein. Die Verkäuferinnenhände, aufgefressen von Kleinstadtkälte (keiner kennt den anderen, jeder ist allein, sagt ein Lied darüber hinaus), heben der Hausfrau ein Fähnchen vors Gesäuge. Diese Woche gibt es einmal eine kräftige Pulloveraktion, nächste Woche geraten dann Haushaltsgeräte in ewige Umwandlung, jetzt kaufen, jetzt bezahlen! Konvertierung von Natur in Unnatur. Kaufen Sie auch etwas Sie mit Ihrem Trachtenhut, halb Göttin halb Karrentier. Von Staunen ergriffen, zittert eine Salatschüssel in Orange (und zwar vor ihrer eigenen Farbe), wuchert als Substanz, erschrickt vor ihrer Wirkung auf Mensch und Hausmensch. Plastik ist alles was es überhaupt gibt und das Ergebnis von allem was es je gegeben hat im Ganzen gesehen. Es kann weich sein es kann auch fest sein, es bietet (als Substrat) dem Benützer kein Fest. Es ist eben Alltag. Die Verkäuferin seufzt vor den Lichtern der Kälte laut auf. Sie legt die Hand aufs Herz und beschwört, ehrlich zu sein, diese Qualität bekommen Sie sonst nirgends! Beteuert sie aber auch die Unzerstörbarkeit dieser Substanz? Sie können es mit Allem waschen, was Ihnen in die Klauen fällt. Dieses Falschgeld der Natur existiert nicht von alleine, es ist gemacht worden und doch hart wie Metall. Ehrenwort. Und ebenso dauerhaft. Sie stecken es an Ihre Füße und gleiten damit durch die Natur, in der Sie Schienen vorfinden werden. Sie bündeln es, Sie bedecken damit Ihren Oberkörper, und die Rohstoffe erholen sich bereits, weil sie ersetzt werden können. Geräuschlos cremefarbene Töne fließen über die Arme der Bäuerin, die heute heiratet. Ihr Haushalt wurde von uns eingerichtet und winkt mit Recht aus seinem aufrechten Wuchs heraus. Sauber! Das saubere Dirndl. Kommt vielleicht direkt aus der Natur (also alles kann man nicht kaufen). Schöner Kunststoff! In diese Schüssel wird Fleisch geschenkt. Die hornigen Kopfaufbauten häufen sich ab morgen in den Schluchten des Jagdherrn. Er und seine Gäste greifen tief in die Luft, sie haben einen Grund, Muskeln an ihrerstatt in die Täler zu schicken. Diese Muskeln heißen Waldarbeiter und reiten auf dem Geschossenen direkt ins Wirtshaus, sie haben sonst nichts zu tun, das bedeutet, sie sind freigestellt. Sonne wird im Widerschein gefangen, schon saugen die Helfer stumpf ihren Schnaps. Ihre Erschöpfung ist für sie wie eine Umarmung. Sie schleudern sich auf weichen fast breiigen Schlitten von den Kronen der Berge hinab. Der Zuckerlgeruch von Aas umschwirrt sie. Tierschutzgedanken entstehen unwillkürlich. Der Hirsch hat einen nackten Kopf erhalten, das hätte die Natur nicht gewünscht! Sie weiß nämlich, daß auch Tiere raufen wollen. Ein schwerindustrieller Konzern hat sich aus ersten Anfängen heraus entwickelt, wie das Leben selbst. Von einem Musikfilm im Fernsehen weiß mancher, wie es an einem anderen Ort ist: wo man singt, da laß dich ruhig nieder. Sie haben aber nur drei Wochen Urlaub im Jahr. Das zierlich geschürzte Ornament (die Arabeske) eines Schicksals steht jetzt ausgerechnet vor einem Jägerhaus in Tirol und hat bereits einen ersten Alpengarten angelegt! Das Natterngezücht der Holzarbeiter fleischhauert wild in den Nebelmorgen hinein. Schneidet das Wild mit Dolchen auf. Die Dolche haben Hirschhornköpfe, so begrüßt Materie ihre Verwandten. Noch mehr Raum muß im Entstehen begriffen sein. Der Konzern, dessen Vertreterin im Hohlweg lauert, frißt den Raum aus der schwammigen Bucht der Natur. Er kaut, kann nicht genug kriegen. Der Gast steht vor dem Geländefahrzeug und atmet tief. Schmeißfliegen flügeln im Laufschritt herbei. Nein, heute sind sie noch ohne Arbeit. Die nahen Hügel ketteln sich zum lebendigen Gebirg, das sich ständig faltet, auch die Natur muß arbeiten. Der Jagdgast umgeht liebevoll ein Hindernis in der Natur. Der Konzern wollte zur Absicherung seiner Kohlebasis an die Ruhr vordringen. Die arrivierten Montanherren versperrten ihm den Weg, das ist aber auch schon viele Jahre her. Heute gibt es den Konzern mehr denn je. Wo ein Wille, dort kann sogar nach Öl gebohrt werden. Heute wird den Parteien gespendet. Der Hirsch begibt sich noch einmal in seine Ausgangsposition zurück dieser Waldkönig. Geschickte Börsenmanöver Anfang der zwanziger Jahre konnten einen ausgedehnten Zechen- und Hüttenbesitz unter einer einzigen Kontrolle speichern. Diese Frau: ihr Alles ist Natur. In der Natur regiert die Natter, reagieren die Menschen oft falsch. Alles übrige ist Jagd und Gejagtwerden. Um der Jagd willen steigen Fladen von Nebel aus dem Gras heraus. Erhellen das Schußgebiet tag. Kalt sonnt es, wie im November üblich, auf die vorausberechnete Jagdfläche. Muskeln kreischen laut, fallen zusammen. Diese Frau ist schön, wie ich finde. Wie von Stricken gezogen, fliegt das Land unter dem getroffenen Tier davon. Es geht dieser Frau nicht allein um das Schießen, sondern um das Fotografieren; das eine vernichtet, das andere ist fürs Behalten gedacht. Weißhäutig und wißbegierig thront der Jagdgast auf dem Teppich aus Fleischtropfen. Optische Richthilfen starren ins Überschaubare, gewähren Rechtshilfe beim Zielen. Ein Fels. Der Mann sieht nichts, gewohnt, immer nur einen Schritt weiter zu schauen. Die Brandung der Sonne, die Gischt der Wolken, beides tobt krachend auf dieses Fließband (des Absterbens Amen): Rutschbahn aus Tierschenkeln, ein Geschenk der Natur. Wie gut, daß wir die Tiefkühltruhe haben! Voll Entsetzen studiert die Natur ihre immer noch unbefriedigten Gläubiger. Diese Frau fährt ab morgen wieder einen Mercedes fünfhundert mit Autotelefon. Sie löscht etwas Unnötiges in ihrem Kopf komplett aus. Mit einem leisen Laut trinkt sie auf dem Hochsitz aus einem silbernen Flakon. Etwas zahlt sich aus: daß wir die Kamera mitgenommen haben. Berstend schiebt sich das empfindliche Geläuf der Tiere ineinander. Ein Trupp Bulldozer wälzt die sonnenwarmen Leiber zu einem warmen Federbett aus ewig starrendem Erstaunen zusammen. Geifernd löst sich eine Lawine vom Hang, furchtlos jagen die Jagdgäste ihr entgegen. Andere Lawinen sind beim Wintersport weniger glücklich, begründen lebenslange Feindschaften zwischen Element und zahlendem Gast. Ein Bauer geriet vor dreißig Jahren ins Schneebrett und meidet heute noch Naturprodukte. Im Winter bleibt er seither strengstens zu Hause. Eine schwarze Plane aus

Schmerz entfaltet sich bis zum Himmel hoch. Eine Natur-
katastrophe kann weiß sein und kann stark sein. Eine bay-
rische Herzogin zum Beispiel stürzt in ihrem Geländefahrzeug von einem Weg ab, reist unsichtbar noch ein wenig
weiter auf dem von ihr gezähmten Naturkarren. Ihres Fah-
rens ist kein Ende mehr. Sie hatte ein einziges Hobby (und
hat jetzt keins mehr): auch die Produktion von etwas endet
ja nie. Ein zurückgelegter Weg wird von einem Tachome-
ter überwacht. Wenn der Wind umschlägt, riecht das Tier
Sie viel früher. Der Jagdgast versperrt den Weg mit sich
selbst. Hier ist ein Haus, wir schauen es an. Das vorherrschende Objekt darin ist Plastik. Der junge Mann soll seine
Substanz herleihen. Es wird ihm gesagt für wie lange. Mit
dem Wagen kann er bis zum Eisernen Törl und sogar noch
höher hinaus! mitfahren. Dann wird aber sein Fußwerk in
Aktion treten müssen. Er ist geübt. Viele Böden trugen
den schwachen Rauhreif seiner Schritte und verloren ihn
wieder. Die Fußspuren haben Inseln gebildet und wärmen
den Boden. Alles fort, alles vertan. Der Jagdgast spricht
lächelnd, als er vom Krankenstand des Holzknechts alles
erfahren muß. Diese Frau ist nicht mitleidig, sieht man auf
Abbildung A. Plastik ist eine wunderbare Substanz, gefüllt mit Abwasserschaum. Die Ehefrau stocherte immer
nur ihre kränkliche Waschbürste ins Geschirr. Sie legte
sich ins Zeug. Jetzt befinden wir uns jedoch im Freien, was
für ein zauberisches Gleiten, jeder Jäger träumt davon. Lächelnd vor Verlegenheit und Sanftmut weist der junge
Mann auf den Verursacher seiner Krankheit, den Wald: er
ist überall, hier ist er und hier auch. Der Mann ist nicht
wehleidig, er stellt fürchterliche Narben zur Schau. Er ist
scheu. Die Vertreterin des Konzerns schließt daraus auf
ihn im Ganzen. Es interessiert sie an einem Ort das Weiche
und am anderen wieder das Harte. Ein weiter Weg, mit
Vogelflügen gar nicht auszumessen: von einer solchen Frau

zur erstarrten Pulloververkäuferin in ihrem abgestandenen Bewegungsapparat. Diese Frau kommt außerdem von weit her. Sie fragt, haben Sie denn nicht aufpassen können als der Baum auf Sie fiel? Sein gutes Gewissen ist eigentlich kein ausreichender Grund zum Existieren. Mit dummem dunklem Licht am Ende des Tunnels droht die Natur manchmal, wenn ihr nichts anderes mehr einfällt. Köpfe zeigen sich im Ausgang. Sie alle haben sich bereits im Dikkicht verloren (oder einen anderen lieben, unangemeldeten Angehörigen). Der Natur kann man alles ungestraft nachsagen. Grausam lagern Schatten auf geknickten Rücken. Seltsame Bauwerke erheben sich, sie haben nichts, was Menschen ähnelt oder was Menschen mit ihnen anfangen könnten. Infam wie die Natur ist, duldet sie aber auch jede Hand auf sich. Schweißperlen im Harz der Alpenbäume. Vor Furcht sieht einer die Natur nicht mehr, es geht so steil bergab, er sieht nur ihre Bezwinger in den Vorarbeiterjankern. Die junge Frau fühlt sich von der Landschaft nicht belästigt, sie hat früh klettern gelernt. Der Mann ist allein ohne seine Frau und seine Kinder. Aus seinem Körper fließt abschäumendes Wasser. Scheue Wesen verstecken sich in Mulden, weil ihnen mulmig wird. Es entsteht ein Eindruck, und der ist falsch. Das Land kann vor seinen Benützern nicht länger geschützt werden. Sie steigen herum. Im Leib des jungen Holzfällers brüstet sich knarrend die Wut. Er kann keine Bedingungen stellen. Ein Fels scheint in der Sonne zu gerinnen, unbeschreiblich, wie Gemsen in den Gelenken knacken können. Ihre Knochen poltern in Schotterrinnen. Die Frau ist oft auf den Gipfel mit aufgestiegen. Die Verkäuferin ist nie auch nur bis auf halbe Höhe hinaufgekommen. Mit Liebesbanden fesselten die Kinder sie jeden Tag unten. Da kann man nichts machen. Diese Hausfrau flog nie empor. Verspreizt im Boden ihre Erdhäute. Ihre Nichtschwimmerfüße. Eines Tages sieht sie einen Tigerbadeanzug als Mitbringsel aus der Stadt vor ihrem Vorderteil liegen! Diese Frau ist bisher zu kurz gekommen und hat sich vor Menschen nicht ausgezogen. Daher: meine Frau vermochte mir nie in die Natur zu folgen. Andere Frauen können geistig nicht folgen oder sie folgen überhaupt nicht. Kein heller Funke von Existenz floß in ihren Adern (in den Adern von der da). Sie hat so gar nichts von einer Göttin. Zwei Kinder noch dazu! Der Hauch schraubt sich aus dem Mund, mit halbem Herzen flehend um Verständnis, daß jemand diese häßlichen Pullover eigens kaufen soll. Sie hingegen, Sie sind ganz anders, das sieht man! Eine trinkende Blüte sind Sie. Die Natur droht wirksam, daher schlägt der Mensch Kerben in sie. Überhaupt der Mensch, da kann ich sagen, er wird zu einem Klumpen in der Natur. Er wird aus dem Haus der Schwiegereltern, in das er sich so lang geschmiegt hat ohne Miete zu zahlen, ausziehen müssen. Diese Frau hingegen ist Vertreterin eines deutschen Schwerindustrie-Konzerns in diesem Inland. Sie raucht eine Zigarette. Sie spielt nicht Ziehharmonika. Die Unterhaltung, an der Sie jetzt teilnehmen, bedeutet etwas (aber nicht Ihnen). Diese Frau hält keinen Kontakt, nur durch dünnste Hautplättchen, Schuppen. Sie ist und ist nicht. Sie wippt mit dem Fuß. Sie ist ein Bruchteil aus Zeit. Der Mann hat seine Familie eingebüßt und steht auf langer Bahn aus Eis. In der Natur befindet sich nur selten etwas derart Geglättetes wie diese Frau, denn die Natur ist rauh. Die Thyssens Buderus Daimler-Benz Gutehoffnung und wie sie alle heißen wollen begreiflicherweise an möglichst vielen Orten anwesend sein, die auch Natur sind. Die Natur will, daß sie sich wie Schrauben in die Gewinde der Buchten und Höhen hineindrehen. Die Natur ist einmal dunkel, einmal hell, einmal rundherum. Sie ist inzwischen ein unbeschreiblicher Rückzug geworden. Die Frau gibt nun einen matten Ton von sich, das ist ihr Privatleben. Der Mann verharrt dumpf. Sie sind zwei und bleiben zwei. Unsanft umschlingt sie der Tag. Diese Frau besitzt mehrere Gewehre, doch sie schießt nicht damit. Den Tieren dringt sie mit der Kamera in Augen Ohren Nasen Münder ein. Die Natur rast in diesen Körpern herum, man hört sie förmlich sprechen: wer rastet der rostet. Die Natur kocht seit Stunden vor Eifer, es dieser Frau recht zu machen. Der Mann neben ihr, er könnte sich zu einem natürlichen Helfer entwickeln, seine Schenkel tragen nämlich mit Stolz seinen Körper. Eine Bezahlung wird ausgehandelt, alles was über Schnaps hinausgeht, gehört ihm. Der Mann spricht verstört mit der Frau. In einem Gatter nimmt er zerstreut das Fehlen eines Querpfostens wahr. Die Kinder der Sommergäste sind nicht mehr hier, der Sommer ist auch weg. Diese Kinder. Eindringlinge in der Natur, brechen durchs Eis, zerbrechen also die Schutzhüllen der Natur. Aus abgehäuteten Ästen kann man gut ein Tor basteln. Dieses Tor kann man zusperren. Der Mann rutscht in seinen eleganten ihn zum Ausgang berechtigenden Schuhen auf dem gewohnten Boden herum. Hätte er nur seine Betriebssohlen anbehalten! Die Frau erkennt in ihm einen Herren, erklärt sie ihm, dieser Herr muß nicht unbedingt in einem Maßanzug stecken, er kann auch einfacher Bäuerling (Bückling) sein. Jeden Augenblick könnte etwas zerreißen, in den Kufen des Mannes bilden sich schon Sprünge. Zuviel pausiert! Die Arbeit konnte nicht länger warten. Die Frau ist in Tirol jawohl. Der Pulloverwühltisch artet (nun, da sie abwesend ist) zu einer Schlangengrube aus: Ein Massengrab, eine Schweinskuhle. Dieser Tisch verschlingt Pulsschläge wie Sie Ihr Wurstbrot. Es schreit daraus hervor. Verkäuferinnen unternehmen unschöne Anstrengungen, sie betteln förmlich um Kauflust, wie sie da in ihre Sehnenmaschinen gespannt sind. Sie speien aus. Sie speisen Gulasch. Meine

Frau ist inzwischen Nurhausfrau. Die Pullover tragen eine Vielfalt an Farben. Sie tragen recht schwer daran. Fesche Frauen würden diese Pullover nicht tragen. Die Pullover suggerieren Vielfalt und sind doch nur ein Pullover von allen, können von allein nicht einmal aufrecht stehen. Verkäuferinnen sind selten so einfältig, ihrer Ware zu glauben. Sie frieren oft. Vor ihnen die Truhe mit erstarrter Tortenkrem, die zu Formen gegossen wurde. Keine gute Ware wird hier angeboten. Diese Frau ist echtfärbig wie eine Kreuzotter. Kastner & Öhler ist ein Geschäft. Diese Pullover sind kein Geschäft. Sie sind aus Dralon und Wolle. Orlon gibt es auch, wer weiß, was da drin ist. Es glüht die Managerin vor innerem Wert, sie geht aber auch mit äußeren Werten gut um. Sie betrachtet den Mann, der ihr natürlicher Helfer zu werden verspricht, weil er keine künstlerischen Fähigkeiten besitzt. Er wird ihr Spielball sein auf ihrer kichernden Bahn. Sie verlagert ein Bein. Das Ausmaß dieses Mannes ist noch gar nicht abzusehen, da müßte sie ihn schon ein wenig besser kennen. Er hat eine Frau und zwei Kinder hergeben müssen, sagte das Gericht. Nun ist wieder Raum für etwas. Schlägt man gegen das Gehäuse dieser Frau, ergibt es einen tauben Ton. Säfte durchströmen sie ganz nach Belieben. Sie ist in tausenden Betrieben allgegenwärtig wie die Hl. Dreifaltigkeit, obwohl sie nur eine allein ist. Die Pullover auf dem Wühltisch sind reine Kunst gewesen. Kunst. Diese alte Gegnerin der Natur, frisch eingerüstet, frisch eingenistet und mit der Waffe der Unzerstörbarkeit versehen. Irgendwo müssen sich auch heute noch diese niederträchtigen Körperwärmer stapeln, irgendwo am Rand von einer endlos anderen Gegenden nachgeäfften Landschaft. Die Pullover sind (ich könnte natürlich auch andere Beispiele wählen) mit einem endlos haltbaren Anstrich gegen Zerstörung und Ungezieferbefall versehen. Der Mann ist von Brüchen durchzogen, er ist eine tektonische Verwerfung ersten Ranges. Nein, nicht ersten Ranges. Er ist aber auch kein Mineral. Er ist kein unfühlender Stein. Die Frau trinkt jetzt nicht Mineralwasser. Aber sie könnte, wenn sie wollte. Kälte bewirkt Wangenfärbungen. Die Frau hat das intrikate Spinnennetz ihrer Adern eng um sich geschlungen, diese Kälte! Bestie! Bestzeit! Das Kaufhaus hat eine ganz andere Frau in Wollfäustlingen vor die Tür gesetzt. Das Kaufhaus ist mit Verkäuferinnen gespickt. Das Warenhaus hat Qualität und ist drinnen schön warm. Königskunden. Nur zögernd vertrauen sie sich nach dem Einkauf wieder der Natur an. Sogleich geraten sie torkelnd vor Kaufglück in mörderische Zwiekämpfe mit dem Verkehr. Noch heiß vor lauter Raffsucht. Wütend vor Rauflust, weil sie sich nichts leisten können. Behangen mit Gerümpel, eine herrliche Perlenkette ist vielleicht auch dabei. Wie blinde Tiergeborene. Diese Frau ist (schon wieder) eine ganz andere. Sie hat kein Baby bekommen. Die Arme. Noch ist sie nicht Mutter geworden. Die Ehe hält sie für eine künstliche Konstruktion, eine Haube, unter der immer nur Abfälle hervorkriechen. Zu lieben könnte schwerfallen. Etwas Schönes zu kaufen ist besser. Ein bürgerlicher Brauch ist es, Pakete zu tragen. Sie haben für Weihnachten eingekauft. Das Gewässer fließt in ihre Richtung, also immer geradeaus. Der Mann gewinnt vage an Wert vor dem Blick der Managerin. Sie könnte ihn in seiner Gesamtheit mühelos kaufen und würde seinen Anzug noch gratis dazubekommen. Sie beschaut sein Fleisch aus der Nähe. Was verspricht sie ihm? Daß er Dinge sehen und hören werde, daß ihm Hören Sehen vergeht, was sagen Sie jetzt? So und soviel bekommt er in bar ausbezahlt. So einfach kann man es auch ausdrücken. Das Jagdhaus gelte für ihn ab sofort als Insel des Schweigens, droht die Frau. Das verlangt sie von vorne. Ein Axthieb fällt aus ihrem Mund in die Natur. Das Jagdhaus sei kein Dom, er müsse sich nicht fürchten, verspricht sie. Es ist allerdings auch nicht aus Plastik. Die Managerin bemerkt, daß der Mann vor Redseligkeit erstarrt. Sie herrscht ihn an. Die Frau sieht nicht, ob er das Blasen der Mundharmonika beherrscht. Sie ist es selbst! Dieser Mann schätzt die Managerin weniger hoch ein als andere Männer z. B. das Ballspiel. Fußball ist für viele immer nur im Fernsehen gewesen. Die Frau besitzt eine Brille. Sie verliert nie ihre Fassung, sie fällt die Natur an wie ein Hund. Gleich wird es aus ihr bellen. Ihre Gefühle jagen herdenartig über die Hochfläche und überkreuzen sich, weil sie ältere Spuren gewittert haben. Die Managerin haftet nicht für einen Unfall, dafür zahlt sie von vorne an mehr. Das Jagdhaus wird alles sein, aber nicht Zuflucht. Dieser Frauenkörper kein Haus. Bierkisten sind das mindeste, was er zu tragen haben wird. Der Mann trägt also die Folgen, die Frau die Verantwortung. Sie hat das Geld, dieses wertvolle Gebäude. Je weniger die Natur bearbeitet wird, desto unheimlicher bietet sie sich dar. Der Mann hat etwas von gleichem Wert zu bieten: eine Leidenschaft für Rennautos. Er hat nicht das, was andere ein begehrtes Papier nennen: oh Führerschein, ja, dich meine ich! Die Autos rasen in nichts als seinem Kopf. Lächelnd bietet die Frau einen Range Rover als einmalige Gelegenheit an (irgendwann wird ja auch sie sich einmal niederlegen!). Sie richtet ihr Kopftuch. Längst ist dem Mann der Führerschein aus der Armweite gerutscht. Diese Dame ist eine Augenweide. Er hingegen: er entnimmt der Natur seit Jahren Bäume. Es hält sich nichts auf Dauer fest in dieser dehnbaren Imitation einer Erde. Gewächse sinken von selber um. Die Natur scheint in ihren Kräften nachzulassen, ihre Hand erlahmt. Von Baumschlägen lahme Knechte irren verloren durchs Gestrüpp. Sie essen nicht mehr. Tote Arten sind in Mode gekommen wie Torten, das ist ähnlich wie mit der Kunstfaser. Seit es sie gibt, gibt es immer mehr davon. Sie entsteht aus Nichts. Deshalb ist sie so billig! Die Erde wird immer schwerer davon (von etwas, das vorher nicht da war). Im neunzehnten Jahrhundert errichteten Menschen eigens Ruinen für sich, sagt die Managerin. Heute wird alles in Kürze ruiniert, was schön ist. Leider. Das Jagdhaus des ehemaligen Kaisers, jetzt Jagdhaus des Kaufhausmillionärs, ist mit Substanzen, die einander ergänzen wie Herr und Hund, umzäunt. Hier finden sich noch genügend Gründe zum Frohsein. In den Ferienorten regt es sich. Die Natur preßt die Urlauber zu Fasern und Platten. Sie gehen ins Konzert. Die Frau macht jetzt ein ernstgemeintes Sonderangebot. Der Mann wird anders. Er wird zu einem Spielball ohne Element. Das Haus, in welches er kommen wird, ist vollständig aus Naturholz gemacht und auch so eingerichtet. Ein Tier schnalzt im Sterben. Nebst dem Brunntrog ist aber auch dieses Haus ein alpines Desaster, ausschließlich aus Holz, das der Natur gestohlen wurde. Das Haus ist vollkommen natürlich und bewegt sich auch so. Der Mann wird sich künstlich darin ausnehmen, glaube ich. Seine Frau ist fort und fern, knatternd vor Künstlichkeit in ihrem gestärkten Sommerkleid. Manchmal störe sogar ich in der Natur, gibt die Managerin zu. Das bedrückt sie aber nicht. Blutüberströmt fällt ein Pullover, seine Besitzerin ist aus Eifersucht in ihrem Wohlzimmer erstochen worden. Das ist Männerarbeit! Das Kleidungsstück (blödes Stück) ist lange in einen schwarzbunten Teich aus Lösungsmitteln getaucht worden. Danach sieht es auch aus. Was Sie hier sehen, ist ein Luxusgegenstand, den Sie nicht kaufen können, nämlich die Welt der Alpen in ihrer ganzen Hierarchie. Die Frau rät dem Mann, sich in großer Höhe einzukremen. Ihr scheint seine Hautoberfläche nämlich zerstört bis auf zehn Prozent Anteil. Sie irrt sich, denn er hat Anteil an nichts. Sein Kopf wie ein Schraubkopf, auch die Arme abnehmbar. Ein Teil paßt nicht zum anderen. Er verwest lebendig. Geht man so mit Produkten um, welche die Natur uns schenkt? Aus den Vorratslagern des Universums kommt sacht ein Klumpen von natürlicher Beschaffenheit und Dichte hervorquollen. Danach sieht er auch aus: ein Unikum, ein Holzarbeiter. Die Frau hebt dem Mann eine Hand aus dem Ärmel und beschaut sie aus der Nähe. Sie platzt aus den Nähten, die ein ekelhafter Mediziner ihr verpaßt hat. Manche müßten jetzt kotzen. In den zärtlichen Käferflügeln seiner Fingernägel sind Scharten eingewetzt. Er ist einfach und er hat nur eine einzige Gestalt zu verlieren. Doch, er besitzt auch Tiefe. Er könnte sich zum Beispiel verlieben. Man kann um ihn herumgehen. Die Frau blickt demnach auf einen Teil Bevölkerung, der nicht einmal dreißig Jahre zur Unterhaltung bestand. Sie unterhält sich mit ihm. Seine Haut ist wie Gestein. Es befindet sich ein menschliches Glied an ihm. An den Rändern dünnt er ein wenig aus, weil er so oft gewaschen worden ist. Der Fluß ist breit. Diese Frau hat sich schon als Kind immer abgesondert, das heißt sie ist was Besonderes. So fest wie die Pflanze sich ins Erdreich klammert, so heftig klammert sich das Kapital an die Politik. Asphalt stockt in frischer Luft. Sein schwarzer Eifer dringt in alle Lungen. In großer Höhe kann sogar Asphalt gefährlich werden. Auf dem Sie sonst achtlos herumfahren. Die Straße ist geschottert. Meine Kinder sind gleich hinter der Einfahrt nach Tirol abgebogen, das war der falsche Weg. Diese Straße ist ein Polster für die Verkehrstoten. Die Natur erhält in diesen Jahren ihre Endform. Mit Bedauern sieht die Frau, wie sich die Gesichter von Menschen in Gremien, Parlamenten, Parteien zermahlen, dafür bezahlt sie nicht! Mensch muß mensch bleiben. Aber seine Gelenke könnte man schmieren. Das Mehl von Lebendigen reibt sich in die Gelenke der Flüsse und

Bäche. Auch Städte sind voll davon. Menschenförmige Umrisse in den Lichtern der Fenster. Tausende Eindringlinge, hausend in betonigen Löchern (die armen Würmer). Dem Wald geschieht unaufhaltsam etwas, ich kann es aber nicht benennen und nicht verzeihen. Zum Glück wächst manchmal ein Fähiger ins Kraut und gründet eine Bürgerinitiative. Die Managerin bedauert das Waldsterben mehr als du und ich. Sie hat ja auch mehr vom Wald als der Betriebsame, der mehr vom Betriebssport hat. Jedem das Kleine. Die Managerin behauptet wütend, niemand solle mehr auf Holznachschub zählen dürfen, denn: die armen Bäume, na, wo sollen wir uns jetzt hinsetzen? Die Frau läßt dann die Hand des Mannes von der Materie ihres Ärmels hinabgleiten. Die Hand fällt wie eine Schneide. Eine Bewegung von vielen, aber doch ein Signal von zarter Frauenhand. Im Jagdhaus gibt es elektrisches Licht und vieles mehr, was der Mensch selber gemacht hat, sogar Telefon. Die Frau steckt die ganze Welt nebenläufig in einen Satz aus Beschreibung. Reichtum ist der knallende Brokken, aus dem sie schöpft. Einer sagt, daß eine Wolke zu ihm spricht, ein Berggipfel klingt, Wetter tobt, ausgerechnet zu ihm! Das nenne ich Dichtung! Die Frau sagt mit einem Satz, daß in der Nacht ein Fels, groß wie die Welt, in ihr Zimmer hereinzukommen scheine. Er kommt aber nicht wirklich, keine Sorge. Ich könnte den Erdball zerbröseln wie eine trockene Semmel, so wenig kann ich ihn manchmal gebrauchen, sagt die Frau. Wolken brechen zusammen und entladen sich in schwefeligen Eruptionen. Die Natur, der man unbesehen alles andichten darf, schwankt wie ein Kamm aus glühender Lava durch das Innen von einem Zimmer. Sie trägt direkt in sich: die schwächlichen Äste, die dürren Zweige von Beschreibungen und Überschreitungen. Ohne sich zu zügeln sagt einer etwas. Er wird nicht bestraft. Der Mann ist mit seiner Frau gestraft, weil er sie nun nicht mehr besitzt. Sie sitzet zur Rechten des Jägers. Vorgänge haben eine Mechanik. Die Gruppe aus Frau und zwei Kindern nähert sich unschlüssig einer Bucht im Firmament. In einem Alpenhaus gärt still und unter Dämpfen eine Sorte merkwürdiges Viehfutter. Ohnmächtig fallen Vögel in weiterer Nähe aus dem luftigen Medium. Legen die Krallen übereinander. Stürzen taub. Gefahr droht ihnen. Dagegen der Mensch, er grüßt und weicht aus. Der Knall der Büchse erscheint so lang wie der Hauch eines Satzes. Aus dem erschöpften Kessel der Vergleiche wird etwas in einen Teller gehoben. Dieser Abfallkübel (Sprache) versagt niemals, und zwar wegen Humors. Die Erde versagt nie wegen Humus, aber wie lange noch? Alles darf so bleiben wie schon einmal etwas genauso gewesen ist. Schlagartig überkommt den bereits durch Beschreibungen völlig zerkochten Gegenstand ein Staunen: der Stauraum der Natur! Diese Frau befindet sich soeben im letzten Stadium der Erholung. Sie hat nur wenig Zeit zu vergeuden. In den Ställen unerhörte Bestialitäten, begangen von total vereinsamten Menschen in Tatgemeinschaft mit Kleintieren, das Vieh hat eben nie Urlaub. Weiche Tierschnauzen tauchen bei der Nahrungssuche in erblassende Papiere, rostige Konservendosen, Plastiktüten. Die Frau faßt einen freundlichen Entschluß. Sie hat einen Schenkel und dann noch einen. Dazwischen werden niemals die milchweißen Köpfe mit dem violetten Geäder der Bauernbrut erscheinen. Nicht wird sie hören: das Miauen, den Katzenschrei des eingeborenen Idioten, dieses Ergebnis der Trunksucht und der Prunksucht mit einem feuchten Glied. Eingefroren in die trügerischen Häute eines drittgebrauchten Wagens, wird das Liebespaar jetzt in den See geschaukelt. So scherzen Landmenschen diesseits der Wasserfurche (sie kennen keine Furcht, denn es ist überhaupt ein Wunder, daß sie am Leben bleiben). Beides ertrinkt. Mit Schieben, Drücken, Stoßen wird das Fahrzeug ins Genässe verbracht. Die Menschen hier entwickeln ihr Leben lang kein konkretes Vorstellungsvermögen! Denn sie besitzen nichts Grausameres als ihren PKW. Das Liebespaar muß in seinem unblutigen Spezialkahn ertrinken. Geklammert in die Seltsamkeit der Lust (im PKW! Dieser ist die Lust, nicht wir!), schlagen beide auf dem Grund des Sees auf. Unter diesem stillen Sterben (selbst Jungtiere müssen da lachen, sie haben längst gelernt, auf die elektrisch geladenen Zäune zu achten) öffnet sich kein Vulkan zum Triumph: Sinnlichkeit über Fahrtauglichkeit. Der hat nicht einmal die Handbremse angezogen! Die erfinderischen Trinker, diese Wassertreter, pöbeln immer noch, biegen sich weidenartig im Ufergeflecht. Das Liebespaar ist tot. Es ist sicher und ruhesam im See, aber Achtung, schon schwärmen die Taucher der Heeressport- und Nahkampfschule aus, eine gute Übung. Oh, ihr Bergführer, euch betrifft das nicht, bitte um Nachsicht, es ist das falsche Element. Lustvergessen sinken zwei Stimmen bis auf den Grund. Vor dem Dornenkranz einer häuslichen Behütung hat sich dieses Dirndl, das nur vögeln wollte, ins Nasse verflogen und findet nicht mehr zurück. Eben! Männer können nicht sein ohne eine Frau. Solch ein lebendiges Gummiband (Frau) reicht von einer Tür zur anderen, von einem Zimmer ins nächste. Kellerasseln ähnlich, kriechen sie aus den Fußbodenleisten der Heizung. Sie krabbeln in eingebildete Neigungen zu einem dritten Menschen hinein. Sie vergessen sich als Person. Keine Bewegung machen sie ins Draußen. Sie trauen sich nicht. Und rasen doch den Tag herum, bis sie die Laute von gebrauchten Leuten ausstoßen. Sie treten dann ab. Der, dem ihre ganze stille Neigung gilt, ist auch nicht besser als ein beliebiger anderer. Sie reißen sich die Glockenstränge ihrer Muskeln für ihn aus dem Leib. Während er noch prüfend in sie hineinsticht, fällt es ihr schon auf den frisch geputzten Boden, nämlich ihre Innenseite. Der Mop, der Staubsauger zerschinden ihre liebevolle Oase aus Sitzlandschaft. Dem Mann widerfährt ein Samenerguß auf einem Polster, was er bereut. Unverzüglich folgt der Mann seiner Frau auf den Friedhof. Als ein Gesunder war er Ablieferant in der Filzfabrik. Die Frau wirft ihre Arme empor. Kreischend durchschlägt sie mehrere Stockwerke Bodenbelag mit ihrem Gewicht. Zuletzt aß sie. Unbeschwichtigt von ihren langen fraulichen Atemzügen. Eine Bäuerin wird an einem Kind zur Täterin, so kann man seinen sozialen Status verändern. Der moderne Teppich scheint gegen sein Dessin anzukämpfen, bald aber liegt er still. Die heulende Ausweglosigkeit der Kindsgeburt zerstört ein Gemeinwesen gründlich. Wasser fällt auf Häuser und trocknet wieder. Wunden schmerzen besonders, wenn es kalt wird. Ein Monstrum, das früher einmal ein Gemütlicher gewesen ist, bereinigt eine schwelende Flurstreitigkeit mit der Waffe. So kommt man auch durchs Land, und zwar durch Flucht. Der stellt ja einen Menschenbrocken her! Sowas. Das Jausenbrot springt der Frau wie jeden Tag hellig von der Kredenz, ihr Lidschlag zuckt, sie spricht mit einem Unsichtbaren, für wen sie das alles tut. Ärzte verletzten ihren Beruf, Holzfäller verletzen sich während ihres Berufs. Hinter einem Ausländer jagt ein Gewehr durch eine Praxis: die Frau ist ihm falsch gestorben! Sein Knie wurde unklug geflickt. Und der Arzt ist schuld! Ein Trupp Gendarmen zieht mit Spielzügen auf. Anderer, unbeseelter Zorn gilt dem lieben Nachbarn. Wesenlose Ungerechtigkeiten, unfaßbare Unhöflichkeiten, eine ganz bestimmte Autotücke (und das jeden Tag, der parkt genau vor unserer Ausfahrt!) prasseln wie Gottesschläge auf das noch unfertige Eternitdach des Schuppens. Der Verursacher hat ein Prinzip: Er entflieht seiner Wohnküche, hängt sich unterhalb der Krone an einen Baum, nicht ohne zuvor den Bruder nebenan abgeknallt zu haben. Die Krone trägt er nicht. Selbst solche Körper verschmäht das Tier nicht, nach vierzehn Tagen Unbenütztheit hat es ihn doch angefressen. Jetzt hat er etwas bekommen, im nachhinein: einen lokalen Zeitungsartikel. Die Bäuerin flicht sich zum Gedächtnis einen Kranz aus Kindern. Diese nur der Frau offenstehende Verewigung. Die Villacherin fährt nicht allein in dem Opel Kadett. Die Kinder der Krebsin, die stirbt, streben geifernd in mehrere Richtungen davon. Jemand verspätet sich, wer lacht hier darüber. Keiner hat an diesem Ort einen Termin, mit Ausnahme der Fabriksirene. Die Frau schmilzt eine Taube in der Pfanne. Der Vogel ist gestohlen. Der Krebs arbeitet schon jahrelang mühevoll in diesem Trog aus Frau. Jetzt ist sein Teig aufgegangen. Wir machen ihn mit einer Prise feurig. Wer außer mir spricht von ihr. Die Villacherin hat Temperament, ich muß schon sagen, spricht der Gemeindeangestellte, der vor seinen Vorgesetzten im Gemeindeamt nichts zu reden hat bitte und danke. Gefaßt schaut eine andere Bäuerin in die Klarsichtpackung der Säuglingsstation. Dort ist es hygienischer als überall. Dort sind sie aufgebahrt, die Monika heißen und Franz. Sie haben nicht für ein Dekagramm Gehirn. Aus ihrem Glashaus werfen sie nicht mit Steinen. Ihr Inneres modert ab Geburt, es ist mit grünem Schimmel eingeschmiert. In dieser Packung herrscht der Reif des Gefrier. Diese Kindererbsen, diese Kichererbsen und zwischen ihnen viele Mengen Zellophan, damit man hineinschauen kann. Dieses winzige Päckchen, manche im Sonderangebot, andere schon halb aufgetaut und wieder festgefroren. Nur dies lacht der Hausfrau in ihrem Leben! Daß sogar ein Supermarkt sie betrügen darf. Der winzige Körper kaninchenähnlich, abgehäutet. Er ähnelt dem Erguß, aus dem er kam. Ungeformtes über dem Kleinwagenaggregat aus Herzschlag. Hier haltbaren sich die Halbfertigprodukte, die zukünftig Unermüdlichkämpfer (um etwas Minderes, eine neue Wohnzimmerlampe), die Schmalspurer, die schrecklichen Sorten, die Fußabtreter, die Ambosse, auf die man schlägt. Nein. Die Krankenschwester lädt sich etwas zuviel auf den Arm, erschrickt selbst: was hat ihre Arbeitsstätte da wieder hervorgebracht? Filzig klapst der kleine Rattenbalg aufs Linoleum. Er hat beide Augen das Naturwunder. Diese kleine Wunderpuppe. Ihr Geschlecht noch ein unbenutzter Fleck unter vielen. Das freundliche Dreibettzimmer mit automatisierten Gebärenden in der Fülle ihrer gierig schnappenden Schamzangen. Hier können sogar Frauen etwas leisten. Auf dem Nachtkastel ein Napf Blumen, die der Mann ungeübt aus dem Fernsehen gefischt hat. Nun tischt er sie seiner Frau auf. Eine Frischlingsgebärerin dankt herzlich. Auch das hat sie im Fernsehen gesehen. Gelernt von einem föhngewellten Menschen (der Natur liebt, und zwar ein großes Stück in Amerika), leider ist er so weit weg! Wir möchten ihn alle einmal anschauen gehen, wie groß er in Wirklichkeit ist. Die Oma schüttet in Abständen, die die Besuchszeit ihr angibt, blinkende Lekkerheiten ins Bett. Sie profitiert von der Süßigkeitenaktion im Supermarkt. Aus alt mach neu. Ihre Tochter blutet ohne Ordnung. Sie macht ins Bett und erbarmt niemandem. Omi! Die Frau wird zu ihrer Unterleibswunde herzlich beglückwünscht. Kolleginnen aus dem Betrieb kommen ebenfalls. Noch mehr Essensabfälle poltern in den Morast des Kissens. Geschossen von der Daunenschleuder in die wächserne Nässe einer Geburtsstunde, was kam dabei heraus? Etwas, das so wenig ist wie seine Mutter. Es wird sofort mit Landessüßigkeiten überhäuft. Verlegen scharren Großväter tiefe Schrunden in die sterilen Gebärklausen. Sie besuchen mit selbstgekauften Goldketterln, ausgesucht von ihren ausgesucht zänkischen Frauen, die Frau Tochter. So rächt sich deine Frau, das unverstandene Wesen. Ein hilfloser Angehöriger bricht grau angelaufene Billigschokolade wie zum letzten Abendmahl (die Nachgeburt ist nicht ordnungsgemäß abgegangen). Der Anhänger mit dem Schutzengerl funkelt auf der Hygienedecke, schon sehnt sich der Mann wieder nach Verkehr. Die Frau noch nicht zugeheilt. Heilig heilig heilig. Die Mutter. Schon muß sich aber die Hygiene nach der Decke strekken. Dieser Liebesstall ist vorübergehend geschlossen. Die kuhhafte Gemeinsamkeit von Mann und Frau kann vielleicht erst nächste Woche wieder stattfinden, rufen Sie doch Montag noch einmal an! Jetzt, endlich wird die Nachgeburt sichtbar. Sie ist nämlich unverzichtbar für die Gesundheit der Mutter. Sie zischt aus dem noch ofenwarmen Rohr. Dieser Mutterdampf (das Kind ist schon lang da, da schauen Sie, was?), dieser Druck in dem längst durch Arbeit ausgelasteten Leibstopf! Einmal im Leben Mutter sein, das ist genug. Hinter Sichtgläsern es liebsam bleiben, wenigstens ein paar Jahre lang. Aber bald schaut keiner mehr hin. Der Vater tritt sich die Pestbazillen der Landwirtschaft von den Sohlen. Frisch wird hier Menschennahrung gebacken kommen Sie bald! Aus Tüten fließen Parasiten. Im Kindergarten wird ein Kind ausgehändigt werden, das einen schweren Unfall hatte. Schon ist es nicht mehr so neu wie es einmal war. In diesem Klima hält sich nichts. Sauber gewaschlappt kauern die Muttertiere mit ihren Wunderbäuchen (oder Wundbäuchen?) in den Kuhlen. Das Kruzifix lacht darüber, Jesus, da hast du die Frauen aber ordentlich aufs Kreuz gehängt. Manche beten sogar. Eigentlich betet es in ihnen: bitte hilf dem kleinen Säugling im Futteral, daß er sich im Kühlschrank nicht querlegt, sonst versperrt er den Ausgang. Er soll auch später bitte nicht unliebsame Aufmerksamkeit auf sich ziehen.

Unliebsam könnte eine Jugendfreundschaft mit einem Mädel ausgegangen sein, und erst das Bundesheer! Pfui Teufel. Wo kam er plötzlich her, der zähnegefletschte Mopedverlenker? Aus welchem Abortloch? Der Körper seiner Mutter stürzt an dem toten Sechzehnjährigen vorbei aus dem Fenster. Sie erblickt nicht mehr, wie ihr zweites Kind endgültig Knecht wird. Der Sohn verzieht sein Messer zu einer Grimasse. Er schämt sich seiner Mutter recht früh. Wunden baden unklug in Jauchegruben. Eine aufs Altenteil Abgeschobene schaukelt gesichtunter im Kuhabfluß. Sie schaut ausgelaugten Schlangen in die geschlossenen Augen. Hätte sie nur den Halt nicht verloren! Eine Registrierkasse klingelt, bald wird sie elektronisch bestätigt sein. Gift kocht im Leib. Einer gräbt sinnlos eine Grube, in die er Abfälle schütten möchte, sein Geschlecht hebt es ihm aus. Denn er kommt aus einem Geschlecht von Untüchtigen. Mehrere überqueren jeden Tag sinnwidrig die Gleise. Ein Licht leuchtet faul. Andere gebrauchen Gartengeräte. Dem Gemeindebediensteten ist sein Vorlaut inzwischen unersetzlich geworden. Er steht nämlich derzeit in seiner zweiten Blüte. Die späten Rosen blühen doch am schönsten. Das Dreibettzimmer hat ein gewichtiges Wort mitzureden, wenn es um den Bevölkerungszuwachs geht. Tiere scharren. Die Hennen lassen ebenfalls ihre schmerzlichen Mütterstimmen erschallen, doch wer hört schon auf die. Die Wirtstochter wird nach Mitternacht auf die Kegelbahn geworfen, war später nur ein Scherz. Es trinkt. Um den Freitag abend herum fallen Stiche. Ein Messer kostet weniger als eine Pistole. In manchen Köpfen rechnet es unberechtigt von einem Erbe. Sie töten einander ohne viel Anstrengung. Die Beißzangen des Todes halten die Schwester fest, vergebens schmiegt sie sich vors Kofferradio. Doch, auch sie ist eine Mutter! Hat einer für etwas zu viel erhalten, braust das Dorf windsbräutig über ihn hinweg. Zuwenig wiederum macht die Telefondrähte vor Schadenfreude flirren. Aber wenig Telefon. Sie sprechen nicht gern in ein Gerät. Um einzelnes wird gerungen wie um das Leben selbst, aber warum? In Öffnungen erscheinen auf Kommando Figuren, eingesponnen in wimmernde Hülsen. Sie können allein nichts bewirken, aber sie sind da. Der Versandhandel hat sie als modisch beschworen, na wenn schon (die Hülsen). Alle haben gern was Neues und bezahlen später dafür. Zwei Ichs zur Auswahl per Nachnahme. Da zahlen sie gleich. Sie glauben wählen zu dürfen. Doch ihr letzter Auftritt besteht nur in Bluten im Wald. Dafür erhalten sie keine Note, der Katalog bleibt auf dem Nachtkastel liegen. Der Kunsteislauf ist eigentlich auch schön. Man kann ihn sehn! Es hört sich an wie Weinen aus Schmerz. Ja, wir haben recht gehört. Es wird zu einer Fleischbeschau kommen. Der Mann nimmt sich vorher schnell noch etwas Verkehr. Was der Arzt streng verboten hat. Egal. Übervoll macht er seinen Löffel. Der Mann zwängt sich gern ins Warme hinein, auch wenn dort wenig Platz ist. So ist es um ihn und seine Umgebung bestellt. Manchmal bestellt er etwas, das er nicht bezahlen kann, so gern möchte er es besitzen. Eine über und über bestickte Sängerin erscheint im Bildkasten, spreizt weit die Kiefer. Es ist Anneliese Rothenberger, glaube ich. Zu ihren Füßen keine dreckige Wäsche wie bei uns daheim. Rosa und sonst wirbelig wie in Wolken geht sie dahin und singt nicht mehr. Eine junge Zukunft rahmt sie in Gestalt von Jugend, mild wie Rahm, groß wie der Bildschirm ein. Von ihrem rosigen Gaumen stößt ein Zäpfchen herab ein Schabmesser ihre Halskrause wippt eine Glockenblume könnte es nicht besser. Die Tutteln fallen ihr oben fast aus dem Gleid naus. Sie ist fast nackert und geniert sich nicht, die traut sich was. Schöne Musik macht sie ganz mit dem Mund! Vielleicht kennt sie einen Millionär vielleicht den

Papst! Gespannt fällt den Zuschauern Ruß aus den Augen. So fremd ist das Leben für sie. Die Füße von dieser berühmten Sängerin sind unsichtbar unter dem Kleid. Keulen. Ihr nun folgendes Lied wird von ihrem Mund allein angekündigt. Es klingt. Sie freu! Alle werden zu hellen Quellen vor lauter Ungewißheit, was sie noch alles singen wird. Vielleicht sind auch sie, wie sie da zuschauen, glänzende Begabungen und wissen es nicht. Sie verströmen sich öfter als einmal, um es ansehen zu dürfen. Stellen sich um lebendige Karten an, um die Sängerin lebendig in einer riesigen Halle betrachten zu können. Sie reisen sogar in ein fremdes Land, wenn nötig. In Schaumrollen umspannt das Haar dieses gleißende und zudem noch ausfahrbare Gesicht. Es schreit es schreitet nein es singt sehr hohe Töne! Das sind alles Höhepunkte, was Sie hier sehen. Es sind Lenze. Es ist größer als alles und reicht höher hinauf, es sind eindeutig Gipfel von Leistungen im Bereich Singen. Es gellt. Au! Die Lampen fiebern sogar. Das Plastikfleisch im Sängerinnenrachen: wird kraftvoll abgespänt, die Scharten spulen sich rosig ab. Diese Frau ist eine Hochfrequenz im Beruf Gesang. Solche Höhen, die hätten Sie auch gern drauf. Dieses kleine Messer es zerschnipselt ihr jetzt das ganze Innenfleisch ihres Mundes so verströmt sich das Echte. Man kann es nicht nachmachen. Von Atemschöpfen wird ein glänzender roter Mund kurz verhüllt. Es spreizt ihn sofort wider Willen auf, die Töne wollen nämlich partout hervordringen! Es heult so kein Föhn, diese Töne sind trotzdem rein Natur! Die Kehle ist entscheidend daran beteiligt der Kehlkopf dieser vollkommen natürliche Körperzipf. Es ist wunderbar viele wünschten dringendst solche Auftritte für sich und eventuell ihre Vogelbrut. Nur wenige sind von einem Intendanten so ausgewählt, daß sie an ihrem Fleisch den Höhenunterschied ertragen zwischen den zehn Zentimetern Absatz am Schuh eines TV-Stars und sich, die sie mit beiden Beinen fest in der Wiese des Publikumsgeschmacks verangert sind. So lautet das Ergebnis des Infratests. Wir sind die Zuschauer. Wir sind ungünstig. Ja, wir genießen nicht die Gunst der Abteilungsleiter für Fernsehspiele. Als ein brennender Span auf dem Schirm zu erscheinen muß Fleisch sich dem Fleiß beugen! Ja. Es kann sein, daß der Papst sie kennt. Gott kennt uns aber alle. Bei dieser Sängerin ist alles vollkommen trocken und erhärtet eine Meinung. Sie singt jetzt weiter. Es strengt sie sehr an. Nun brennen sogar ihre Augen lichterloh. Die Zähne fletschen sich wie von selbst, einer Lanzette gleich schießt der kochende Strahl ihrer glänzenden Schreie durch die Glaswand (oder was für ein Material ist das, welches soviel aushalten kann, nicht einmal der Krug kann endlos zum Brunnen gehn) des Schirms, der einen Apparatteil, vielleicht sogar den wichtigsten, bildet. Der Volksmund hat nichts dazu mitzuteilen, er hat seine eigene Sendereihe. Der Sport, der Länge und der Breite nach! Der Sport hat viele Namen. Die Kunsteisläuferin verreckt schon fast in ihrem Paillettenfell, schauen Sie endlich hin! Endlich. Fast schon zu spät schraubt sie sich aus den Klippen ihrer Knochen heraus! Sie wird ja immer länger, ist das überhaupt noch ein Mensch? Was man sieht ist in Kürze folgendes eine ins Unermeßliche an der Längsachse entlang ausgesteigerte und gewiß nicht grobschlächtige Erscheinung. Ein Vulkan, der nach oben hin ausbricht und speit. Feuer! Der Reißzahn des gefrorenen Wassers, auf dem sie sich so dreht. Ja, sie dreht sich da direkt vor Ihnen. Sie strengt sich so an und Sie können nichts als Salzstangerln essen. Genießen Sie lieber das Bild! Sie, die Läuferin, ist plötzlich hoch in der Luft. Versucht die Leibsgifte unten abzuwerfen, sie macht Ballast. Ihrer eigenen Anwesenheit entzieht sie sich durch ein entschiedenes Wegschießen, wie ein Korken, und zwar durch einen Sprung, der für Sie sehr gefährlich wäre, versuchten Sie ihn nachzumachen. Und anläßlich dessen sie sich mehrere Male zu drehen hat! Eine Fee könnte sie leicht sein und wird manchmal so genannt. Wer macht ihr das nach. Und doch kommt ihr etwas Hartes aus dem Schädel heraus, ich kann es nicht anders ausdrücken, so daß alle wissen, wir könnten das nie! Auf diese Weise reißt ein Abstand zwischen Menschen auf. Wir wissen jetzt: die Menschen unterscheiden sich hauptsächlich durch hohe Sprünge voneinander, der eine kann mit seinem Einkommen größere Sprünge machen als der andere. Manchmal stehen die grellsten Töne zwischen uns Menschen, die es gibt. Wir sind nicht unter Brüdern und Schwestern, schminken Sie sich das ab. Die Talente in Jugendlich können es auch bald so gut, kommt uns vor, schenken wir dem Sportkommentator Glauben. Wir Ansiedlung von Geistesschwachen erkennen die Unterschiede nicht. Es werden Namen Ziffern Nummern Tabletten verteilt. Einer kommt in einen Rang und will sich dran festklammern. Ewig «Reisende» sind diese dahinschwankenden Eisstauden. Sie müssen sich umziehen gehen. Sie ziehen herum. Die Schreie der diesseitigen Menge blicken auf die Schreie der jenseitigen Menge. Sie blicken einander möglichst unter die Kiemen, wie aktuell sie sind! Vor Entsetzen geblendet, schamstarr, fällt eine Läuferin aus dem feingestickten Kleid. Ihre ausfaltbaren Beine fahren ihrem Rumpf förmlich davon. Sofort gedenken Millionen Menschen einer Zeit, da sie völlig fehlerlos gehupft ist. Die Urteile der Menge vor dem leuchtenden Schirm und wenn es Millionen sein sollten wiegen nicht schwerer als der Hauch eines Vogelzahns, geschlagen ins Abendrot. Sie alle sind erschüttert. Keiner hört jedoch ihre ungeboren bleibenden Laute. Das König Publikum. Sie legen ihre fauligen Mäuler in die Zaumzeuge und ziehen und ziehen. Doch die

Räder fallen ihnen, derweil sie ziehen, unten aus dem Wagen. Es regeln überall welche den Verkehr zu gründlich. Diese Läuferin ist das Fettauge auf dem ungewürzten Lebensbrei der Zuseher. Dieses Schlaraffenland der Existenz, sie fliegt mit dem Flugzeug von Kontinent zu Kantine sie speist bei Kerzenschein. Aus umgekippten Tellern rinnen sie hervor und sofort ineinander, mischungssüchtig, (das heißt, sie wollen sich um jeden Preis unter die Teilnehmer mischen!) diese quirligen Schreihälse, aber Ausdauer haben sie oho! Sie können nichts halten. Wasser schießt aus ihnen heraus. Es wird ihnen alles weggenommen. Es bleibt ihnen nicht einmal was sie sehen. Ungebärdige Menschenknechte sind und bleiben sie. Sie küssen sich nur selbst auf die Handrücken. Sie übertreffen im allgemeinen nicht einmal Neuschneebelag von zwei Zentimetern. Da muß schon eine Eisfee kommen und sie durch Üben und Sprüngeln übertreffen! Die andere, wie gesagt, eine Sängerin durch Hoch und Laut. Bei ihrer Arbeit werden die Gewöhnlichen gescholten. Keinem gelingt ein wagemutiger Blick auf die Bühne. Frieden stören sie nicht. Wanderer. Keinem können sie es rechtmachen. Aus der genannten Sängerin rutscht der Seidentaft in vielen Metern Natur bis auf die Erde, verbirgt, was man nicht sehen soll, den Megärenunterleib, den man ihr nicht zutrauen würde. Wie ist diese Frau eigentlich in ihrem Privatleben, versuchen sacht schwankende Menschenattrappen durch Zeitunglesen zu ergründeln. Sie denken an die Schamspalte, die sie irgendwo als schwachen Punkt haben MUSS. Sie wollen, während das Eismädchen in die Luft hupfiert, geradeaus nach dem Umbiegen weiterfährt oder verkehrt nach hinten stiebt wie eine Flocke, nichts anderes machen als ihren schwächlichen Saft in entfernte Höhlungen spritzen. Sie sind nicht übertrieben erfolgreich. Sie wollen das ihnen Erreichbare nicht, sie wollen mehr.

Scheuten sich keineswegs (wenn man sie ließe), Gastgeber für dieses frauliche Wunder in Laut und Sport zu sein. Ja, sie bewerben sich zumindest telefonisch als Ratgeber! Sie sprechen laut aus, wen diese Herzlichkeiten, diese Exzellenzen heiraten sollen oder nicht! Bei ihnen wirkt das nicht gut. Sie frisieren sich sorgfältig und winken dann von hinten in den Bildschirm hinaus (wenn sie im Publikum sitzen dürfen), ihre weichen Pfoten ritzen nichts. Sie machen unerhörte Angebote, aber höchstens schriftlich oder telefonisch. Es wird ihnen nicht einmal der Preis genannt. In den Schnee gestellt, erfrören sie in Bälde. Sie wären gern sogar scheußlich wie Hyänen, so daß man auch ihre Schreie einmal vernimmt. Die Eisläuferin, hören Sie noch einmal zu, hat ein Paar eigene Eltern. Das alles wirft sich flackernd in der Zeitung nieder. In welche Höhle zieht sich diese Läuferin nach dem Spitzensport zurück, so daß man sie überhaupt nicht mehr sehen kann? Das wollen wir jetzt einmal erfahren. Man kann nicht genug bekommen, wenn man immer zuwenig für sein Geld erhält. Schwüre entfliehen den frisch gewaschenen Gesichtern: wie gut würden sie diese vollständig lebendige Gestalt behandeln, käme sie einmal in ihren Besitz! Es ist unfaßbar, daß sie nichts behalten dürfen. Schwache ablehnende Bewegungen ruhen sich unter ihren Ärmeln aus. Nimmt man sie genauer unter die Gotteslupe: die sind ja unten zugenäht! Verflixt. Vollzählig finden sie sich auf numerierten Plätzen ein, über die kein Dach gespannt ist, gehen wieder fort, keine Abdrücke ihrer armen Wanderfüße. Wie tapfer sie eigentlich sind! Aber nichts bleibt auf Dauer an ihnen hängen, nicht das eine nicht das andere nicht viel. Sie sind endloser Stoff der gesponnen wird. Das Laufen auf Eis ist eine gewaltige körperliche wie nervliche Belastung. Das Singen in einem geschlossenen und grob verputzten Raum verlangt nach Fleiß und Talent. Für einen guten Zweck kann gespendet werden. Blumengirlanden baumeln über dem Kopf der Gesangsfrau, sie ist schon etwas älter aber wunderschön, der Wind fährt aus ihrem Mund und geradewegs ins Herz! Lobt sie! Sie kann so großartig singen und es wird auch noch der Aushub dieses schönen Raumes ausgeschmiert um ihretwillen! Sie ist eigens hergekommen. Von keinem Schweiß tropft ihr das Gewand. Das Thema Arbeit variiert sie, darin ist sie eigen. Sie vertiert nicht, und wenn sie noch so laut ist. Erstaunt ist sie, ja, und ein wenig füllig. Denn, sehen Sie es nicht? Blumen stiftet ihr die Industrie! Immer bitterer wird das Leidbier der Zuschauer in der Ferne der Mikrophone, doch sie vergessen in einem Augenblick alles was sie je gelernt haben (Schreibmaschine und Programmieren), was für eine Gnade, so hohe Töne! Diese Steinschmelzerin. Ein Stern ist zu hoch gegriffen, doch sie zieht sich am Abend gewiß aus. Wir! Wie wir! Genau wie wir! Welcher Zustand von Natur befindet sich unter diesem Heiligtum an Kleidung? Vielleicht ein Kernbeißer, ein Vogel, der mit Kieferkraft Schaden anrichtet. Vielleicht die Weltspitze! Das würde ihr keiner zutrauen, der sie auf diesem Podest blinken sieht. Sie war einmal eine Braut. Sie ist seit langem verheiratet. Zumindest ein Mann hat jedenfalls unter ihre sonnigen Strähnen blicken dürfen. Die Zuschauer betteln, geben Rat und Laut. Ihre Hände klappen zu. Menschenhagel, so hört es sich an. So nun steigen sie sogar auf die Sitze ein Gewitter bricht aus ihnen hervor. Manche erbrechen sich, gebeutelt von der riesigen Stimme dort oben, viel haben sie nicht in sich horten können. Das ist ja kein Mensch mehr, aber menschlich ist sie angeblich schon, denn sie läßt kleinen Kindern auf Berghöfen etwas zugutekommen. Sammelt jemand wie diese Frau für gute Zwecke, so schleudern wir, persönlich aufgefordert, auf du und du mit ihr, die letzten Bröseln aus unseren schlappen Körpersäckchen. Heulend ergießen wir uns,

Menschenflut, aus unserer eigens dafür angefertigten Tracht. Wir ersäufen uns gleich selbst Vorsicht! Es schaut nichts dabei heraus, aber wir schauen ununterbrochen auf das gierige Gerät. Es schleudert Steine in unsere Gesichter. Wir geben der Natur unser Leben und was kommt zurück ein flaches Bild! Dieses Bild soll ein Gutschein für hineingespendetes Leben sein. Wir wandeln uns selbst um. Wir geben uns und bekommen unser Abbild zurück. Womit werden denn die Zitzen an dieser Volksbelustigerin festgehalten? Richtig. Der heimische Frauenanzug verlangt nun einmal nach diesem bettzeugartigen Vorderteil. Die Männer jubeln immerhin, meine Herren, was soll denn das sein? Zur Abwechslung kommt jetzt die Lachparade der leichten Muse an die Reihe. Sie steht hier insgesamt für das Volk. Meine Damen und Herren. Breit macht sie sich, diese Musikantin. Wind schweift um sie herum, es ist an ihr keine Angriffsfläche zu entdecken. Sie ist der erste Schnee. Ruckend ergießen sich bereits die ersten Saatbecher. Es sprießen Tüchtige unter Trachtenbeinen hervor. Niemand halte die heitere Muse für blöd, sagt der Fernsehintendant. Der spielt gern Versteckerl. Mit seinen Enkelkindern. In einem gigantischen Kanalschwall, in dem noch brauchbare Nahrung schwimmt und stinkt, spülen die Herren von der Sendeleitung, auf der sie zu ihrer eigenen Sicherheit dauerhaft stehen, alle ihre Untergebenen (also uns, das Publikum!) fort. Weg mit uns! Ein Freiwilliger meldet sich im Publikum. Das ist eine bittere Pille. Er sagt dauernd bitte und danke. Wir alle sind doch nicht niemand! Aus weit geöffneten Kehlen sprechen wir, der Volkswille. Wir wollen Unterhaltung mit Musik. Wer verlangt da etwas von uns? Mehr Musik bitte. Diese Musik ist von unserer Abart. Unsere Art stirbt deswegen keinesfalls aus. Wir bekommen weniger als nichts und verlangen doch unermüdlich, etwas Neues betrachten zu dürfen.

Eine Sinnlosigkeit. Wir sind einförmig, diesen Grund geben wir an. Deswegen wollen wir Vielfalt als Angebot! Deshalb wird stets etwas unerhört Neues an uns vorbeigezogen. Ein Gott ein Meister seines Schließfachs ein Chef ein großer Menschenkenner ist jemand, also ein Menschenfresser: Der Chef vom ganzen Fernsehbereich! Der zieht das Neueste, das es gibt, an einer Spagatschnur (das Spielzeug des Lebens) über die eisigen Wüsten des Schirmbilds. Bravo! Bravo! Bitte noch einmal alles von Anfang an wiederholen! Und was passiert jetzt die Menge eins ist uneins. Will sofort etwas Unerhörtes betrachten, aber die Manege zwei hat das erste noch gar nicht begriffen und will in Ruhe noch einmal die Zoten genießen. Sie will den Witz von dem ranzigen Kellner der Landeskunst noch einmal vorgetragen bekommen. Er soll bitte machen wie vorhin! Und er macht es! Er antwortet bittesehr wie Sie wünschen kommen Sie jetzt heraus, Sie Kandidat aus dem Publikum, den wir alle ausgewählt haben, Applaus. So schneidet er mit dem Eßmesser das Stück Schweinssulz aus Worten klein vor: er kaut es für sie zu runzligem grobem Brei. Den Rest können sie nun wirklich selber besorgen, mhm, wie das schmeckt. Tausende wie Pferde wiehern in einem gräßlichen Sopranchor hochauf. Die Schnarniere ihrer Mäuler quietschen von dieser unerträglichen Belastung, man soll beachten: manche Organe halten nicht lang. Frauen heben an, einen obszönen Reim in Nachahmung, und zwar über sich selbst! zu singen. Sie fühlen sich schon wichtig werden: Wolken fürs Getreide. Bubi Bubi nocheinmal und so weiter. Über ihre ansehnlichen Körperöffnungen hat einer etwas Lustiges verlauten lassen. Und es stimmt, denn es war im Fernsehen. Es singen nun auch alle übrigen, es bleibt ihnen ja gar nichts anderes übrig, wer will schon freiwillig Außenseiter sein. Die Damen im Publikum, ihre Vergänglichkeit als Dübel in der brüchigen Mauer des Ehebunds, als taube Nüsse, als

Gliedsaugerinnen vergessen sie auf der Stelle gemeinsam, singen sie doch etwas mit allen zusammen mit. Klatschen! Warum schreien sie so? Wie pflanzliche Luftwurzeln, zwar ohne rechte Funktion, aber durstig nach Resten von Anerkennung aus der Gegend um: draußen, außerhalb des Topfes, tasten ihre Glieder sich voran. Die Menge wird organisch und orgiastisch, sie wächst sich zu einem kreischenden Wienerwald zusammen. Diverse Witze über das angeblich schöne Pudern steigen zum Plafond. Schon lachen jetzt manche nicht mehr, denn ausgerechnet sie, die Braven, wurden Gegenstand dieses Scherzes. Knackend in ihrer übrigens ganz normalen Gier, werden die Leibsäste der Frauen unter ihnen gespalten, die Axt fährt in sie. Blutig klaffen die Strünke. Holzknecht wie Kavalier vom Opernball werden unter dem Lüsterlicht aus Kristall zu einer einzigen Person, wenn auch nur kürzlich. Sie glauben es! Aus dem Volk der Fleischbeschauer wird ohne jede grobe Gewalt ein Teil sorgsam aussortiert und im ewigen Verzichten unterwiesen. Fangen Sie jetzt an zu verzichten! In Bildfolgen von unerhörter Gewalt bäumt die Frau sich auf wagt Widerworte, gebückt kommt sie aus einem Hang (zum Naschen?) geschlichen und ist einen Augenblick lang Eins (groß) und Eine Einzige. Die Musik kumuliert in einem Schlagzeugsolo es muß nun etwas Unerhörtes auf dem Seil stattfinden, nehme ich an: Frau und dazu etwas Unübliches! Das ist kein Lebewesen, das aus allen anderen hervorzuholen wäre. Weil es eben nichts vermag, das an Singen oder Eiskünsteln heranreichte. Auch keine eigenen Handarbeiten sind vorzuzeigen was? Oder? Sie sind tatsächlich keinerlei Ausnahme, indem Sie aus Körperstücken etwas Hörbares herausquetschen oder etwas Anschauliches vorführen, auf einem Reck werden Sie doch wenigstens turnen können! Nun so kann der Kandidatin immer noch (letzter Ausweg in der Öffentlichkeit) als Erweis von Gnade aus dem Publikum der Hauskranz, diese Ehre für langjährige Dienste, tief ins Genack gedrückt werden. Geben Sie uns bitte ein Rezept! Für Ihre Spezialität: die Frau liebt das seelische Problem mehr als den Mann, dem sie gehört. Sie erforscht gern die Tiefe, diese Amateurpsychologin. Wagt sie es? Wagt sie es, dem Mann in ihrem Haus, der ihr zuwider wurde, nicht ständig zum Bücken dazusein? Ein zweiter Mann kann eventuell den Sohn darstellen. Es reißt dem Pferd an der Seite das Maul auf. Das kommt von einem harten Griff ans Gebiß. Schon regnet es Fleischbeschläge. Unheil! Die Frau duckt ab. Sie hat nichts vorzuweisen. Selbst die Tüchtigste von allen läßt sich vor Publikum als unbrauchbar nachweisen, wenn sie kein Hobby hat, also wenn sie den Mann nicht unterhalten kann. Sie alle, nämlich die anderen Frauen, sind keine Sängerinnen! Doch in der Mehrzahl haben sie zumeist geboren! Die Sängerin hat etwa 2 Kinder, aber dieses glänzende Abendkleid verrät davon nichts. Als Vater, als Pendler, als Störenfried daheim, da vergeht einem schon die Ruhe. Müd schwingt er sich zum Postauto auf. Das Lebensgerät friert ihm in der Hand fest, Kinder schleifen über das Jaucheeis im Hof. Den Heranwachsenden brechen immer zur Unzeit alle Zähne. Wie ein Getränk künstlicher Machart rinnt ihnen das Licht der Busbahnhöfe über die nicht mehr auftrumpfenden Stecknadelköpfe. Ihre Schul- und Werkzeugtaschen klatschen sie ringsumher in den Schnee, sie stürzen sich ineinander, werden wohl techn. Zeichner oder zumindest Schlosser geworden sein, wenn sie es erleben, werden ihre Kinderzeit vergessen haben. Sie werden ihren Müttern zur Bedrohung, denn sie sind ein Mann, wie die Geschichte sie lehrt. Und ihre Mütter werden ihnen früh zum bloßen Andenken (als Foto). Mit Flobertgewehren stöpseln sie die Leben anderer Persönlichkeiten aus den Steckdosen. Brünstige Landschaftsbuchten, Gefrierpolster an der Schwelle,

Hühnerdreck im Vorzimmer, das Linoleum in der Küche, alles ohne Abdrücke ihrer Schühlein ihrer Kaufhaussohlen ihrer gerippten miesen Gummiprofile, ihrer vom Bruder ererbten Stallhufe. Nur Gott allein ist noch daran interessiert, sie ab und zu zu beobachten. Was Sie hier sehen, ist leider eine riesengroße Sparpackung, eine Haushaltspakkung mit Plastik rundherum, ein buntes Geschenk. Zur Zier. Sie schauen in ein vorgestanztes Paket dort, wo andere an der Landschaft sich ergötzen! Anderen gefällt es prinzipiell wo anders besser. Diese Gegenmenschen, diese Wähler, die verarbeiten sogar die Misthügel noch zu einem Foto. Die hier hausen sehen überall im Umkreis nur Regale mit Waren. Sie vergleichen ausschließlich Natur mit Kunst, nicht aber umgekehrt. Ein Beispiel jetzt. Sie geben es nicht. Nichts gäben sie je her (eher noch ihr Leben) als diese Vorratslager, in denen sie ihre Arbeit bewahren. Beeren sehen sie nur als Marmelade in einem Glas. Der Konsum hat es entweder oder er hat es nicht. Essen heute ein Backhendel. Es wird davon etwas aufgehoben (im Gegensatz zu ihnen, die nirgends aufgehoben sind). Trinken Vierterln, also nichts Halbes und nichts Ganzes. Sie sehen und gehen herum und hören zu. Herum wie Menschen von wo anders! Leben das Leben von Nebenerwerbern. Nie sind sie dort wo man sie braucht, weil sie sich einbilden, sie brauchten selbst etwas. Was sie aus dem Land alles heraussaugen mit ihneren Tieren! Die Frau mistet unstet und zupft die Milch aus den Tierweibchen. Das Bauernjahr und seine eingefleischt schlechten Gewohnheiten messen sich nicht länger an der Nahrung, die kommt und geht, sondern an der dreist hingeknallten Volkskunde auf dem Bildschirm. Nicht verständlicher wird ihnen aufgrund dieser Volkstanz-Attraktionen ihr Leben. Sie schauen aber sehen nicht. Ihre Tiergruppen rinnen an ihnen vorbei in die Schlachtschußapparate. Um Getötetes weint hier niemand. An einem Vorhang hängt überflüssigerweise ein Posament. Dafür macht das Fernsehen uns pausenlos lächerlich. Das Fernsehen nützt die Menschen aus und nützt ihnen nichts. Es nützt ihnen nicht, im Fernsehen vorzuführen: so tanzt und singt das Volk. Der Mann ist jung. Ist er älter, nennt man ihn Quizmaster. Er geht auf einem Weg oder er steht still. Stillstand in seiner Sendung liebt er aber gar nicht. Was er sieht kennt er schon längst. Auch dieser junge Mann, zu dem wir zurückkehren, lang lang ists her, er steht also im Hohlweg still und erlebt ähnliches. Ein kleiner Kasten hat ihm erklärt, was er von der Natur zu sehen hat und was nicht. Er hat keinen Fernsehapparat mehr. Jetzt muß er sich am Wetter orientieren. Eine Frau betrachtet derweil ihr Wechselgeld, es ist warm von ihrer lebendigen Hand. Es kam von einem Mann, der einen Postautobus fährt und schon ist es durch Tausch (viel gegen wenig) ihr eigen geworden. Wird ihr einverleibt: die meinigen Münzen. Der Apparat wird erst mit der Zeit warm. Er gerät auf Bluttemperatur, wie der Mensch halt auch, wenn er das seltene Glück hat geboren und geborgen zu sein. Fremdes Leben bleibt einem gleich fremd, ob in einem Gerät oder draußen, doch es kommt ohne Panthersprung in die Stube. Juchu! Aus dem Bus, auch einem Schrein, wo die Schulkinder schrein, quillt ebenfalls Leben in allen Stufen und Graden von Tagbau hervor. Groß ist der Bus. Was sich darin in harter Währung abspielt: Es ist der Wirklichkeit fremd und feind. Sie machen aus Bäumen Zäune, um ihr Eigentum zusammenzufassen. Aus Holz des weiteren: Papier ruht in ihren Händen. Das Papier kommt bedruckt herbei. Zu einer «Krone» wird das Papier, für die Ausländer unter uns ist das nur eine schlichte Zeitung, für die Inländer aber ist sie länger, und Sie haben zu grüßen, verstanden! Aus jenem raschelnden Abbild von Wirtschaft und Kultur weiß die Menge, woran sie ist: noch kilometerweit von der Futterkrippe entfernt.

Ein Mann informiert sich lieber aus Color-Büchern was die Frau eigentlich ist. Und wie sie aussieht. Schläuche geben dem Sterbenden Gewicht, das er im Leben nicht hatte. Die Gebärende macht, was zu ihr paßt, mit den Händen trostlose Freudengebärden, sie hat jetzt Besuchszeit. Von zwanzig Uhr bis einundzwanzig Uhr dreißig für die Berufstätigen unter uns, in dieser Zeit bekommt sie ihre Gesten genau vorgespeichelt, diesen Pollen, und zwar von der Biene des Lebens (von der Oma). Es wird ihr ins Bett gespien. Männer begutachten durch eine Glasscheibe ihre baldigen Geißeln, die Söhne. Schön! Eine alte Frau fährt auch. Einkaufen! Glück zu zwein! Glück ist unbezahlbar, steht irgendwo zu lesen. In der Männerabteilung entdecken Jugendliche mit Mumps zum ersten Mal die giftige Aussaat ihres Geschlechts, das im Entstehen begriffen ist. Im Ausgedinge würgt es niemanden mehr in den Lenden. Sie alle sind aufgeschoben aber nicht aufgehoben. In der Familienpackung ihrer Epidermis zur Ansicht dargeboten, aber nicht vor dem Verfall bewahrt. Beachten Sie das Verbrauchsdatum auf der Packung. Bedauerlich, daß auch Sie zu uns gehören! Es geschieht dem einen recht wie dem anderen. Alle sind gleich. Jedoch: der Schilauf holt den einen mit seinem Zeigefinger (ein Star in der Abfahrt!) heraus und möglicherweise bist du es. Du bist vielleicht der Meister von etwas Künftigem. Der Busfahrer beherrscht ja manchmal auch nicht sein Fahrzeug für den Massentransport, es kollert ihm über die zerklüftete Böschung klick, durch die dünne Eisschicht auf dem Fluß. Aus. Ein riesiger Käfer, bleibt der Bus auf dem Rücken liegen, strampelt vor Zorn. Dieses Postauto spuckt nach einer Schrecksekunde voll Heulen und Zähnequietschen Schwerverletzte genauso aus wie durch ein Wunder Unverletzte. Hier sind sie, und ein Sprecher spricht öffentlich darüber. Erst durch das Wort Schmerz, das er im Bild ausspricht, erkennen sie sich alle selbst. Wie der Wolf springt das Wort dem Opfer an die Kehle. Ein Springbrunnen bricht aus dem Bild wie stehendes Haarwerk. Der Regierungschef ist persönlich für den Katalysator im Kraftfahrzeug. Warum rauchen Sie so unmäßig? Ein Fachmann erklärt es Ihnen um achtzehn Uhr dreißig in der Sendung «Wir». Artisten (Ärzte) im weißen Berufskitzel sagen zerstreut: mäßigen Sie sich doch bitte. Sie vergessen dabei, daß der Adressat nur mäßig begabt ist. Das öffentliche Sprechen über etwas ändert gar nichts. Die wollen einfach nichts lernen. Eine Rotte Kranker rast, zum Bogen ihrer eigenen Erinnerung geformt, über die Steppe einer Serie, die im Krankenhaus spielt und daher beliebt, aber beängstigend ist. Wir schauen alle zu. Ein Wort, das wir hören, kennen wir nicht. Ist es das Wort Pneumothorax? Wir sind gespannt. Eine riesige Mutterhenne, dieses gut bewachsene und besuchte Land, oh, allzu rasch zerrt ihr jemand die Eier aus der Wärme. Aufgehoben ist nicht aufgeschoben. Wir sagten es schon, von selbst kommt der Tod. Dazu muß man sich flach auf das Bett legen und warten. Die Kandidaten sind ganz unter sich. Was geschieht, machen sie nicht von sich aus. Manchmal basteln sie wohl, manchmal beten sie. Das Wort Glück erscheint groß auf dem Schirm, und zwar mit der Körperausstrahlung einer Mutter, einer Schlagersängerin, kurzum: als Person. Niemals wird dieser Frau ein Essen im Zorn bereitet. Ihr großartiges Publikum, das hat es schon schwerer: Eile mit Weile. Die Abfälle unter ihren windschiefen Planen nennt man Pläne. Immerfort werden sie im Fernsehen mit ihren richtigen Namen angesprochen. Damit sie Plan wie Leben ändern, bevor es zu spät geworden ist. Grell glühen die Gleise, auf denen beides genau parallel dahinläuft (der Plan – zuviel für ein Leben!), die Erde ist so oft geflickt, das Gefährt sackt unter ihnen ins Bodenlose weg. Ohne Sorgen beginnen sie den Morgen, der auch noch ein Tag ist. Es führt geringfügig bergab. Nacht!

Sonne, weg! Eine tunkt den letzten Rest ihres Lebens in ihre Tasse mit Ersatzkaffee. Eine andere vollkommen unterschiedliche Frau, eine Haiin, lehnt an einem Range Rover. Was hat sie nur an sich, daß man sie so genau sehen kann? Ein Kopftuch aus Seide einen Walkjanker Jagdschuhe, diese Termite! Dieses Lernmittel! Die deutsche Schwerindustrie läßt sich gern von ihr vertreten im anderen Land. Andere können in ihr eine Vertreterin beim besten Willen nicht sehen, dennoch sehnen sie sich nach so etwas unüblich Hübschem. Ein Wille, flackrig wie eine Flamme, wohnt in ihr (also sie ist derart flexibel, Sie würden es nicht glauben), betreffs Tätigkeit am Lebendigen, das den Vorzug hat, ein lebendes Glied zu besitzen. Was man damit alles anstellen kann! Grüß Gott! Sie vertritt im Grunde nichts, sie ist einmalig. Sie kann etwas vertreten und trotzdem einmalig sein. Schon wie ihr das Haar unter dem Tuch hervorgleitet ist: Kann man so etwas schön nennen? Ich glaube schon. Sie vertritt keine Schönheitsprodukte, denn sie ist um keinen Preis käuflich: diese Produkte vertreten vielmehr jemand wie sie bei anderen Frauen, die weniger glücklich sind. Der Holzarbeiter darf sie nicht berühren. Sein Auge entleert seinen Inhalt in die trügerische Sicherheit des Windes. Am Abend, vor dem Einschlafen, wird er sich diese Frau in seinem Deckengefängnis lebhaft vorstellen. Er ist selbst nur eine Vierfarbenreproduktion von nichts. Er ist nicht farbig angezogen. Eine ist ihm als Schönheit erschienen, zum Beispiel die Fernsehsprecherin: wenn wir sie ansehen, kommen wir zu der Feststellung, daß Gott und Goethe uns verlassen haben. Dieser Mann ist kein Original. Sein Original ist vielmehr verschollen. Er stammt von der Reproduktion einer Nachahmung ab, er ist nicht wie seine Mutter ihn damals haben wollte. Aber: groß und schlank. Vor ihm waren welche. Hinter ihm warten noch viele. Seinen Vornamen stellt er hinter den Familiennamen, wie er da steht, auf den Schulkorridoren des Lebens. Wie einen Hitzeschild während einer Art industrieller Produktion hält er sich seinen schrecklichen Familiennamen vor. Der schützt ihn aber auch nicht. Mit ihm meldet er sich unwillkürlich, aufgerufen. Diesen Namen teilt er mit nur wenigen. In einem Topf mit ähnlichen (dieselbe Blutsbrühe) paddelt er herum. Den Vornamen teilt er mit allen an Leuten: Erich. In Bann hält ihn sein Familienname und läßt ihn in Kürze nichts Schöneres erwarten. Wie er in den Wald schreit hallt es ihm nicht zurück. Seine lieblichen leiblichen Kinder heißen seit kurzem anders. Die Frau heißt wie der Jäger. Der Jäger heißt seit langem so. Auf den Jäger ist die Frau jetzt heiß. Der wird sich in Tirol einen Namen erst noch schaffen müssen. Dort wird er neu sein. Dazu wird er leicht imstande sein. Immerhin: Pullover auf Wühlbänken verkaufen sich doch leichter. Man hat dabei nicht mit Behörden zu kämpfen. Seine Frau wird den Jäger markten. Der wird seinen beiden Adoptivkindern Tirol zufüßen legen, und die werden auf diesem Bundesland herumtrampeln in ihrer unvorhersehbaren Spielart. Ein Schatten legt sich über die Wiese. Felsen sträuben sich den Saum entlang. Wie glitzernde Strahlen kochenden Wassers schießen die Hunde aus den Zwingern der Nachbarhäuser auf ihnen Unbekanntes los. Geiferfäden stäuben von ihren Mähnen. Das ist kein Spiel mehr, halt! Ihr gellendes Geläut schlägt wie Eisenhämmer durch das Tal. Nie einer allein immer gleich alle zusammen. Wenn es bei den Menschen doch auch so wäre, an einem Strang ziehen, sie hätten schon ein Hallenbad im Dorf! Blitze sprühen aus Steckdosen. Schmelzen Fernsehapparate, was man keinesfalls darf: Wegen Gewitters nicht abgedreht haben. Diese Tore zur Welt manchmal die einzigen, nun werden sie zu kläglichen Plastikkeksen geformt, man sieht noch die Maserung, die Holz vortäuschen sollte. Sie treiben Scherz mit ganzen Familien, die Blitze. Bitte nicht so stark! Ohne

Unterschied der Person treiben sie das Fremde aus dem Gerät und die Familie aus der Tür. Sie zupfen an dem Dasein in Amerika, das zuletzt zu sehen war. Bitten sind überflüssig. Pläne kennt die Natur so gut wie gar nicht. Wer würde vom Blitz ernsthaft glauben, daß er eine ganze Familie umgekegelt hat in ihrem Baumunterstand und zwar erst gestern nachmittag? Einige wagen sogar das Bügeln trotz Gefahr. Das Elektrische zischt wenig einladend. Diese Natter der Armseligen! Diese trifft es wohl sehr. Sie haben nämlich kein Reservoir um sich aufzufüllen. Ihre Tapeten sind öfter großblumig als uns lieb sein kann. Aber sie, sie finden das Muster: lieb. Ihre Aborte stehen grundsätzlich an der zugigsten Stelle der Höfe. In einem davon hockt seit Jahren, habe ich soeben erfahren: sich selbst zur schlimmsten Anschauung geworden, total verschmutzt, ein einziger rottender Blätterhaufen, ein einziger Abfall, eine Bäuerin, und zwar als Lebensbuße. Ihren Mann hat sie vor Jahren mit einem Messer erstochen. Alles Folgende nahm sie als Folge auf sich. Jedem das Seine. Sie nahm eine Existenz, von der sie halbtot geschlagen worden war, und dafür gibt es nur eins: marsch ins kalte Laub! Nur (ungerecht für Unbeteiligte), wer benutzt nun den Abort des Nachts wer wagt es neben diesem Laubhügel. Neben einer römisch katholischen Büßerin sich kräftig zu erleichtern? Krank glänzen ihre Augen im Dunkel. Ihr Mann zog ein kurzes Lebenslos, er hätte es vorgezogen, seine Frau zuvor noch ins Grab beißen zu lassen. Falsch gedacht, falsch gemacht. Die Bäuerin hat keinen so leichten Gang mehr wie früher. Ihr Gebiß ist meist bloßgelegt, wie beim Schäferhund. Sie ist fast nach außen umgestülpt. Aber noch nicht Erde. Ein Luder ist sie. Oder? So geht es zu. Einige gehen fort. Es gibt die Änderungsschneiderei. Der Holzknecht eilt mit Weile, so hat er es gelernt. Das Holz ist unselbständige Substanz und doch hat es schon einen eigenen Knecht! Dem Knecht seinerseits ist niemand zu Diensten. Der Menschheit dient der Arzt. Ein schwarzer Widder namens Burli er heißt wie alle Widder im Besitz dieses Bauern, der nicht viel Phantasie auf die Waagschale legen kann, wird beschwichtigend angeredet. Denn er wird zur Schlachte geführt. Bald ist er Teil einer Palette aus Fleisch. Die Hausfrauen suchen sich etwas aus, sie haben die Wahl, was sie ihren Männern zu Mittag vorsetzen. Das Schlachten kann ein Fest werden. An den Widderhörnern hält sich eine Frau fest, die Laute glocken ihr aus dem tröstenden Mund. Das Los trifft heute dieses Tier. Jemand bohrt ein Loch, denn auf seinem Grund und Boden kann er tun was er will. Das Tierauge tropft in einen Eimer. Das Tier vertraute zu seinem eigenen Schaden blind der menschlichen Sprache. Der Holzknecht traut sich seit seiner Kindheit allein in den Wald. Dort ist ihm schon viel passiert. Er wurde fast ganz zerschlagen. Was er heute kann besorgen, das verschiebt er nie auf morgen. Mithilfe der Sprache werden Tier und Mensch oft getäuscht. Mit diesem Kragenschmutz läßt eine Frau ihren Mann nicht aus dem Haus, sie stöhnt vor Glück in ihrer alleinigen Verantwortung. Stimmlos ächzend, ein Kreisel, torkelt dieselbe Frau vom Waschkessel verbrüht, aus ihrer Küche, wo sie bislang Alleinherrscherin war. Sie zieht mehr Luft in ihrer Kehle auf. Nichts aber schon gar nichts kühlt das rohe Fleisch, über das die Lauge geflossen ist. Ein Kind liegt als Strafe der Natur fürs Geborenwerden unter dem vom Herd gerissenen Topf. Der Hausarzt wird aus seinem zur Gänze Eigentumshaus gerufen, das auch noch im Nachbarort steht. Er braust herbei und gibt etwas zu wissen vor. Die Schwester hebt mit ihren Schmerzen ihr Trugschloß aus der Verankerung. Jetzt schon weiß sie, was nach ihrem baldigen Ende aus ihrem Mann werden wird, eventuell der Gatte einer Villacherin. Der Schmerz nagt ihr an den Geweiden, doch eines Adlers ist sie nicht würdig, der ihr an die Leber ginge. Sie ist längst aufgeklärt. Das Wetter klart seinerseits auf. Keinem ist diese Frau einen Sturzflug wert. Der Tod einer Hausfrau und ein Adler sind zweierlei Maß, zweierlei Spaß. Bestimmte Blumen darf man nicht pflücken, denn sie sind geschützt. Nur banal kann ein Frauenmund aussprechen, was wehtut, für heute ist ihr eingekauft. Leipziger Allerlei aus tägl. Einerlei geschöpft. Ratlos ringen die erwachsenen Kinder die Arme in den Gelenken, vor ihrem Stakettenzaun aus Schipokalen. Polka wird aus Pietät nicht von ihnen getanzt. Fassungslos unterbricht der Sohn seine Tischlerlehre. Ein Leidstrick wandert keck aus dem Hals der Mutter. Weh! Dunkel bedroht die Vitrine mit den Preisen für Sport und Unterhaltung den kleinsten Tod, den Sie je gesehen haben. Ach, dieses Metall wird Sie wohl recht lang überdauern? Eine Bundesjugendmeisterschaft steht ins Haus, da wird es sich sogar vermehren. Von seinem flotten Bezirk wird der Schiläufer nominiert. Er geht dann in die Disco. Sein Name ist gefallen. Aus Wolken von muhenden Lehrlingen (kartenspielend, kippen ihre Stimmen immer wieder um) wird ausgerechnet er herausgefällt! Er ist nichts als eine Schraube in einem Warteraum für Fahrschüler des Gymnasiums seid verflucht! Ein freundliches Licht tastet sich nämlich aus ihm heraus. Hinter der Hundskuppe und der Aquariumwand hinter zerbrochenen Zierleisten: seht, eine Fremdsprache. Die Gymnasiasten ja. Die wollen was Besseres sein und werden doch erst später etwas Besseres eine Trockenbeerenauslese. Diese Hunde. Vollfüllen die Wartekabine mit ihrem besserwisserischen aufdringlichen Gestank. Üben sich. Ihre Spitzen sind schon heute in die Höhe gezunden: hunderte Meter über dem Meeresspiegel, und auch noch auf Englisch! Der Beruf, den sie einschlagen werden, ist aus bestem Königswebstoff. Die einen müssen derweil Produkte anfertigen. Andere haben Betriebe oder sind zumindest betriebsam. Der bloße Anblick von Gebirge! sagt die Vertreterin des deutschen Konzerns, und sie sagt dann noch mehr. Wäre ich fleischlich, wärs um mich geschehn. Ihr Bein verträgt die Belastung. Schlamm ist um sie her. Ein Fernglas wechselt in eine Hand über. Darf ich einmal durchschauen? Er soll ihren Beruf raten. In der Sehbeihilfe erkennt der Holzfäller nichts, aber die Kinderbeihilfe hat er jahrelang kassiert. Er kurbelt an einem Sehrad und ist ratlos. Erkennt die Gegend nicht wieder. Tiere flitzen durch sein Gesichtsfeld, es ist wie in Wirklichkeit. Er lügt der Frau sofort ein Gebilde vor, das es nicht ist. Er ist ungebildet. Er ist aber nicht eingebildet. Alles ist einer solchen Frau in bequemer Reichweite, sogar Asien und Amerika. Sie ist auf Bergtouren mitgenommen worden, ja, als Kind schon stand sie auf solchen grandiosen Erdaufwürfen. Es gefällt ihr. Sie bekommt keinen Erstickungsanfall, sie ist das eine und das andere Ufer zur gleichen Zeit. Sie ist nicht bescheiden, denn das Gesetz der Serie gilt für sie nicht, so einmalig ist sie. In dem Mann toben schon die Blutkörper. Er ist nicht befähigt zum Haben und Behalten eines Kraftfahrzeugs. Leider. Ängstlich hortet er Alkohol, diesen Anatom der Adern. Die Frau behauptet von sich, eine Realistin zu sein. Doch zum Wunder sei sie durchaus befähigt! Schön. Er erhellt sich! Dieser Holzfäller. So eine Sensation. Die Frau bückt sich und sieht die Gurgelhaut von einem wilden Tier. Sie ist schlicht entzückt von dieser Zucht. Wohin? In Löchern sammelt sich grobschlächtiger Inhalt. Tief unten verborgen ruht eine ganz andere Person in ihrem Kleid. Auch Fahren geht manchmal gut aus. Es will aber gelernt sein. Verhältnismäßig hart kommt einem manche Oberfläche vor, meißelt man etwas Hübsches heraus. Natur! Der Holzknecht entblößt ohne Schüchternheit seinen dreckigen Kragen (über seiner ungeschützten Halsschlagader) vor etwas derartig Überflüssigem wie einem Gottesfunken Zorn. Seine Erbauer haben sich nämlich keine

Mühe mit ihm gegeben, und doch: er ist ein Wesen ohne jede Gewalttätigkeit gegen sich. Sie hingegen, die Managerin, sie ist im Einklang, nein, sie ist ein ganzer Akkord und klingt selbst! Sie hat zwei Achselhöhlen zwei Brustwarzen zwei Fersen eine Fut. Sie hat noch mehr. Wenn es hoch kommt, hat sie bald seine Glieder zur Hand, die aber erstaunlich festsitzen. Sie sucht keinen Mann auf außer diesem. Als Familienvater wurde ihm seinerzeit das Leben Stück um Stück vom Leib geschnitten. In seinem Kästchen rast er ziellos herum, ein Vieltrinker. Kein Genießer. Er läßt sich zum Wasser hinab. Keins seiner Kinder klammerte sich flehentlich an ihm fest. Er ist nicht geeignet zum Besitzen und Bewahren eines Kraftfahrzeugs seiner Auswahl. Es sind andere genauer in ihrer Art und doch genau wie er. Sie wünschen bitte? Auf kleinen Schildern winzige Schäferhundköpfe (Warnung vor dem Hund) sollen: behüten und beschützen ihre kärglichen Nabellöcher! Schweißflecken in den Ärmelbeugen. Jeder hat so einen kleinen Rucksack getragen das Mäderl noch eine Puppentragetasche einen Beutel so modern wie die Großen auch sind. Wie hellblaues Plastik wie auf einer Abziehblume wie von einer Geschirrspülmittelmarke: klebt. Hält! Die Frau hat züngelnd auf sich gehalten. Sie hält die Waschanleitung ratlos in Händen, was soll sie jetzt tun. Kochen oder nicht. Anhand des neuen Vaters und Wilderziehers wie rosige Leuchtzungen (so ein Heiliger Geist, so ein heiliger Gast) horuck! Hinein in den Opel Rekord. Sogar das Auto hat sich vergrößert, vorher gab es nämlich gar keins. Menschen aus zweiter Hand in einem Fahrzeug aus erster Hand! Wer erniedrigt ist wird nicht erhöht oder erhört werden. Bitte um Entschuldigung für diese Entgleisung! Es wird ja überhaupt gern ein Opel gefahren, wenn man ihn zur Verfügung hat. Die Frau strebt bereits vage Tirolerisches in Ausdruck Gestalt und einer Tracht Haar an. Sie schaut in eine Gewehrmündung, erfunden von Herrn Flobert, oder? Dieses Material ermüdet nicht. Er hat dann doch nicht geschossen, es war eine leere Drohung von dieser Drohne, die sich jahrelang nichts als sattgegessen hat. Tirol ist fast wie steirisch. Tirol ist dem Holzknecht fast wie Schweinsschrot immer vorgekommen, zu Aspik gestockte Kaufsuppe in den Internationalen Geschäften der Kreisstadt. Sie lügen einen Unterschied, den es nicht gibt: steirisch oder tirolerisch. Als könnten sie es sich aussuchen. Der Besitzer eines Kaufhauses (es können auch mehrere sein) fährt zur Jagd auf. Er hat auch wieder seinen eigenen Reiz, das kann man nicht leugnen. Dorten holen sie sich ihre Tarnkappeln ab, die finden Sie in keiner Abteilung, die wirken im gegenteiligen Sinn: denn das Kleid soll ja eher sichtbar machen! Für gemächliche Augenblicke des Glücks aus der öffentlichen Meinung (aus der Schußlinie) herausholen. Das Mädel trägt ein neues rosa Dirndl ich beschreibe es jetzt ungefähr, mit einer hellblauen Schürze von Kastner & Öhler. Der Bub hat künstlichen Schwanenflaum oben auf dem Kopf kleben. Ein knapper Höhepunkt soll länger verweilen! Auf der Frau befindet sich ein selbstgestricktes Jackengeschenk ihrer Mutter. Das Haus wird so bald wie möglich verkauft werden, denn die Eltern wollen in Kürze nach Tirol zum Umerziehen fahren. Das Kind wird umgezogen und gleichzeitig gelöscht, damit seine Gedanken vergehen. So eingegossen in den kunststoffhellen Augenblick des Fortgehens, nun erst erlebt er die Kinder bewußt als Vater! Doch zu spät. Die Frau: grellige Schutzmantelmadonna, jetzt pudelt sie sich auf (sie reckt sich sie streckt sich unberechtigterweise), in ihrer neuen Körpermasse in ihrer Funktion in ihren völlig neuen Körpermaßen, sie hat nämlich zugenommen. Da schaun Sie, was? Die vom Vater fast ganz Zerprügelten (endlich sind wir ihn los) schmiegen sich geborgen an das Mischgewebskleid der Mutter. Das Jäckchen fast reine Schafwolle mit einer er-

wünschten Garantie. Sie ist säuberlicher als früher. Der
ewige Hut dieser ewige Turnschutz des Jägers, er schwebt
über ihnen dreien wie der Kreuzkranz über dem Gehörn des
Weißen Hirschen auf dem Religionsbild. Der Jäger sagt: nur
keine Feindschaft. Der Jäger schnalzt billig mit der Zunge.
Der Jäger, ja, noch etwas Entwaffnendes ist über ihn mitzuteilen: er will eine Verlassenschaft kaufen, ja, er hat sie
schon gekauft. Eine Frau und zwei Kinder. Der Jäger fliegt
rücklings in die Finsternis. Menschen kreiseln ohne Ziel,
weil sie keinen Parkplatz finden. Der Jäger spart auf einen
BMW. Geduldig, zielbewußte Kleintiere wie besichtigt
und probegefahren, so streben sie davon, gezogen von diesem Magnetberg: dem Jager Hiasl. Zwei Trachtenpärchen-
kinder und eine Tracht Prügel für beide. Schon sind sie da.
An ihren winzigen Kufen Kristalle aus Leid, die schmelzen
aber schon in jagdlicher Sonne. Bald wird die Sonne wieder
scheinen, aber wo anders. Zwei Almkinder zwei Almdud-
ler Limonaden, dieses Erfrischungsgetränk. Ihr Vater ist
nicht der Landesvater. In Tirol werden sie vielleicht halbe
Städter sein was war ist nie gewesen es ist nicht mehr so. Es
wird nie mehr sein. Zwei Puppen zwei Kegel, dürfen zweimal würfeln. Zwei Figuren, die jetzt endgültig zusammen-
gehören und gut ins Leben passen. Auf dem Opfer Rekord
ein Dachträger darauf ein Rest Umzugsgut. Zurückgewie-
sene Bestechungsgeschenke das Rad die Puppenküche.
Nicht einmal die Verpackung geöffnet aufgrund eines Ver-
bots. Das Rückgaberecht ist wie das Wasser, es verfließt
schnell. «Wir dürfen nichts von dir annehmen, nur das
Schlimmste.» So haben die Kinder gesprochen. Die Frau
trug zu guterletzt noch weiße Sandalen mit flachen Absät-
zen. Gleich werden die Kinder ins Auto steigen. Es ist vorbei. Jetzt ist es zurückgewichen. Es ist noch nicht Alltag.
Die Frau blickt zurück auf ihre heiße Jugendliebe: diese
schaut aus einem Loch in der Landschaft, denn sie hat sich

weinend versteckt. Sperrholz (nicht einmal echt) in den Weiten der Wiesen der Hiesigen. Unumkehrbar. Am anderen Ufer des Flusses naß erreicht sie die Hilfshand des Jägers, die sich ihr schon lang entgegengesträubt hat. Schmeichelnde fasrige Zotten aus der Werbung um den Lebenskunden. Der Jäger hat diese Frau vor einiger Zeit in dem Kaufhaus, in dem sie gearbeitet hat, einfach angesprochen. Hier sehen Sie nun den Erfolg. Es wurden diesmal besserer Leim besseres Holz verarbeitet. Eine neue zahmhafte Ansiedlung von Menschen wartet (in Normaltemperatur) auf ihren glockenhellen Einzug. Willkommen. Dorten! Herrliche Thermostate! Einkäufe in neuen Supermärkten Wurstsemmeln Zuckerlpakete Essiggurken vielleicht ein Verein! Sie könnte turnen gehen. Gegängelt von neuerer Natur (ein Schlund aus Landschaft wie alt wie neu) für ihre Bewegungen ein neues Gehege jedoch frei zum Laufen! Eine Endlagerungsstätte wunderbare neue Pflanzen im Fenster eine Aufzucht von Lebendigem ich kann es noch gar nicht fassen! Sie spricht vor Glück nicht. Es brennt die Labsal vielleicht nicht ganz so hell wie früher. Der Ersatztrank kocht jedenfalls auf dem Herd. Sie sind alle unschuldig. Der Motor wird in Gesang versetzt zuerst steht es das Auto geht gut los dann fährt es Weißwandreifen im Schotter es bleibt nichts es geht alles es bewegt sich es reiht sich in die Ungeduld der Bundesstraße ein es ist schon eins von vielen es ist eins von den meisten es ist nichts besondres mehr es ist weg es war nie.

2. INNEN. TAG.

Keine Geschichte zum Erzählen

Sie wohnt gesund in ihrem Haus und würde an der Politik nicht teilnehmen. Von diesem letzten Rettungsort schaut sie sich jeden Tag wieder einen Teil der Alpen an. Sie nimmt kleine Bissen Natur in sich auf. Sie schaut das Massiv gern an. Es ist ein offenes Willkommen Tor, in das sie sich nicht mehr hineintraut. Sie schreibt über das schroffe Felstor, die alte Dichterin und Lehrerin. Sie singt über andere, die sich an Schnüren dort hinaufziehen. Horcht, wie die Eispickel Löcher in den empfindlichen Fußboden der Berge schlagen. Sie meißeln wegen Gesundheit und Abenteuer an den Bergen herum. Die Luft dort ist frisch, sie sind gegen das Wetter fest verpackt. Diese glänzende Ankunft von denen dorten ist grandios wie Krankheit, hält aber keinen Vergleich mit dem Feinempfinden der Dichterin aus. Sie dreht an ihren zarten Knöpfen, und die Gefühle fließen. Die Dichterin stellt sich auf die Empfindung ein und beschreibt damit den Fels. Der Bergsteiger liest es verständnislos. Sie arbeiten doch beide an der Natur, die sie als ein Turngerät mißbrauchen. Sie gehen beide in die Irre. Die Natur hält still. Die alte Frau fliegt dahin im Erzählen. Sie quetscht in kurze Zeilen und kleine Gedanken was sie draußen erspäht. Sie ist immer unruhig im Schlaf und keine junge schöne Frau mehr. Nichts von ihr hat sich auch nur an einem Stein je abgedrückt, kein Handgriff. Sie läßt der Natur jede erdenkliche Hilfe angedeihen, sie schneidet ihre Obstbäume und mäht das Gras mit der Sichel, zum Dank läßt die Natur sie nur altern. Steine. Deren Fortbestand sie als Herausforderung und Thema immer vor Augen hat. Sie möchte nie sterben und bemüht sich, mit der Mörderin Natur gut zufuß zu sein und auszukommen. Wenn sie wieder einmal laut und gesund atmet in der schwachen Wärme des Morgens, wird sie jeder Krankheit noch lang aus dem Weg gehen. Nicht sie ist für die Natur, die Natur ist für sie da, wo kämen wir sonst hin. Die Berg täuschen durch extreme Haltsamkeit vor, die

Zeit einmal doch betrügen zu können. Die alte Frau fragt, hält es hier noch irgendwer aus außer mir? Sie ist einmalig. Sie ist allein, der Natur Gebrechlichkeit höchsten Ausmaßes vortäuschend, damit sie nicht von dieser Macht, größer als ein Bild im Fernsehgerät, zerschlagen wird. Sie schreibt hier ihre Gedichte, die schon zu Unrecht in Anthologien und Fachzeitschriften erschienen sind, gruppenweise auftauchende Visionen von offenen Türen, die alle zu herrlich aufgeräumten bis ins letzte ausgemessenen Einbauküchen führen. Kein weißgestrichenes Geheimnis. Sie sagt wie es ist mit Hand und Fuß. Jedes einzelne Gedicht ist bisher erschienen, um ihr Alter und ihre Beziehungen zu kulturellen Hochkreisen zu ehren. Sie erzählt gern ihren lieben jungen Gästen von verjährten Skandalen über ehemalige Berühmtheiten, die gottseidank tot sind und ihr alle persönlich bekannt waren. Sie hat sie bestens überlebt, auch jüngere als sie. Auch bessere als sie. Nun wird man bald auch sie öffentlich kennen und schätzen. Sie will auch weiterhin alle überleben, mit sich selbst ist es ihr bereits gelungen. Auch ihre Dichtungen haben sich längst überlebt, schon vor ihrem Entstehungsdatum. Sie hebt jeden Morgen ein kleines Werk, häßlich wie eine Schlange, glatt, schuppig, ungenau, aus der Watteschachtel, um es herzuzeigen, und jeder dreht sofort den Kopf zur Seite. Sie merkt es. Sie merkt es immer. Sie ist leicht beleidigt, was dem Alter schlecht ansteht, denn jetzt treffen die großen und kleinen Leiden nach Fahrplan ein. Auf ihre regelmäßig eingesandten Gedichte ist Verlaß. Sie rempelt noch immer kräftig die nachdrängende schreibende Jugend von den Futterkrippen der Kulturbüros. Sie sperrt ihnen das Wasser ab, denn sie kennt die alten und uralten Beamten dort. Die haben keine Geheimnisse vor ihr, und wenn, so können sie sie nicht halten, ihre Röhren tröpfeln vor den scharfen Blicken der alten Frau. Sie gräbt den Jungen das Wasser ab, denn die haben noch viel mehr Zeit zu verlieren und Kunst zu vernichten. Sie bildet als ihre ureigenste Aufgabe die Natur naturgetreu ab. Die Natur trägt einen gemeinsamen Anzug mit der Kunst, und so kann immer nur einer von den beiden vor Publikum auftreten. Diese Gedichte werden noch gelesen werden, wenn die Schreiberin tot ist. Sämtliche Vorbilder hat sie übertroffen, ihr gehen die Augen förmlich über, wenn sie ihres liest. Sie ist nun älter geworden als viele ihr bekannte Künstler je gewesen sind. Sie ist gut und besser als gut in ihrer Kunst. Als Dichterin ähnelt sie keinem, der je bekannt geworden ist und möchte dafür belohnt werden, beachtet von den Augen der Öffentlichkeit. Sie hat einen Blick, schmetternd wie eine Trompete. Sie weiß viel, aber nicht zuviel. Plötzlich steht sie da im Wald und sammelt stolz Gedichte in den Korb. Soviele Jahre trägt sie, und dieser Wald ist Kulisse. Im Alter läßt man sich nicht mehr gut transportieren. Sie möchte bleiben bis zum Schluß, wenn es möglich wäre, ein Strom, ein Tempo, Licht, wenn die Knochen unter ihrem Gewicht zusammenbrechen. Sie glaubt, einige hohe Auszeichnungen für ihr Werk zu verdienen, hat aber noch keine erhalten. Sie hat viele kurze Werke verfaßt. Sie hat sich nie präzise ausgedrückt. Ihr Werk ist wie ein Bund Ruten, eben abgehalftert. Die Natur läßt sich nicht planen, das Naturgedicht schon. Sie schaut alles an, diese riesigen Buchten voll Überraschungen, die beißen und bluten und schreien. Bald wird sie tot sein und sich auflösen. Aber heute noch ist es ihr möglich, Vorbild Natur und Ergebnis Gedicht miteinander zu vergleichen. Das Vorbild verändert sich ständig, daher ist das Ergebnis ungleich besser. Es ist wie gefroren, der Schlüssel aus Sprache kratzt hilflos im Schloß der Dummheit. Sie gibt sich eine ausgezeichnete Note. Sie ist der Schiedsrichter, der die Grashalme austauscht, die Tanne vom Feld nimmt und nachspielen läßt. Dann legt sie ihre Gedichte auf den Tisch,

was sie wiegen, das haben sie. Aus. Ist eins fertig, wird ein neues angefangen. Sie knattern, Wetterfahnen. Man kann in sie schneiden ohne daß es blutet. Die Dichterin war zu ihren Lebzeiten Französischlehrerin und wollte es wenigstens im Alter nicht mehr bleiben. Sie wollte auf mindestens 1000 m hinaus (so hoch!). Ihre Gedichte sollen dumpfer Nachhall sein, eine unfreiwillige rote Verzierung auf dem Boden. Wirklichkeit! Auch sie möchte endlich von der Natur profitieren wie der dumme Wanderer. Sie schaut auf einen Stein. Sie sieht sich ähnlich einem Raubvogel, hoch oben auf der Luft federnd. Sie schreibt alles in linierte Schulhefte hinein. Dort hält sie die Wunder fest, wenn sie entwischen wollen, tropfende Spuren auf dem Beton der kleinen Treppe, die zu ihrer Eingangstür führt. Sie ist schlecht zufuß. Manchmal ziehen Gewitter über sie hinweg, Leidenschaften am Himmel. Niemand soll glauben, in ihr geschähe nichts mehr. Sie denkt an den jungen Holzfäller wie an eine Brandung vom Ozean. Vögel schreien vor dem Stall. Sie ist nämlich auf dem Höhepunkt des Schaffenshaufens angekommen, dort kräht sie herrlich, eine Notbrigade, ohne die keiner weiter wüßte oder wohin. Ihr Tod ist unvermeidlich, fällt ihr heiß ein. Noch etwas erleben und sei es auch gemein. Niemand außer ihr und den Sportlern geht mehr in die Natur. Alle schauen sie auf Bilder, Schirme, Karten, machen sich vieles Herrliche mit schwachen Schuhn betretsam, das sie sofort wieder von sich schleudert. Da können sie genausogut ihre Gedichte lesen. Sie verlieren sich unter lächerlichem Schreien in den Wäldern. Lesen könnten sie auch auf bequemen Stühlen. Das Alter bewirkt, daß alles enger wird. Sie sieht die Wälder nicht mehr gut, aber sie weiß alles von ihnen, wie großartig sie jeden Tag aufs neue miteinander auskommen, die Mugel und die Kogel und die Gipfel. Sie wird höflich gebeten, keine neuen Gedichte mehr einzusenden, solange die alten noch nicht verbraucht sind. Unter dem stetigen Umrühren des Alters wird die Natur im Gedicht mit dem Original verglichen und sie selbst mit jüngeren Frauen. Mit ihrem Schaffen will sie solche Vergleiche im Keim ersticken. Gilt sie denn nichts die Künstlerin? Alle wollen ewig bestehen wie die Berg, aber niemand wünscht sie dabei betrachten zu müssen. Alle diese Künstler, diese Leichenwäscher von der schönen Natur da, die wollen ewig währen, aber noch lieber wollen sie schon zu Lebzeiten berühmt werden. Die alte Frau geht heute in ihren Keller mit dem Boden aus zart gestampfter Erden und will für den Holzfäller eine Liebesfalle präparieren. In ihren Schriften hat sie oft die mühevollen Arbeiten zur Liebeserzeugung und die schmerzhaften Folgen des Liebesentzugs beschrieben. Sie beherrscht diese Arbeiten nicht gut. Die Leidenschaften schlagen ihr im Kopf zu etwas Bösem aus, verbittert wie sie ist durch die natürlichen Grausamkeiten des Alters. Sie wird zunehmend wieder Kreatur, nähert sich dem Boden an, ein Gewächs, nicht schlau, aber auffallend in dieser Landschaft, giftig wie die Unterseite einer Wolke voll Hagel, verbittert wie ein Feld, das wochenlang ohne Regen dastehen mußte. Solche Vergleiche sind der Dichterin in ihr selbstverständlich geworden, ein Zwang, denn von selbst paßt nichts zusammen. Es muß nämlich der im Keller seit langem herumliegende Krempel zu einer Art Liebesfalle zusammengefügt werden. Unter anderem längst unverbrauchte Kübel und Besen aus echtem Naturholz, Fetzen, zum Putzen gespannt auf Stiele. Dort liegt auch das Faß mit dem selbstgegorenen Ribiselwein, von dem sie für ihn ein Glaserl holen gehen wird. Es ist alles knapp ausgemessen, scharf durchdacht, mit schwacher Kraft zurechtgemacht. Sie wird wenn es soweit ist brüllend vortäuschen, über all das Zeug hingestürzt zu sein. Er wird, ein wimmernder Hund ohne Schutz, herbeieilen, drei Stufen auf einmal nehmend, (zu der alten Frau, hilfsbedürftig wie ein ganzes Spital), wird sie unter den Ärmeln erfassen, aufheben und über den Zustand befragen, in den sie durch Unfallkraft geraten ist. Er wird nicht wissen: Ist das schon der Tod? Von einem winzigen Hauch Zugluft, unbedacht gegen seinen Kopf geknallt, kann der alte Mensch schon verscheiden. Was für ein Entsetzen, es wird ihm keine Wahrheit geboten, nur daß sie ihn bitte in ihrem ruinierten Körperstädtchen empfangen will! Sie hat nicht mehr viel Zeit übrig für Sachen wie die Liebe und das Verlangen. Hilflosigkeit des weiblichen Teils steigert das männliche Begehren ins Uferlose. Sogar Achtzigjährigen ist bereits eine Vergewaltigung und ähnliches angedeihlich ausgeschlagen. Sie hat nicht mehr viel Zeit. Keiner von den hiesigen Anrainern wird dieses so etwas wie ein Liebespaar (endgültig gemeinsam in der Falle) bemerken. Sie werden sich nirgends aufhalten, wo man sie sehen könnte. Es ist ihr alleiniges Geheimnis. Es wird aber jetzt schon über sie geredet in dieser Hinsicht, den Menschen graust vor gar nichts. Er ist so jung, daß ihm noch nicht einmal die Haare ausfallen, er könnt ja ihr Enkerl sein! Nur die Zähne sind ihm im Maul schon verdorrt vom Alkohol und dem undeutlichen Essen, von der frauenlosen Verwahrlosung seit längerem. Ohne seine Frau ist er vollkommen hilflos, sehen die Leute. Sie legt ihm schon jetzt, man weiß nicht wofür es gut ist, ihre weiblich verschrumpelten Attribute heraus auf den Tisch des Hauses, er soll beizeiten lernen, vor Häßlichkeit zu erschrecken und trotzdem nicht wegzurennen. Beim zweiten Mal kommt ihm dieser hängende Garten von einem Frauenkörper, an dem die Zeit genagt hat, vielleicht schon um ein Blühendes angenehmer vor. Mit viel Gewürzen recht eßbar. Er hat ja niemanden mehr, weiß sie, er hat nur noch sie! Frau und Kinder sind ihm davongegangen. Ihr Aug fliegt über ihn hin, wie könnte sie ihn maßlos verwöhnen, ihm aufkochen! so maßlos wie sie in ihrer Kunst zu sein pflegt, und zwar in Farbe, so spricht sie die Wahrheit zu ihm. Er schweigt dazu. Sie würde ihm zuliebe alles tun, sich in den kleinen Abstand, der sie vom Tod trennt, mutig hineinstürzen, um der Liebe willen einen großen Umriß annehmen. Sie legt ihren Körper vor ihn hin und nimmt heraus, was sich herausholen läßt, sie gibt sich ihm. Er merkt davon nichts. Sie gebraucht Vorwände, um sich entschlossen freimachen zu können, Verletzungen, Insektenstiche, Ungeziefer aus dem Wald, jeder Vorwand kommt noch zurecht. Er schaut mit dem Sims auf seiner Stirn, mit dem er denkt, starr auf sie, ohne Rührung, ohne Erregung. Er bekommt nicht die Katze im Sack, denkt sie, sondern fast im Sarg. Sie ist ein oft in Liebesdingen von Menschen verwundeter Leibskuchen, bröslig, so eine Mumie wie aus dem Museum. Das Alte ist aber mehr wert als das Neue, vorausgesetzt, es wurde mit Sorgfalt und Liebe hergestellt von einem Handwerker alten Schlags. (Und schon in der Jugend was wert gewesen!) Sie jagt den letzten Saft in ihre Adern. Er wird nicht wissen wie ihm geschieht, und schon ist es wieder vorbei. Heute ahnt er noch nicht, welche Schrecken ihn morgen erwarten: Arbeitslosigkeit, Liebe. Liebe, spitzig wie ein Ellbogen, der sich in der Menge Geltung verschafft. Sie können dann ab morgen! nur noch nicht heute! ununterbrochen fest miteinander umgehen, ein ungezwungenes Netz aus den anderen verdauen. Er ist etwas, das einem leicht aus der Hand fällt. Er ist nichts. Er gilt nichts in ihren Augen. Ihr Busen stößt ja vorn mit dem Bauch zusamm. Die Dichterin, die Felsszenerie vor Augen, schaut nicht in diese großartige Natur, sondern zornig an sich hinunter, aber ihre Füße sind ihrer Mühe fast so weit entrückt wie ihr Geist. Fette alte Gedichtbäckerin, die Zucker auf den ruhig dahinfließenden Lebkuchen Natur pinselt. Sie schaut erschrocken geradeaus. Von der Wahrheit ist sie oben wie unten gleich weit entfernt. Sie sieht ihre Füße nicht mehr und ihren Kopf nicht mehr gern im Spiegel. Der zeige ein verfälschtes Bild von ihr, meint sie, er sollte das Innere ihres Kopfes zeigen, nicht das Äußere. Aber sie ist noch seltsam eitel, obwohl es sich nicht mehr lohnt, nimmt den Aufwand des Kleiderkaufens noch gut und gern auf sich. Sie ist nie schön gewesen, will aber davon nichts sagen hören. Mit sich einig ist sie, wenn sie für ihn kochen kann. Es ist das Kochen die Art Verkehr, in den sie mit ihren anderen sogenannten jungen Freunden tritt, die sie (weit vom Holzfäller entfernt) in Brutkammern voll Bildung und Dünkel züchtet: Mit Nahrung anfüllen. Diese jungen Flaschen. Bis zum Rand. Bis zum Gehtnichtmehr. Das ist ihr Verhältnis zu denen, die ihre Schlünder für sie aufmachen: In energische Lebenspflege nehmen. Wer nicht mitfühlen will, wie sie am Schreiben und am Leben leidet, der muß essen was sie kocht. Sie gibt Nahrung ab und nimmt dafür alles in Tausch, aber nichts in Kauf. Sie möchte endlos geistig unterhalten werden und ist leicht zu kränken durch die Banalitäten des Lebens. Sie ist wie wenige andere ein so genannter Geistesmensch und immer gewesen, dieses Wort stammt nicht von ihr, aber es kommt ihr gelegen. Sie sagt von sich immer was sie ist und wie sie es besorgt haben möchte. Sie schreibt es sogar auf. Wer wagt es, er wird gewinnen. Sie nimmt einige Brocken (denkerisch veranlagter) Jugend an Geistes statt an. Die wollten hier nur Luft derschnappen. Sie sorgt für das leibliche Wohl, und die Gäste müssen für ihr geistiges Wohl sorgen, verlangt sie. Sie folgt auf die durchtrunkene Nacht wie der fade Tag. Sie ist ja immer noch hier! Sie sollen daherkommen und sie besuchen, die jungen Studenten und Konsulenten der Wissenschaft, sie sollen ihr die Zeit aufhalten kommen. Sie sollen in Denkzustände geraten, ersucht die alte Frau höflichst. Sie veranstaltet öfters ein Schaudenken mit variierenden Teilnehmern. Diese Studenten und Assistenten und Dozenten und Beamte alle und solche, die immer aus Prinzip ins Freie brunzen gehen, um Pflanzen am Wegrand zu verbrühen. Alle werden sie für ihr Vordenken abgefüttert mit gebratenen: Es waren vorher lebende Tiere! die Menschen lieb angeschaut haben. Die vielen armen toten Tiere auf dem Land, die immer den und den Wert haben, aber nie recht. Die alte Frau verlangt: Es muß ihr immer verziehen werden, was sie äußert. Kokett dreht sie ihrer Dummheit sogar den Rücken zu, in Kauf nehmend, von ihr angefallen zu werden, das Messer zwischen den Zähnen. Sie wird ausgelacht, aber das Essen nehmen sie immer, die geistesaktiven Besucher aus der Stadt. Kommen einfach daher. Die alte Dichterin täuscht Neugier am Gesprochenen vor und lauert doch nur auf den Moment, da sie selbst lospreschen kann mit einem Einseitengespräch (also nur sie nur sie), ein grobes Scheit aus ihrem Kopf herausheben, damit herumhauen. Eine Erscheinungsform der Wirklichkeit jagen, Wirklichkeit, diese fette kranke Ratte. Der Holzknecht trägt ihr alle Zutaten fürs Essen nauf. Die Denker, zum Wochenendbesuch bestellt, spornen sich schon in ihren Transportkäfigen mit Taschenflaschen gegen die Stimme, diesen brüchigen Scherbenhaufen, geboren aus der Ignoranz und Ende nie. Sie kommen wirklich nur wegen dem Essen und wegen dem Trinken. Auf die Luft könnten sie schon verzichten. Die Dichterin spricht; sie weiß zu allem etwas und schweigt zu nichts, hat doch nur mehr wenig Zeit, rechtfertigt sie sich stolz. Spricht zu laut. Spricht lauthals und selbstbewußt zu Menschen, die sich auf dem Land nur ein wenig erholen wollten. Sie liest laut Gedichte vor, aufgrund von Alter darf sie das. Sie muß öfter als einmal Hier schreien. Sie ist nur mehr halb vorhanden. Daher gebührt ihr Alles. Sie fluktuiert zwischen den Gästen. Sie ist aber nicht gütig. Sie ist nicht gut. Sie weiß nicht genau, was sie tut, immer so dumme Sachen schreiben. Sie schreibt, die alte Henne auf dem Gipsei, brütet und brütet, aber es kommt nichts heraus. Die Gäste fahren schließlich nach Wien zurück, woher sie gekommen sind. Sie fahren nach Frankfurt zurück, wo nur wenige sich aufhalten wollen. Sie, die alte Frau, war einmal auf der Frankfurter Buchmesse und möchte dort noch einmal hin, bevor sie stirbt. Während sie solchen Unsinn spricht, träumt sie im Gegensatz dazu von einem Holzfäller, einem Holzknecht (eigentlich sollte das Holz ja ihn bedienen!) als einem herrlichen Instrument. Zum Zupfen und Streicheln. Sie schreibt die Noten und ist auch die Interpretin. Doch auf der Jagd entwischt die Beute oft. Immer wieder geht er am Abend fort. Soll doch bleiben! Vor ihren jungen Stadtfreunden aber soll er Versteckerlspielen, soll er sich verbergen wie Materie. Sich nicht verbeugen, kein Applaus. Niemand soll ihn je zu Gesicht bekommen, manche dürfen aber eine idealistische Version von seiner Figur hören. Sie schildert ihn als dienstbaren Ungeist dieser Zeit, in der Bildung nichts mehr zählt. Sie ist ungebildet. Es wird lang her gewesen sein mit ihr. Vor ihren weißen Besuchern versteckt sie den Wechselbalg, das Menschenkalb aus dem Holz, den Ungeschlachtigen. Von dem wenigen, das sie einst gelernt hat, hat sie kaum etwas vergessen. Kann immer noch französisch! Platz genug in den Eiterbläschen ihres Gehirns, in dieser Taschenbuchausgabe eines Menschenkopfs. Von dem das Maul schnappert offensteht für den Holzarbeiter. Sie verbirgt eine Meinung (es soll keiner über sie lächeln) vor den Philosophenlehrlingen. Diesen kleingemusterten Menschentapeten. Die wissen dafür nichts vom Leben, ziehen die Vorhänge vor ihren Denkgärten im Hinterhof zu. Sprechen. Natur gegen Kultur. Kultur gewinnt nach Punkten. Sie sind stolz auf sich, ganz Erinnerungen hingegeben an Burg und Oper. Beklommen vor dem Findelkind Kunst, dessen Eltern alle sein wollen (aber meist abgelehnt werden). Sie bringen jederzeit über die Lippen, was sie eventuell sagen wollen. Schlagen sich die Köpf blutig an den eigenen! Gedanken! Aichholzerin nennen sie im Ernst die alte Frau in Verspottung ihres hl. alten Familiennamens. Die Nase von dieser ehemaligen Lehrerin blutet wie bei einem Kind. Sie hat sich in der Kunstnische, wo keiner sie kennt, ganz aufgerieben. Ihr Stolz darüber genügt nicht. Sie will die Aufmerksamkeit der Welt, der gebildeten Welt, auf sich ziehen. Die Welt soll durch sehr kleine Fenster zu ihr hereinschauen und über ihre lächerlichen Leiden staunen. Diese Kopfmenschen verbrüdern sich in Getränken, die verheerend auf ihre Laune wirken. Nie werden ihnen die Mäuler trocken vom Reden. Stutzen der alten Frau die Gedanken, noch bevor sie sie vorbringen kann. Die Aichholzerin erzählt eine Anekdote von jemandem, den sie in ihrer Jugend gekannt hat, und den heute viele kennen, wenn auch nur vom Lesen. Die Zuhörer rutschen im Dämmerlicht verlegen über ihre Sitzplätze. Sie erzählt eine Geschichte und will doch lieber ihre Gedichtgedanken laut zum Besten halten. So wie jemandem in der Nacht zum letzten Mal die Decke von der Schulter rutscht. Das Alter hat recht und ist an Kriegen schuld. Es wird zunehmend schlauer oder es stirbt (oder kann ein Amt bekleiden). Diese alte Dichterin ist ja eine Menschenüberschwemmung, sie kann gar nicht eine allein sein, nein, nicht wegen Blödheit und Geschmacklosigkeit, aber mit solchen Gedichten! Sie schießt über die Straße hinweg und darüber hinaus. Die Dichterin hat viel gesehen und wenig verstanden, aber sie hat immer alles aufgeschrieben, was ihr begegnet ist. In Versen, also im rechten Maß. Der Unrat der Kunst hat sich über ihre Lippen, ihr Kinn, ihre Brust ihre Brunst ergossen, in verflüssigter Form. Die Menschen staunen, wenn sich einer die Mühe macht, vor allem auf einem Gebiet, wo es im Prinzip keine Fortschritte geben kann. Diese Frau ist ein Haufen Wortzeugs, der nie eine angemessene Form gehabt hat. Aber ihr Werk gießt sie in die Form des Gedichts. Damit die Experten darüber ein unzutreffendes Urteil fällen können. Sie lachen, diese Gattung (Kritiker), dieses schwach ausgeprägte Relief, diese mit Kunststoff oder Mischgewebe Bekleideten. Sie liefert, alles gereimt, eine eigenwillige Interpretation vom ersten Weltkrieg und eine falsche vom zweiten. In diesem letzten Lokal ihres Lebens klammert sie sich an die Besucher. Kälte geht von denen aus. Sie kocht in ihrer Küche. Sie ist kopfüber ein dunkles Loch. Sie ist gierig, schleppt aber für die anderen Essen her. Bald kommt der Frost und mit ihm die Langeweile. Bald kommt die Unfallgefahr. Der Mann ihrer Auswahl könnte gut und gern von schweren Unfällen im Holz berichten und so zur Unterhaltung beitragen. Sie versteckt ihn, aber nicht unter ihren Röcken. Wenn er dann wieder kommen darf, speit er Alkohol aus, so getränkt ist er schon damit. Diese Frau schämt sich seiner wie sich ein anderer früher für sie geschämt hat. Man kann ihn nicht einmal an einem Zipfel vor gebildeten Menschen ausbreiten. Es sei denn zu ihrer Erheiterung. Sie versuchen, seine Sprache zu sprechen und erbleichen vor Ungeschicklichkeit. Bald geht es ihnen aber wieder gut. Da er weit fort ist, wird die Frau rasch rücksichtslos. Sie stellt sich in Gedanken und als Person bloß. Sie blamiert sich und andere. Sie ist müde und wird anstrengend. Wird zu einem öffentlichen Ärgernis mit ihrem ewig gleichen Lebenskäse, so mürb wie ein gebrauchtes Papiertaschentuch. Sie denkt, welche andere Frau (eine Touristin?) gerade jetzt ihren Erich Holzarbeiter, für den sie brennt, durch ein Gebüsch leuchten sehen könnte. Es ist entsetzlich. Sie hat so viel überflüssiges Fleisch an sich, das sich nicht anbringen läßt, aber wie lang hält es sich noch? Reine Glückssache. Reines Glück. Sie möchte vielleicht wie eine Gottesanbeterin werden für den Waldmenschen, noch ein letztes Mal jemanden ganz verzehren. Er ist

stumpf, eine Möbelkante. Sie betet ihn an, um Gott anzube-
ten ist es zu spät. Im Alter ist Religion sinnlos, in der Jugend
muß man üben, Gott dauernd um etwas anzubetteln. Es
wird ihr im Spitale das Gebiß aus dem Maul gerissen werden, die Krankenwärter werden mindestens mit Stöcken
drauf klopfen. Es ist nicht echt! Fest wird ihre Faust den
letzten Atem Leben, diese Prise Salz, umklammern. Er
wird ihr aus der Hand gezupft, notfalls werden ihr die Finger gebrochen. Heute noch umklammern sie was? es ist
nicht zu glauben, das Nebelfaß der Kunst, das alles möglichst vollständig verbergen kann. Es wird kräftig geschwungen. Solang noch Leben ist, ist noch Hoffnung auf
Ruhm und Glanz. Ihre Hände erlahmen, aber das Faß hält
sie hoch. Herr Gott soll sich um diesen schwierigen Fall
persönlich kümmern. Der Holzfäller bettelt ins Leere hinein, daß seine Familie wieder zu ihm zurückkehre. Daran ist
nicht einmal zu denken, singt ein Engelschor außerhalb des
Wirtshauses. Die alte Frau ist von der Kunst und dem
Spott, den andere über ihre Kunst ausgießen, schon fast
hingefällt. Sie ist nichts als ein Wind puren Hohngeläch-
ters. Das Ende von einem Stock, nämlich der Teil aus
Gummi. Sie ist unbedeutend, doch in bedeutendem Ausmaß von Natur umgeben. Sie ist von einer Landschaft und
darin Tätigen eingekeilt. Was ich damit sagen wollte ist
folgendes: So und soviel spielt sich in der Natur auch noch
ab, während Sie atmen! Seit fünfzig Jahren dressiert sie ihre
Gedanken, und noch immer können sie nicht einmal durch
einen Reifen springen. Sie reimt alles wüst zusammen wie
eine Müllhalde, sie ist eine einzige mit sich uneinige Wegwerfgesellschaft. Sie verehrt die Kunst und sich in der
Kunst. Sie möchte wegen Kunst von anderen verehrt werden. Wie die Gedanken bei ihr ankommen, werden sie
gleich wieder portioniert, zurechtgestutzt und aufs neue
hinausgejagt. Sie werden Gedicht, und Gedichte sind das,

was die Parkwächter und Musterkofferträger in ihren Feuilletons am meisten schätzen und lieben, weil sie es am leichtesten nachmachen können. Sie können sich nämlich von jedem einzelnen Gedicht einbilden, es selbst und besser hergestellt zu haben, denn ein Gedicht ist so kurz und übersichtlich wie eine Zeile in ihrem Gehirn. Die Kunstinstallateure, die jeden Fehler in der Kunst gleich von weitem sehen und nicht beheben, sondern mit Fingern drauf zeigen. Daher: Entwerfen wir den Ring des Nie Gelungenen! (Aufstehen und loben lassen, Brus!) Sie liebt die Kunst seit ihrer Kindheit unglücklich und wollte ihr Leben zu einem Kunstwerk machen, das sich um den guten Geschmack nicht zu kümmern braucht. Dafür hat die Kunst sich nicht revanchiert. Sie hat ihr nicht einmal einen dürren Knochen zum Abnagen überlassen. Diese alte Frau ist nun, da es zu spät ist, verzweifelt über ihren Fall, der schlecht ausgehen wird. Gottes Auge schaut sie nicht an, und sogar ein Tier wird von ihm angeblickt. Es fällt ihr nichts mehr ein. Alles was sie sich je vorzustellen vermochte ist ihr schon eingefallen und schon von ihr niedergeschrieben worden. Sie hat ihre Sektion gründlich ausgekehrt und jeden am Betreten gehindert, mit Ausnahme von Verlegern, die nie angeklopft haben. Das war ihr eigen Stück Kunst, ihre Ecke auf dem Parkplatz der Wirklichkeit (nur für einen Kleinwagen befahrsam). Sie hat keine anstrengende Krankheit. Mit nichts kann sie sich die Anerkennung von Leuten, die von ihr wechselseits anerkannt werden, verdienen. Und auch nicht deren Liebe. Das Alter erregt sich über vieles und darf zu nichts mehr etwas äußern. Auch die Aufgabe der Kunst: sich ständig über nichts und Nichtigkeiten zu erregen. Sie möchte wenigstens gut schmecken wie Obst. Sie ist zu abgelegen. Möchte bekömmlich sein. Mit ihrer Kunst ärgert sie keinen, erfreut aber auch niemanden. Ihre Kunst ist nun endgültig tot. Ungefähr so wie die Handtasche aus dem Leder von einem

Tier, das vor Jahren einmal kurz gelebt hat. Diese dürren Zitzen des Kunsttiers, an dem seine Lehrlinge ohne Verstand saugen. Sie lernen nicht einmal, elegante Gebärden zu machen, die sich sofort in Luft auflösen. Sie hat schon erfolgreichere Gemälde gesehen. Sie schaut die Dichter an, die, was sie auch gern täte (blaß, bärtig, wichtig sein!), im Fernsehen ihre unklaren Absichten zum Besten geben und andere zum Besten halten (was sie allein mit Worten alles erreichen möchten!) Diese Worte klingen so goldblond, daß sie nach unsachgemäßer Aufbewahrung geradezu riechen. Diese als Männer unansehnlichen Künstler liegen auf ihren Betten und sprechen mit allem, was eigens zu ihnen herkommt. Sie schreiben und sprechen beidseitig. Beides aber zu laut. Oder in mottenhaften Zwischenbereichstönen. Diese Fischentschupper, was die mit der Sprache treiben! Und mit ihren Anschauungen gar! Der Dichter schlupft aus seiner eleganten Larve, die er in die Leibshöhlungen von anderen Leuten, die weniger glücklich sind als er, geschmuggelt hat. Dieser Parasitist. Schlüpft aber nicht als ein herziger Schmetterling, sondern als ein Schatten von Versäumnissen, die nie wieder passieren dürfen, so furchtbar klingen sie auf dem Papier. Häßliche junge Männer schaudern ohne Geheimnis in sich. Die alte Frau, verschmäht von den Hütern des Kunstparks (mit so Hirschen drinnen), noch dazu vor den Kopf gestoßen von den schlecht angewachsenen Armen der Gärtner im selben Park, die jedes Unkraut sofort ausrupfen (sie dulden es nicht!), sie lebt in dem Wahnsinn, jedes Wort von ihr müsse unbedingt gespeichert sein, dann werde eins davon schon auf dem Gipfel des Berges ankommen, schlimmstenfalls ganz allein. Gedanken hat sie so viele, aber sie müssen auch noch in das Wunder der Technik eingefaßt werden. Ja. Sie lagert jedes Wort, das ihr durch den Sinn schießt, auf Notizblöcken und Diktaphonen. Zum erwünschten Zeitpunkt quellen die

Wörter dann aus ihren technischen Hundehütten hervor. Flammen des Nie Dagewesenen. (Und alles in Gold gerahmt, das verteuert den Preis). Es wird auf jedes Wort noch eine ganze Steinlawine draufgehäufelt, um es zur Dichtung zu erheben, die alles erschlägt, was ihr in den Weg kommt. Alles muß aufgehoben werden, in Jahrhunderten könnte es unvermutet Wert erhalten und zwar wie ein ausgestopftes Lebwesen, das immer unbeobachtet geblieben ist, bis es plötzlich nur mehr ein Dutzend davon gibt. Ein Wort von ihr, da ist sie ganz sicher, wird eines Tages aufstehen und die übriggebliebenen Menschen stumpf betrachten. Womit sonst könnte eine alte Dichterin, scheußlich wie die Polizei, sich die Achtung von jemand, der in der Sonne am anderen Ufer sitzt, erwerben? Das ist rein weibliche Kunst und hat ihren Erlöser schon gefunden: einen Buchverlag bitte. Der weiß noch nicht, ob er überhaupt einen Freiplatz übrig hat. Er macht heute noch eine nutzlose Gebärde und wartet lieber ab, wie er vortäuscht. Was interessant ist: Die Lebensbeichte einer alten Frau, eine verworrene Geschichte, die eine zeitlang neben der eines weltberühmten Philosophen einherlief, könnte einmal für würdig befunden werden, gemäß der Vernunft, die in ihr wohnt, aneinandergereiht eine Art Roman zu ergeben. Einen Schlüssel zu einem Roman. In ihrer Bescheidenheit will diese Frau jedoch vorher noch alle ihre Gedichte in die Manege führen, selbst Gestaltetes, locker Gestricktes, Schreie! eines zu heftig gelebten Frauenlebens, als Kunst kostümiert. Erst hernach: der Teil der Geschichte, wie sie unter dem Philosophen damals (einem Frühaufsteher) zu unterliegen gekommen ist. Sie kann auch die Geschichte mit dem Holzfäller, die noch gar nicht stattgefunden hat, in Gedichtform in ihre Hefte am Oberleib einschreiben. Eine solche Paarung soll jetzt jeder einmal in Ruhe bedenken und davor zurückscheuen. Der Vorteil der Dichtung: Es ist ihr egal, ob etwas wahr ist oder nicht. Aber, die Kunst ist besonders gemein zu denen, die am leidenschaftlichsten an sie glauben. Am ekelhaftesten ist sie zu denen, die von ihr leben wollen. Ausnützen läßt sie sich nicht. Soviel steht fest. Und das Wetter soll auch jeden Tag schön sein, wünschen sich die meisten von uns. Und immer ist die Kunsttube leer, wenn die Frau Aichholzer besonders heftig drauf gedrückt hat. Dann ist nachher nichts mehr drinnen. Der Verlauf ihres langsam absterbenden Körpers führt strengstens nach unten. Sie ist entsetzt. Bald wird sie nicht mehr von Gedanklichem überflutet sein, sondern von Madenhäufchen. Sie geht dem Erdboden jeden Tag ein Stück entgegen. Macht kaum Geschirr schmutzig, außer für den Erich Holzfäller. Wenig Zeit! Ein Gedicht könnte soeben zu entstehen wünschen. Sie will es hebammenhaft, nach Frauenart, an den Armen ergreifen, damit andere davon ergriffen werden können. In Worte fassen, ans Licht des Tages ziehen. Das ist alles. Eine schöne weibliche Aufgabe, wie ein Kritiker abfällig schreiben würde, verstünde er diesen Vorgang. Ihr Diktaphon liegt stets griffbereit, sogar unter dem Kopfpolster in der Nacht. Die Kunst nimmt auf Tageszeiten keine Rücksicht. Und an anderen unvorhersehbaren Plätzen sind Kassettenrekorder, immer geputzt und geladen, vor Nachforschungen sicher versteckt. Jedes Wort, das aus ihr herausquillt, wird arretiert, abgeführt, eingesperrt. Dann eventuell auf Flaschen gezogen. Es wird alles von diesem Bautrupp, bestehend aus einer Frau in einem Jeansrock und mit Strickweste (alt, aber oho, geschwind wie eine Sekretärin wenn es ans Horchen geht), zu einem Format zusammengeschoben, einem spitzigen Steinhauf, der sich aus dem normalen Gehweg hervor dem Wanderfuß entgegenreckt. Sie läßt das Gerät auch dauernd laufen wenn die Philosophenlehrlinge zu ihr herschmachten kommen (über andere). Vielleicht springt einem von ihnen einmal ein Wort heraus, das ihr in einem

Gedicht aufs Rückgrat helfen könnte. Diese Vordenker, an denen Etiketten hängen. Zu diesem Zweck werden sie eingeladen. Und weil sie noch jung sind, also anders. Die alte Frau möchte erstens die Welt noch begreifen lernen, bevor sie unter ihr ruhen muß und zweitens: eine streng vertrauliche Aussage in der Modefarbe Kunst getätigt haben. Sie setzt sich selbst den Philosophen zum Nachtmahl vor. Sie liefert sich ihnen wissentlich aus. Die lachen ja nur! Die Philosophen halten kurz inne, diese Zappelphilipps, und essen und trinken dann erneut los. Die Wissenschaft, und zwar die von der Natur, ist das zweite und meist gut versteckte Bein, auf dem die Frau Aichholzer jeden Tag steht. Es knickt ihr öfters zusammen. Sie fußwurzelt ja noch mitten im Leben und ist von Leben total umgeben. Diese jungen Männer, Leser und Schüler des verstorbenen Philosophen, sind schon ganz ausstudiert an der Universität Wien, diesem Schreckensort. Die dreisten Vortäuschungen und Vertauschungen (Verstauchungen der einzigen Wahrheit!), die sie dort eingelernt haben, drehen ihnen die Lefzen nach außen. Die Behauptungen schimmeln ihnen noch im Leib. Sie liegen wie tot in ihren Fachbereichen und falten die Hände. Wie der Blitz auf dem Wasser so schnell haben diese jungen Männer fertig studiert und sind persönlich gut damit fertiggeworden. Sie kommen mühselig und beladen und um aufgefüllt zu werden hier an. Sie blamieren ihre Gastgeberin. Gehen dann fort als sei nichts gewesen. Sie gehen hier regelmäßig in der Nacht aus und ein, ohne daß ihnen dabei ein guter Einfall käme. Die alte Dichterin schätzt die natürliche Verdunkelung am Abend sehr (die Nacht), denn da sieht keiner sie und sie kann ihre wolkigen Kunstgebilde in die Luft jagen, ohne ausgelacht zu werden. Diese winzigen Kunstbomben. Dieses Kunsterdbeben. Die Kunst stinkt, ja stinkt! und ist hart zu denen, die sie auf sie hören. Die alte Frau horcht heimlich auf die Hitze in ihrem Leib. Wie eine Art Geschöpf ist sie noch lebendig, wer würde es noch vermuten. Wem kann sie es zumuten. Sie muß, was sie jetzt noch fühlt, im Zeitraffer fühlen. Sie ist also einmal die Geliebte von einem berühmten Philosophen gewesen, das war wie Urlaub feiern in einem nie ausgeputzten Stall. Zu zweit auf Schuhen in den Wienerwald spazieren! Auch sein Gesicht ist jetzt tot, diese Auslage von einem verstaubten Geschäft. Alle Waren sind längst ausgelaufen. Das Verfalldatum ist überschritten. Seine stählernden Gedanken haben sie damals rasch in den geistigen Konkurs getrieben, bevor sie noch anfangen konnte, einen guten Einfall aus ihrer Haube zu scheuchen. Ihn kennt heute zum Unterschied von ihr wirklich jeder! Daher wünscht sie sich härtnäckig, daß jeder Jederling endlich auch sie kennen möge. Sie war damals jünger, der Philosoph alt. So geht es also zu zwischen Mann & Frau: ein einziges unverständliches Geheimnis innerhalb der Bürokratie. Beide werden sie mehrmals in ihrem Leben in ihr Gegenteil verkehrt. Nie bilden sie gemeinsam ein Plateau oder wenigstens eine Rinne neben der Straße. Seine Gedanken stehen in Büchern aufbewahrt. Was hat sie heute noch davon, daß sie damals jünger war? Der Unterschied ist vollkommen geschrumpft. Sie steht ihrerseits in keinem Buch, nur in einem Glashaus, aus dem sie nichts Hartes hinauswerfen darf (Achtung bei Biographieverzier!). Wo ist heutzutage der schöne Jugendkörper für sie, um den sie in ihrer Jugend betrogen wurde, weil sie den Geist, dieses Gespenst, gewählt hat? Der Holzknecht soll bitte kommen und die Stiege unter seinem Tritt wackeln lassen. Der Wert der Denker kann nur wachsen, vorausgesetzt sie werden nicht zu früh gründlichst vergessen. Mit der Frau ist es nicht genau so. Es ist ich möchte sagen umgekehrt. Die Landschaftsreisen, die der Philosoph mit ihr gemacht hat, als er noch reisen konnte: SIE wohl aufgehoben in seinem seitlich getragenen Bildungsbeutel.

Ihr eigenes kleines Abbildungssäckchen schmerzhaft vor der Brust baumelnd. Und dies alles: Über Kunst und Kultur. In Italien vielleicht schöne Schuhe kaufen, denn auch das ist Kultur! Bitte mir glauben! Eine Kunst ist es nicht, denn der Philosoph hat bezahlt. Artist sein, aber schön auf dem Teppich bleiben, das wäre erstrebenswert. Sie hat schon damals, ununterbrochen von seinem Nachtglas verfolgt, Gedichte zu schreiben versucht. Das war eigentlich ihr Plan. Vor Lachen ist ihm das Skelett auseinandergerutscht. Sie sollte ganz bei seinen Leisten bleiben. Dieser Mann hat mit zunehmendem Alter immer schwerere Beleidigungen gegen sie vorgebracht. Die Assistenten standen damals schon Habtacht, ebenfalls bereit zu kaum vorstellbarem Gelächter. Diese Vertreter eines Scheintoten, mit ihren Musterkoffern aus Pappe voller Billigschmuck. Wenigstens von den Franzosen in der Philosophie leben noch heute viele in ihren gepolsterten Zwingern. Können Kunststücke machen, Kunstblumen stecken, pfeifen wie Murmeltiere auf der Alm. Auf Plastiktischtüchern können sie Fliegen derschlagen. So eilig durchqueren sie die Wirklichkeit auf den Schlittenkufen Seiner Gedanken. Allein hätten sie das alles nie gekonnt! Die wenigen, die die Frau damals schon kannten und heute noch zu ihr auf den Berg kommen: allein das schrille undisziplinierte Geräusch ihrer Stimmen! Sie halten vor der alten Frau höflichst still. Sie war ja mit fünfzig eigentlich noch jung zu nennen, im Vergleich zu heute, da sie über siebzig ist. So alt war der Philosoph damals schon! Damals schon war er weiter fortgeschritten als sie. Man sollte darüber wenigstens kurz nachdenken. Ihre Unwissenheit ist auch heute noch (in solchen schwierigen Lebensfragen) glatt wie Schmierseife auf ihrem Weg. Sie wolle aber gern und wohlig zu neuen Ideen und Entwürfen angeführt werden, sagt sie. Wohlhabend durch Gedichte werden! Man hört von vielen anonymen Seiten, ein Philosoph habe sie früher ungern gekannt. Diese Kuh im Geschirr seiner Wünsche. Dort ist ihr Stall! Bitte hinein und Heu essen, nicht Stroh dreschen! Er wird in ihren Aufzeichnungen gröblichst erwähnt. In Gedichtform zumeist. In ihrem sogenannten Erinnerungs-Büchlein, und doch ist sie das: in der Verkleinerungsform von sich. Er ist groß geblieben. So sprechen die öffentlich rechtlichen Unfuganstalten über ihn! Da hat sie die Idee gehabt, seinen Gedankenfluß zu demokratisieren, mit ihrer Maschine zum Aufnotieren. An alle! Sie hat weniges, das er gesprochen hat, aus Verdunkelungs- und Verdummungsgründen (für die Staunenden) festgehalten. Damals noch in Handschrift, ohne Apparat. Falsch zusammengestellt und lückenhaft zusammengefügt, ergab dies ein kleines Buch über ihn. Der Verleger beging ein Delikt, als er es druckte. Sie hat sich an das Wort des Philosophen gehängt, ein Beistelltischchen für ein allg. Mittagessen. Er war die Hauptspeise. Sie war sein Fleisch. Dieses eine Mal hat sein Mund durch ihre Schreibmaschine gesprochen, und zwar die Binsenweisheit. Es verbindet eine Maschine die Gedanken von verschiedenen, auch Untertanen, es verbreitete die Maschine viel lieber die Gedanken der Beherrscher des Vorstellbaren. Dieses bösartige Gewächs von einem Büchlein wurde ihr (einzig unter ihren Unwerken) tausende Male aus der Hand gerissen. Erinnerungen, wenn auch persönlich angefärbt, können an der Kasse etwas wiegen. Aber bitte nicht in der Form von Gedichten, wenn es geht! Seine Zitate waren drohende Wolken über der Kulturlandschaft, jederzeit konnten sie sich auf Unschuldige ergießen, die selbst nie einen Gedanken außerhalb des TV-Schirms zuende dächten. Es ist ihre Rache, daß jeder Wutschrei von ihr, tobend gegen den Philosophen, in die Presse ihrer freien Reimtechnik (ihre eigene Erfindung) zu gelangen hat. Sie wußte beinahe, was er mit seinem Denken gemeint hat. Sie hat ihm die Gedanken aus dem Hirn gepickt und in die Maschine getippt, die Armselige. Glaubt, sie sei jetzt unsterblich durch ihn und begeht an ihm ein Plagiat. Er ist rechtzeitig gestorben, sonst hätte er sie mit einem Riemen oder einem Pracker derschlagen. Die Assistenten haben entzückt geschwiegen. Sie würden es auch heute nicht wagen, mit ihnen zugehörigen Frauen so den Boden aufzuwischen. Sie sind immer nur Hilfskräfte gewesen. Die Menge warte auf ein Lebenszeichen von ihr, denkt die alte Frau sich aus. Sie schreibt wie im Ertrinken Gedichte über die Landschaft und was der Philosoph darüber unverhofft gedacht haben könnte. Sie umgibt sich mit Landschaft wie der Philosoph sich mit IHR umgeben hat. Allein ist sie nichts, sie mußte immer schon jemanden zum Plaudern haben. Ihr ehemaliger Geliebter hat gedanklich Kontinente erobert, bis nach Japan sind seine klebrigen Geistesfäden geflogen. Haben dort etwas begründet, eine Schule der Überheblichkeit. Ja, viele haben sich nämlich an seinem Denken überhoben. Er wußte folgendes ganz sicher: alles ist ungewiß und unerklärlich. (Dagegen ist Wittgenstein klar wie alle Planeten in ihren Bahnen) Ja. Sein Wesen hat niemanden für sich einnehmen können. Es erscheinen so viele Auflagen, er wird unterrichtet an der Universität. Sein Wort ist technisch reproduziert worden bis zur Abstumpfung der Silben. Wie ein Hund, der gern Grasbüschel ausreißt und sich dabei die Zähne abradiert. Sein Wort war viel wert. Das Wort der alten Frau ist nur soviel wert wie es vom Philosophen zu handeln vermag. Er ist das Ergebnis ihres Lebens, das sie nun schrill und verstimmt auf ihrer Sprachharmonika begleitet. Die Assistenten kommen und lachen sie betrunken aus. Alles von ihr ist wie nie geschehen. Sie können ihre Gedanken bei der alten Frau abschalten oder im Leerlauf stottern lassen. Hier benötigen sie keine Energie, können aber Energie tanken. Sie blicken die Frau Aichholzer an, und das ihnen Unerlaubte blickt schielend aus ihr zurück. Sie war und ist Kreatur, jeder weiß es, eine aus Fleisch gebildete Unordnung von Organen. Manche davon lückenhaft. Der Philosoph ist ihr auch heute noch Anlaß zum Existierln. Sie lügt feig, seine Werke verstanden zu haben. Sie fügt aneinander, was niemals passen kann, der Mensch aber trotzdem nicht trennen sollte, denn: vielleicht wäre es wahr! Sie ist sein Zierstrauch gewesen. Sie läßt sich zum Schein die Werke des Meisters von den essenden Assistenten erläutern, in einfachster Fassung wie in ein Deckerl gestickt. Dafür werden sie von der alten Frau in Lebensfragen praktischer Natur beraten und gleichzeitig bevormundet. Eifersüchtig, wie um noch leben zu wollen, wirft sich diese Frau auf jede Ehekrise in ihren Reihen und löscht sie notfalls mit dem eigenen Körper aus. Sie ist eine Verlautbarungsanlage. Zwängt sich in fremde Existenzen und treibt einen Keil hinein. Ihre einzige Freude sind: Aufklärungsflüge in fliegenbeklebte Menschenorte, wo noch keiner je gewesen ist. Die Handlungsweise von Leuten soll ihnen prompt ins Gesicht schlagen. Sie weiß, wie man Frauen behandeln sollte, da sie selbst eine Frau ist und keine andere Frau kennen mag. Sie zieht, wie im Leben, die Männer weit vor, die besser ihr kleines Gedachtes in Geräte sprechen können. Es kommen keine Frauen zu ihr. Sie ist eine schwarze Krankenschwester, ihr Diplom hängt an einem Haken. Sie hören ihr zu, die keine Philosophenschiffe (Beistelltische) neben dem verstorbenen Meister mehr sein wollen, sondern selbst ein Amt bekleiden möchten. An der Universität. Zwei glatt, zwei verkehrt. So und so sollten sie dies bewerkstelligen, sagt die alte Frau. Sie stellt eine Lebensregel auf und befolgt sie dann selber nicht. Sie wird morgen den Holzknecht in eine Liebesfalle locken und redet heute noch zu ihren Gästen, wie man es vermeide, in die Falle einer Frau zu gehen, bevor man fertig studiert habilitiert kapiert habe. Diese Frau ist wirklich eine ganze Wohnung für sich allein, was sie alles weiß, und alles eben aus der Praxis, was schwerer wiegt. Wie wird sie sich den Holzfäller, einen Mann fern der Kultur und deren groben Scherzen, der Schrift beinahe unkundig, auf ihre Couch einladen? Vielleicht wird sie sich zur Abwechslung in Sprachlosigkeit (hilflos und wie tot, so ist dieser Mensch, wie das Fell von einem toten Hund) endlich danke recht wohlfühlen. Der Holzfäller denkt in Zeitlupe und ißt windgeschwind vor sich hin. Die Assistenten sind in beiden Fächern geübt. Diese Lockenköpfe, diese Blondschöpfe, unter denen sich die Gehirnwindungen kräuseln: verbranntes Papier. Denen die Gehirnbindungen ordentlich zur rechten Zeit einschnappen, zu ihrer eigenen Sicherheit, damit sie sich nichts brechen, wenn es in Schußfahrt zutal geht. Die Assistenten kommen so weit heraus, damit sie in ihrem ehemaligen Lehrer den Menschen sehen lernen können. Die alte Frau will in Zukunft hauptsächlich einen Menschen sehen: den Holzarbeiter. Für den sie immer da sein möchte. Und der immer für sie allein da sein soll! Sie liebt ihn als Frau. Sie verachtet ihn als denkendes Wesen, das er nicht ist. Er ist so unbedacht, sich ihr nicht anzuvertrauen. Er verzieht keine Miene, ist unbeschrieben und wird auch nie von jemandem beschrieben werden. Er ist da. Nicht mehr, nicht weniger. Die Alte legt ihre abgestorbenen Gedankeneier in das lebendige Fleisch der Assistenten, da schlüpft keine Raupe mehr heraus. Und sie möcht: ruhn im jungen Holzmenschen, so lang es noch geht. Danke. Die Assistenten sprechen derweil gemein voneinander, kaum daß einmal einer nicht da ist. Sie haben dicke Adern an ihren Kehlen und Handrücken vor Neid und Mißgunst. Die einen haben bereits Planstellen und planen Universitätlichkeiten, die anderen suchen noch und kämpfen daher gegen ungerechte Bestimmungen wie die Toten zu Allerseelen gegen ihre eigenen Gräber, die sie sich ja nicht selbst gegraben haben. Sie sei heute eine Art

Philosophenwitwe, glaubt sie frech, und gehöre daher der ganzen Welt! Sie ist ein Witz. An Männer glaubt sie und Frauen mißtraut sie, denn sie weiß ja wie sie ist: Frau und muß es bleiben. Die Frauen sind in ihren Augen unwissenschaftlich wie Gott es ist, dem man wenigstens nichts erklären muß. Die alte Frau ist kräftig gebaut vor lauter Unwissenheit. Sie ist nämlich nicht vom Denken geschmälert. Sie glaubt auch heute noch ausdauernd, was der Philosoph gepredigt hat, sie glaubt daran wie an die Luft, die ihr auch unentbehrlich ist. So ist das mit dem Denken, man merkt erst sehr spät, daß irgendetwas fehlt. Das Denken des Philosophen war ja auch nicht für sie bestimmt. Der Philosoph hat ihr oft die Füße unter dem Rock hervorgezerrt vor lauter Schmerz. Sie könnte heute noch eine Anthologie des Schmerzes verfassen. Der Holzknecht soll ihr bitte dienlich sein. Sie hat es sich vermeintlich verdient. Sie wirft in seltenen Augenblicken voll Zorn den Denkparasiten, die sich bei ihr breit machen, einen Räumungsbefehl für ihr Haus und ihre Hirnkammern ins Gesicht. Sie lachen immer gutartig (diese Schwülste!) und bleiben. Borgen sich viel Geld aus. Solang der Lehrer gelebt hat, war sie ihnen grade gut genug, die klugen Hüte aufzuhalten, damit sie sich darunter unterbringen konnten. Sie borgt oft Geld her. Nur ihre Gedichtkunst gehört ihr ganz und gar allein. Sie will nicht länger nur weibliche Zuhörerschaft sein, sondern selbst etwas hervorbringen, das Bestand hat, aber die Assistenten lenken sie mit Tüchern rasch ab. Aichholzerin, so lautet die Weibchenform ihres Namens. Sie sind an folgendem interessiert: weibliche Prozeduren mitverfolgen dürfen, um sie daheim auf ihre deutschen, holländischen oder skandinavischen Freundinnen anwenden zu können. Der Philosoph war ein wie man zu sagen pflegt nordischer Denker, ein Diener seines Herrn, er hat sich bei nur wenigen unbeliebt gemacht. Und was diese Dame unter den Altersschüssen des Philosophen alles erfahren durfte, viele erleben es niemals! Sie war wie Vieh, das in einen Futtersilo einbricht und bald nur noch herumtorkeln kann. Hätte Frau Aichholzer den Philosophen nicht kennengelernt, sie wäre heute eine pensionierte Schuldirektorin und würde den Enkerln sinnloses, erpresserisches Theater um die Gunst dieser Kinder vorspielen. Sie hätte Zahnweh, die Gelenke würden sie schmerzen. Sinnloser Ehrgeiz würde in ihr wüten. Sie ist einmal die falsche Frau am falschen Ort gewesen, und dadurch kleingärtnerisch und gemein geworden, dies ist ihre alleinige Besonderheit: die Verachtung des Mittelmaßes, repräsentiert von den anderen. Sie betreffend muß man aber zugeben: sie hat den Philosophen und seine ungeistigen Experimente am Lebendigen nicht gut ausgehalten. Sie war im Körpermaß zu klein für das, was dieser alte Bub durch ihren Schmerz zu erfahren wünschte. Sie ist dadurch übervorteilt worden. Und was ist ihr davon geblieben? Sie hat nicht einmal die Rechte an einem einzigen seiner Bücher geerbt, alleinig ein paar Briefe, an denen nur die Unterschrift echt ist. Sie möchte um keinen Preis drei Viertel aller Frauen sein, das heißt normal, der Geburtenrate von Grund auf verpflichtet. Sie möchte insbesondere besonders sein. Sie trifft daneben, jedesmal wenn sie den Holzfäller trifft. Nicht einmal Mitleid nistet unter seiner Oberfläche, die auch schon alles ist, wodurch er repräsentiert wird. Man sieht ihn und sieht nicht, was in ihm steckt. Sie ist sich selbst zu dick, kommt ihr vor, das mißfällt dem Mann vielleicht. Sie ist im Irrtum, er sieht es gar nicht. So etwas nennt die Dichtung als Kürzel Schicksal. Der Wald hat ihm längst das Sehen abgewöhnt, versorgt ihn aber ständig mit Frischluft für seine Organe. Andere stehen staunend vor Bäumen, er richtet sie durch Axtstreicheln hin. Die Gegend, in der er gearbeitet hat, ist sogenannt herrlich in der Sprache des weltumspannenden Terrorismus der Touristen. Überall gelangen sie hin, wo sie nichts zu suchen haben, dieses ganze Land lebt davon, daß es sich die Mützen vor den Fremden herabreißt. Für alles wird ein Preis verlangt, nur der Tod ist umsonst, doch er kostet Schweiß, muß man erst auf einen Berg kraxeln, um ihn zu erleiden. Die Denker umspannen nur ihre Stirnen mit den Fäustlingen. Wäre die alte Frau früher nicht Geliebte gewesen, was keiner hier an diesem Ort weiß (Ausnahme: die Assistenten von anderwärts), sie müßte vor Verkäuferinnen betreten zu Boden blicken wie all die übrigen übriggebliebenen Alten. Sie wäre eine Pflanze, die nicht gar so selten ist, eine alte Frau. Sie müßte sich zuknöpfeln wie andere auch. Ihre Gedanken können (einmal rein als Mensch betrachtet) nicht einmal eine Fensterscheibe einschlagen. Sie wird dem Holzfäller allerletztens morgen! zu einem Körpereintritt verhelfen. Es wird ein Attentat auf ihn, auf dieses atmende Produkt ländlicher Maschinenaufzucht (nichts mehr wird von Hand getätigt), verübt werden. Später, danach erst, wird er wirklich Grund zum Trauern haben, wenn er sie wieder und endgültig verliert. Er traut keinem mehr, vor allem keinem Jäger oder Waldereigehilfen. Seine Familie ist von ihm fortgegangen, einzig diese alte Frau, dieses Nichtzuhaus, ist geblieben und zahlt ihm ein Trinkgeld, das er widmungsgemäß sofort mordsmäßig vertrinkt. Sie möchte vor dem Tod noch genießen und genossen werden. Er wäre dann: der Übervorteilte, der Überhobene hinter seinem Glied. Samen ohne Besitzer. Sie möge deshalb nicht spaßen mit ihm in dieser ernsten Angelegenheit (Handel und Wandlung). Die alte Frau ist für das Zusehen in Zukunft fix vorgesehen. Sie ist keine Teilnehmerin, sie ist etwas Ehemaliges, eine wilde Liebende. Ihn wieder würden andere außer ihr weder sehen noch würdigen in seinen Eigenschaften aus wunderbar und schön Haut und Haar. Er ist nämlich wie anmutige Nebelschwaden, Grau in Grau, schlampig begrenzt. Die alte Frau tippt ihre Gedichte, und der Tod hat schon fix auf sie gesetzt. Warm ist sie nur mehr von dieser einen Aufgabe: Kunstsemmeln von Hand gefertigt. Sie quält sich sinnlos an dem Kunstfensterplatz, den sie sich natürlich sofort reserviert hat. Es hat ihn ihr keiner streitig gemacht und dennoch hat sie sich mit dem ganzen Leib drüber hingeworfen. Mitsamt ihrem schönen Wintermantel. Und der tote Philosoph könnte noch posthum alles, was sie da schreibt, mit einem einzigen Gedankenfurz auslöschen. So war es aus unerklärlichen Gründen, die vielleicht mit der Unsagbarkeit und Unwegsamkeit der Kunst zu tun haben, auch zu seinen Lebzeiten. Sie war gebückt worden in die Nische einer sehr kleinen Erfahrung: Frau sein und es bleiben müssen! Die Philosophenschüler, die sie besuchen kommen, wollen in erster Linie alles über ihren Lehrmeister und dessen schlechtes Geschlechtswollen erfahren. Er war ihr Gott. Sie war sein Engel, wie er sie verhöhnt hat. Sie ist jemand, auf den verzichtet werden kann, und doch beschreibt die Kunst sie im Nu. Zack! Man kann gar nicht so schnell schauen, wie unzutreffend sie bis jetzt schon beschrieben wurde. Das reicht ja für mehrere Personen ihrer Unart. Der Philosoph war mehr als Geschlecht, er war alles mitsamt seinem Geschlecht! Sprechen wir nicht mehr davon! Die Trümmer ihrer unentschlossenen Berichte fallen ganz gewiß nur mehr auf sie, ein Feuerregen auf ihren unschönen alten Kopf (der früher auch nicht schöner war, ohne Zornanflug zugegeben). Sie ist das Endglied in der Kette fremder Lust, grollt sie als schärfste Beobachterin ihres Lebens, das ihr bislang immer noch nicht recht gefällt. Sie feilt noch daran: Am Holzfäller möchte sie zur kleinlauten Aktivistin werden, wenn es noch geht. Endlich stumm vor Freude. Anschließend dürfte auch sie zu einem sagen: daß er entlassen sei. Im Wald und auf der Weide ist er auch schon ausgeschieden. Schade! Oder nicht? Jetzt ist es wieder einmal so weit, daß die Schüler des Philosophen sich bügelfreie Naturlyrik anhören müssen. Sie stemmen die Arme hilflos dagegen. Sie (und Sie auch!) hören nun: lauter Gleichnisse auf einem Fleckchen, nicht größer als eine unbeleckte Briefmarke. Und welche Gewalt hinter diesen unscheinbaren Worten! Die Assistenten vermögen nicht, Natur und diese Gedichte miteinander in einen formigen Bezug zu setzen. Zu jedem Naturlaut werden etliche Liter Wein dazugeschüttet, damit sie es leichter hinunterbringen. Sie sind ganz angepampft. SIE sucht mitten unter dieser Öffentlichkeit von Akademikern nach einem kleinen Gedichtwort, das ihren endlosen Abortschmerz lindern könnte. Es würgt sie. Das eine Wort, das gesucht wurde, soll Platz nehmen in einem Wespenschlupf aus Worten: so ein winziges Griffloch im Instrument ihres mangelhaften Talents (braucht der Dichter so! Umso mehr!) Daraus entweicht die Luft. Was soll das eigentlich heißen: die Natur besiegen oder besingen? Wo sieht man hier noch Natur? Nicht einmal genügend für die Dichtkunst ist vorhanden. Wo ist hier Natur wie die Dichtung sie strengstens verzerrt sieht, aber teuer verkaufen möchte? Die Assistenten kommen in diesem zeitlosen Augenblick hereingetappt. Schon jetzt sind sie ganz krank von der vielen Natur ringsumher. Wo ist das nächste Kaffeehaus? Sie wollen hier, in den Alpen, mit ihrem verstorbenen Lehrer in ein Verbundsystem treten (mit einem Erlagschein) und müssen sich was gefallen lassen? Sich mit den Plantiziden von Kunstgedichten bestäuben lassen. Das ist nicht gesund. Das sind die Fußangeln der Sprache, die eigens dafür erfunden worden ist, daß man sich die Schnauze einschlägt. Diese jungen Männer stecken strotzend in ihren Denk-Schwimmwesten, die sind so klein wie sie, so richtig nach Maß angefertigt. Sie haben vorsätzliche Bekleidungslücken aufzuweisen, sie kommen aber nicht zum Wandern, sondern zum Auftanken her. Sie tragen oft nur Turnschuhe! Kein Funke Barmherzigkeit springt von einem zum anderen über. Sie haben nichts füreinander übrig. Ihre Haut wird nie der Witterung ausgesetzt. Sie drängeln sich wütend in Zimmern zusammen, denn sie sehen die Landschaften theoretisch, als Gebilde von Format. Sie schauen sich nur aus dem Fenster heraus an, was uns in einem kleinen Gedichtwerk doch so lebendig vorkommt. Sobald die Sprache gebunden ist, freuen sie sich schon ihrer geistigen Ungebundenheit, sprechen frank & frei, wenn auch heimlich, damit die Alte es nicht hört, sprechen wie ihnen der Mund zum Schein ins Gesicht gewachsen ist. Was sehen sie also? Eine alte Geliebte, auch so eine Naturliebhaberin, die kann gar nicht genug abbeißen von der großen Dampfhülse einer Gegend, in der sie als Unwesen vorkommt. Alles weicht unter ihrem entschiedenen Zugriff zurück. Gestirne drüber! Marsch! Sie verspricht, in der Kunst allein ganz sie selbst und herzeigbar zu sein. Endlich kann sie ihre Gemeinheiten und hölzernen Verbogenheiten (sie sitzt in einem ansehnlichen Rundholzstuhl) dicht verschleiern. Und legt sich doch (indirekt, weil es ja Kunst ist, also wahrheitsscheu) bloß wie das Hausvieh vor dem Schlachten. Wer bringt überflüssig Zeit auf den Wiesen zu? Da müssen andere von weither kommen. Heimat! Her zu mir! Sofort! Wo bist du Heimat? Wirds bald, daß du endlich mir zu Füßen fällst? Du depperter Film du! Nach den Berechnungen der alten Frau müßte der Philosoph sie jetzt, post mortem, endlich gelten lassen, denn ihre groben Denkgestecke werden in beliebig viele Redaktionen versandt. Und tauchen prompt dorten auf, Schemen in einer verwahrlosten Wohnung, wo schon viele andere von der Kunst zu profitieren wünschten, darunter: andere Herren und Damen (Thomas Bernhard z. B., der neulich so gemein verraten worden ist! Während Sie dies lesen, ist es aber schon vorbei gewesen.) Die Kunst ist ein Schleim. In ihr ist niemand daheim. Die Kunst zieht einem das Blut zusammen zu einem Antikörper, denn die Kunst ist meist gegen den Körper des Künstlers gerichtet. Die Knochen schlupfen einem zur Haut hinaus. Die Kunst ist gemein. Und wofür sich schinden? Für das Wiedernichts. Für das Niegewesen. Der Philosoph hat seinen Assistenten (da war er schon in Cambridge, das wir aus anderen Dichtungen gut kennen als einen geistigen Fixpunkt im Welthall) den alten Fettstoß aus der Provinz, und keiner heimeligen, aufgebürdet. Dieser Nazi. NAZI!! Wie ein Opernhaus, also rein aus Pietät, muß sie nun regelmäßig aufgesucht werden, so hoch droben wie sie wohnt. Tausend Meter steigt man zu ihr empor. Ein Fonds speist sie kümmerlich ein. Was tut sie mit diesem geringen Geldbetrag, sich Lichter in den Stiegenaufgang stecken wie es höchstens einem prachtvollen Luster zusteht oder was? Die Lust der Frau ist auf den Holzknecht gerichtet, sie stellt ihm auf der Erdoberfläche zu grob nach. Er kommt jedoch immer wieder zu ihr, ein Verlorener auf seinem unmarkierten Pfad. Die Assistenten werden sogar auf das Begräbnis dieser Frau gehen, denn der Meister hätte es so gewünscht. Sie wollen mittels unhöflichen Dazwischenredens Menschliches Allzumenschliches über den alten Denker aus der Frau herausgerücheln. Sie wackelt in ihren Schuhen von der frischen Asche (in ihren Geweiden drinnen!). Die Assistenten sprechen die Fremdsprache der Wissenschaft, und die alte Frau spricht als ihre eigene zweite Stimme die Vulgärsprache der Kunst. Manchmal setzt die Frau dann, plötzlich betont auftretend hinter ihrem ledrigen Körperballon, die für uns alle so heimelige Sprache des Volks, aus dem sie ursprünglich kam, auf den Untersatz. Sie will Sie alle beschämen! Eine solche Sprache ist ihr oberflächlich abgewöhnt worden. Nun gibt sie vor, sie so gut wie nie gehört zu haben, wie sie ja auch so gut wie nie zum Volk gehört habe! Geboren ohne Konkurrenz in Ottakring, 1160

Wien. Die alte Schwindlerin reißt entschieden das Maul zu weit auf. Doch es ist ihr alleiniges Ziel: eventuell soll sich der Waldmensch, von eigener Hand und ihrem Geld geleitet, zu ihr herführen. Freiwillig wäre es schöner von ihm. Sie berechnet den Redaktionen große Summen, die pro Gedicht zu bezahlen sind. Was hat der Künstler und Künder davon, wenn er hungert, was nützt es seinem guten Ruf? Bei dem Holzknecht wird ihr die von den Gescheiten geborgte Sprache nichts nützen, ein einziger Gedanke könnte da schon schaden. Also bitte, was kostet ein kompletter Tag von ihm? Sie könnte ihm was zahlen, mehrere Bier und Schnaps. Sein Messer wird trotzdem an ihr abgleiten, an einem solchen Felsblock von Arroganz. So wie es Jesus auf dem Wasser vor seinen eigenen Fußsohlen gegraust hat, es war ihm wohl unheimlich, weil es außer ihm niemand selbstbeherrschte. Die alte Frau, im nachhinein hat sie recht boshaft zu sein, erzählt Erfindungen über den ehemals Philosophen Geliebten ja. Sie knistert in ihrer Trockenhaut, das ist ein Sondereinsatz, damit nichts durchgeht bis auf die Bettwäsche. Der Meister hat sie damals in eine Art Lederhaube eingesackelt, bis sie fast nicht mehr zu atmen bedurfte, hat sie alsdann regelmäßig mit Nahrung (hat er nicht selber gekocht) und mittels eines Trichters zugeschoppt. Wie die Pflanze, schon wieder ein überschüssiger Vergleich aus der grandiosen Natur, durch ihren abgeschnittenen Stengel inständig zu saufen versucht. Er war auch im Alter noch ordentlich bestückt! Und zwar fix, d. h. man konnte das Ersatzteil, den Einsatzteil nicht abnehmen, auch in der Nacht nicht! Die Assistenten, und zwar jene, die heute niemals herkämen, (Weg zu beschwerlich, Weg zu sich selbst?) haben das Geheimnis um die Ungeschlachtigkeit ihres akademischen Lehrers untereinander aufgeteilt: das Geheimnis. Es wurde nie jemandem mitgeteilt, und auch die alte Frau wird stetig daran gehindert zuviel zu plauschen. Heute reden die Assistenten ausschließlich in ihrem kleinen Kreis, diese Mitwisser, über das mit der Mütze (das war komisch!) und auch über das mit den künstl. Egeln zum viel Blut Heraussaugen. Dafür ist noch kein Gemeinplatz erfunden worden, denn der Platz wo das stattfand: ist selber gemein gewesen. Flach wie eine Tanzfläche sind sonst ihre Sprüche. Was anderes verstünde die Alte, diese Einweg-Hilfsschwester, überhaupt nicht. Sie ist eine, die protzig mit vermeintlich philosophischem Widerwärts zu handeln versucht. Sie legt alles in eine Schachtel. Es geht gerade hinein. Sie ist selbstgerecht wie die Kinder aus dem Volk es immer sind, vorbildlich solche, die das Volk nicht mehr zu kennen und sich nicht zum Volk zu bekennen wünschen. Der Holzknecht versteht sie nicht. Sie gibt ihm was zum Denken in seine Futterraufe. Sie ist groß und flach, kurz: ein öder Raum. Sonst fällt niemandem etwas dazu ein. Sie haben dem Willen des Lehrers hiermit ausdrücklich Rechnung getragen und fahren jetzt wieder nach Wien zurück. Im Kofferl ist noch was Eingekochtes im Marmeladeglaserl. Der Bauch von der alten Frau, hören Sie zu, da ist noch was: ist ganz ausgeräubert von den Ärzten! Diesen Düsenfliegern, immer muß es schnell schnell gehen bei denen, was da ist muß weggeräumt werden. Diese so etwas wie Putzfrauen ganz in Weiß und mit so Schutzhauben, damit ihnen das nicht selber blüht, was sie anderen antun. Die alte Frau ist fast leer, woher nimmt sie noch die Giftbüscheln für ihr literarisches Büchel? Die fallen ihr aus dem Bauch, nicht aus dem Kopf raus. So ist die Kunst brav! Wenns von unten ausm Speckbauch kommt. Vor Ehre des Alters traut sich keiner, diesen schrecklichen Verdrießlichkeiten über einen, der sich nicht mehr wehren kann, zu widersprechen. Die Männer handeln selbst mit kleiner und kleinster Ware (und entsprechend kleiner Münze), diese Torpedos, die zerstören müssen, was sie ja eigens hervorbringen: Philosophie bravo. Die

Dichterin tobt vor Wut, ein kahler Berg mit Bewuchs (zur Tarnung) von einer Art Pilz, die vergiftet uns noch alles! Sie hat schon vergessen, was sie von dem Philosophen gelernt hat. Sie hat ja keinen Kühlschrank im Schädel. Und außerdem: der Philosoph hat alles aufgeschrieben, doch woraus krochen sie, diese Gedanken? Auch sie, was oft geleugnet wird, aus einem Mutterschoß! Der Philosoph war ungerecht berühmt, doch wer weiß heute noch, daß seine Ursprünge Altersdebilität und chronische Verstopfung waren, über die er sich grandios hinweggemogelt hat. Keinem Denker kann man schließlich ansehen, aus welchem Euter er schöpft. Zum Schluß konnte er nicht einmal Kreuzworträtsel erlösen und hat sich grundlos vor Publikum ausgezogen. Kichernde Beeren von Helfern hängten sich an ihn und hingen von ihm hinab. Und doch: Respekt Respekt vor so etwas! Und mit gutem Grund. Es werden nämlich immer die Leistungen der Vergangenheit zur Beurteilung eines Werks von heute herangezogen. Selbst wenn man nur noch ein Haufen auf dem Asphalt ist. Die alte Frau war ihrerseits im Sortiment überhaupt nicht enthalten. Wollte man sie kaufen, mußte man sich schon persönlich ins Lager bemühen. Sie war keinem Heimat, das heißt heutzutage: fort! Raus aus dem Kino! Heute vertuscht diese ehemalige Geliebte nichts mehr, sie denkt nicht daran. Sie ist ein Nachhilfekurs in: den damals Geliebten schlechtmachen. Damit kann sie kein Wohlgefallen bei Mitbewohnern (Mietern des Verstandes) erregen. Dabei zieht sie doch eigens Pflanzen auf! Der Holzknecht könnte schon mehrfach Hennen zutode gefickt haben, in Ermangelung von etwas Besserem, hat sie den Verdacht. Will ihm für seine Tat geeigneteres Unterfutter zur Verfügung stellen. Er war es aber nicht. Es war ein Hirte, kein Herr. Es war ein heimatloser Knecht. Er hat nicht die hundert Punkte geschossen, die man für Heimat kriegt. Dieser Ärmste der Armen, der leider ein roher

Entwurf geblieben ist. Man müßte auch den Holzknecht einmal dorthin reisen lassen, wo Kirchen mitsamt ihren Kassahäuschen aufgebaut sind. Sie werden vielleicht einmal gemeinsam ins Auto steigen und ihrer guten Leitlinie folgen. Die alte Frau wird bis dahin von ihren Verleumdungen des Philosophen ganz geschmälert sein. Der Philosoph übersteht es gewiß kühl unter der Erde, geregelt wie eine Ampelkreuzung. Die alte Frau begreift nicht, weshalb er keine Wirkung zeigt. Sie faßt sich wiederholt ans Herz und findet es nicht. Das Alter kennt die Leidenschaft aus der Erinnerung, aber nur wenn es Glück hat. Das Essen fließt durch den Stoffwechsel bedingt manchmal nur so aus ihr heraus. Auch die Assistenten kitzeln ihr manchmal ihre Beete. Aus dem Mund des Philosophen floß zu Lebzeiten der Speichel. Was kann sie dafür? Sie kann es heute nicht mehr zunichte machen. Im Gegensatz dazu war sie, die noch existiert, früher schöner. Eine fesche Gretl zumindest. Die Assistenten schlafen nun halb über ihrem wahllos zusammengesuchten Kleiderbau ein. Lassen sich im Alpträumen noch erzählen, wie es früher im Leben ihres Vorgesetzten ausgesehen hat, als man noch nicht so viel weggeschmissen hat wie heute. Sie glauben an eins nur noch, an ihre Heimat in der Natur. Die Natur ist Reklame. Die Kunst ist auch Reklame. Und was man drüber sagen könnte ist ebenfalls Reklame. Die Kunst ist: Werbung für und um den leitenden Angestellten. Wohl dem, der noch einen Klöppel zum Schwingen hat. Schwingen hat er aber nicht, solche zum Ausbreiten. Der Philosoph hat diese Frau doch erst leben gemacht, werfen die Assistenten als Knüppel vor ihre Beine. Oder etwa nicht? Sie dauere immerhin bis heute an! Er hat sie aus einer ordinären Schule herausgeholt und sie durch Quälereien zu bürgerlichen Rechten (als eine Art Person) gebracht. Bei einem Streit wird dafür immer ihm rechtgegeben. Geschieht ihr recht. Sie ist ein rechter Streithansel, die Alte. Über dieser Frau ist das Gewölb Natur in jahrelanger mühevoller Arbeit eigens aufgebaut worden, und jetzt sägt sie mutwillig dran herum. Mit eingebundenen Worten. Heimat: sofort hierher! Den Assistenten ist die Natur wichtiger als der Mensch in seiner Not, beklagt z. B. diese Frau, was der Philosoph mit ihr für einen Zirkus veranstaltet hat. Die Schmerzen waren furchtbar! Es war also einseitiger Ballast: Ja, die Liebe ist einseitig, aber nie einsichtig. Wenn nein, dann findet sie halt gar nicht statt. Die Schüler hören ihr rittlings wetzend zu. Die Gerüchte über ihren Lehrer fließen wie elektr. Wellen durch sie hindurch. Sie werden es insgeheim weitererzählen, deshalb kommen sie ja her. Die alte Frau wird immer unmöglicher, die Menschheit strömt in Panik vor ihr davon und in eine andere Heimat hinein. Die andere Heimat ist keine, denn es gibt immer nur die eine. Manchmal tippt ein Altruist zum Erbarmen ein Gedicht für sie ab, wenn ihr das Rückengerüst wehtut. Ein Unselbst, der so etwas tut, Kunst von einem anderen abschreiben! Fremde Lava fließt durch seinen Hosenschlitz, und er legt sich auch noch ganz hinein das Ferkel. Sie nennt solche Gedichte fälschlich ein erotisches Großereignis. Jeder muß oder soll sie zumindest einmal vor Augen gehabt haben. Andere sagen, das sei von einem Schwein in Agonie hingeferkelt worden. Sie zeigen die Gedichte in ihren versperrten Redaktionen unter der Handfläche herum. Sie fressen kichernd aus solchen Näpfen, aber sie würden nichts dergleichen veröffentlichen. Eine gewisse Machtclique verhindert es jede Nacht. Die haben in diesem Latrinenland das Sagen und nützen es kräftig aus. Sie nennen es Altersblödsinn, was die alte Frau sich da zusammenreimt. Niemandem kann die ausgeklaubte Form der Gedichte gefallen, wenn der Inhalt nicht stimmt. Sie legen sich privat Sammlungen davon an und schicken die Originale wieder retour. Lachen wie vor einer Abbildung von unterschiedlicher Qualität und eindeutigem Inhalt. Vielleicht wird diese alte Frau (ein Frauenschicksal) dadurch berühmt, daß sie nur privat gekannt wird, ganz zuunterst in einschlägigen Sammlungen. In der Öffentlichkeit der Akademiker wird sie immer nur ein vages Geraune (Geraunze?) bleiben. Die Schüler halten ihr seit Jahren die Hand hin, damit sie ihr Schmutzgarn aufwickeln kann. Zum Umspulen ihres ganz persönlichen (auch das ist Frauenart) Komposthaufens, der im Abendlicht leuchtet. Draußen Natur, jawohl, glänzend gelungen, sie wird Heimat genannt, falls jemand zufällig drin wohnt. Die hat auch den Philosophen einst belehrt, diese große Lehrerin. Der Philosoph hat sie damals richtig verstanden und kleine harte Käselaibe daraus geformt: Über Natur und Kultur. Er hat zum Schluß hauptsächlich die Villa in Küb bewohnt, wo es unumgänglich war, daß man auf Schritt und Tritt an Natur stößt. Jeder Spaziergang: man rennt buchstäblich in sie hinein, man begegnet unwillkürlich dieser Sonderform von Willkür: Natur. Hut ab vor dieser Heimat, so gepflegt wie der Semmering damals noch war, als das Natterngezücht der feinen Leute dort seinen Dung ablud. Die Landschaft muß sich in jedem Fall nach uns richten d. h. strecken. Und mitten drinnen dieses Geschwür wie nur Menschen es mit ihren Ausscheidungen zum Wachsen bringen: dies ist schon Kultur! Die alte Frau möchte sich ein Gefäß nennen, aus dem der Philosoph seine Gedanken in kleine Eimer abfüllte. Also schilt sie sich selbst unerschöpflich. Die Frau kann in dieser Funktion Katalysator sich schimpfen, der sich selbst nicht verändert, aber alles im weiten Umkreis derart verheeren kann, daß sich sogar der Luftdruck senkt, diese Laune der Natur (mit Kunst hat wiederum das Thermometer sehr viel zu tun). Sorgen Sie bitte gut für die Geißel des Wetters, vor allem im Urlaub, ich meine, seien Sie besorgt! So eine Inspiratorin (diese Frau), die töricht über die Flanken der Berge marschiert. Ihr Mund lächelt dumm. Der Philosoph hat sich die Füße an ihr abgeputzt. Er hat sie überall überraschend abgepaßt. Sie glaubt heute noch, ohne ihre Mitwirkung wäre kein einziger Gedanke aus seinem Rohr herausgeschossen. Doch sie war ja bestenfalls Hebamme, nicht Mutterzwergin. Ein weibl. Mißverständnis wie es oft vorkommt (wegen der Eigenleistung zur lebenslänglichen Versicherung des Gebär- Unsinns). So entgleist oft eine Frau. Diese hier hofft, es sei seine Schuld gewesen, daß sie heute nicht berühmt ist wie ER. Und auch das ist fraulich: weniger sein! Es ist ein allgemein schon altes Schicksal. Immerhin, sie wurde sogar zur Lieblingsbetätigung des Philosophen, der eine strengt sich auf diese Weise an, der andere auf jene. In eigens erdachten komplizierten Verschnürungen hat er sie geschliffen, diesen ungehobelten Diamanten, den immerhin er aus dem Fels gebohrt hatte. Mindestens jeder Mann versucht, einmal im Leben so ein Paket zu schnüren. Sie wurde von ihm gewohnheitsmäßig in einem Vollbad aus Stricken fixiert, damit sie nicht wegrennen konnte. Auf all dem ruht dabei das Wetter auch. Was für ein gewitzt inszeniertes Ereignis, bitte es prüfen! Sie wurde von ihrem Geliebten absichtlich über entlegenste Wissensgebiete geprüft, doch wo war ihr dazugehöriges Wissen? Wohl im Schlaf versteckt. Wer von uns weiß schon alles? Das heißt in anderen Worten: andere wissen im Schlaf, was sie nie gelernt hat. Und so etwas schaut empört zum Philosophen empor! Bald war die Villa in Küb von eigens ersonnenen Marterinstrumenten, sogar aus dem Ausland so bestellt (geheimer, geheimnisvoller Versandhandel!) wie in Segmente unterteilt, also ausbaufähig. Er hat ihr so schöne Spezialwäsche gekauft. Ungerecht wäre es, stellte man sich heutzutage diese Wäsche bildlich an ihr vor, aber schon damals war sie ja über fünfzig! Die eine kann es sich leisten, die andere nicht, was ihre Figur betrifft. Der Philosoph hat diese Fertigmöbel gesammelt, zu ihrer Bestrafung, nicht wahr, und zwar aus den Herren Ländern hat er sie sich zuschicken lassen, versehen mit einem diskreten Absender, der strikt neutral bleiben muß, egal was und wie oft er es sieht. Nur ein Mensch bringt so etwas schließlich doch noch fertig. Der Kopf dieser Frau war nämlich vollkommen ohne etwas zum Greifen, also leer. Alles rauscht nur so vorüber. Nicht einmal in der Tierzucht dürfte ein solches Spotterbe weitergegeben werden, wenns nach ihm ginge, sagte der Philosoph, brutalisiert. Besser Strafe als Paragraphe. Und mit Recht. Er hat mit ihr ein Spiel ausgemacht, und sie war beidseitig einverstanden, etwa so: Einen Satz von Kant oder Leibniz oder Pascal oder Palmers oder ähnlich, jedenfalls von so wem, aufsagen! Sie soll dem Herrn nach dem Mund sprechen. Das hat sie nie richtig selbstbeherrscht, aber oft war sie nur um einen Millimeter am Wissen vorbeigeschossen, in eine völlig fremde Planetenumlaufbahn hinein: Die Frau hat das Vorderteil des Satzes nicht an dessen Hinterteil annähen können und sich damit Unannehmlichkeiten zugezogen. Sie hat auch nie ein Kind geboren. Diese Frau kann sich einfach nicht konzentrieren, aber sie schweift in konzentrischen Ringen um ihren Mittelpunkt, den Denker, herum. Sie ist nun einmal Künstlerin durch und durch, weil sie sonst nichts ist. Künstler sind nämlich Glühbirnen, leuchten aber nur, wenn sie wollen, nicht wenn man den Schalter betätigt. Also sie können sich für nichts begeistern. Der Philosoph mußte demnach andersartige Praktiken anwenden. Ihr Schreien schallte auf dem Hausberg der Wiener und seiner Verwandten schon in aller Früh aus dem Naturhäusel heraus. Er mußte mit Werkzeugen noch einen Holzbock als Bank zurechtschneidern. Jetzt hat er alles glücklich beisammen. Sie wird heulen. Und noch immer Heimat ringsumher, wie man diesen Ort nennt, an dem man sich befindet, und an dem Gestalten als Umrisse umherhuschen, die man persönlich kennt. Sie schreibt heute Gedichte darüber und möchte auf diese Weise zum Angebot auf dem Kunstmarkt werden, das heißt zur allgemeinen Verwirrung kräftig beitragen. Das stellt sie sich zu einfach vor. So ein Angebot wird manchmal aufgehoben, öfter aber achtlos hingeschmissen. Dabei passiert etwas Grelles mit ihrer SEELE (wie beim Fisch) aber wer kann es kontrollieren (wegen ihrer festen Körperkonsistenz hat sie schon vieles überlebt). Will denn keiner ihre erotischen Gedichte lesen und selber Hunger nach ein wenig Erotik bekommen? Die Schüler kommen heute zu ihr heraus oder sie bleiben dorten wo sie sind (gilt für die damals Aktiven). Es verbindet die letzteren mit der alten Frau etwas, das sie lieber nicht auf der Kochplatte ihrer Erinnerung aufwärmen möchten, doch Scham ist es gewiß nicht. Eher Verlegenheit. Der Philosoph hat für solche Hilfsdienste keine Frauen ausgewählt (die keine Engel sind), sondern ein paar wenige Männer, die auch keine Engel sind. Mann und Frau sind nämlich gleich, aber dauernd uneinig miteinander. Diese ehemaligen Helfer sind heute Versicherungsvertreter oder in verwandten Branchen oder auch – diese Ausflucht vor der Öffentlichkeit: Lehrer in der Schule. Zu mehr hat es nicht gereicht. Einer ist Zuhälter in Graz geworden. Sie haben nachher immer den Dreck in der Villa weggeräumt. Mitwisser sind unbeliebt. Diese Dreckspritzen. Sie sind aus der Philosophie entfernt worden, denn Gedanken sind keine Spielzeuge! Lieber spielen sie selbst mit einem. Die Künstlerin, die alles schon hinter sich hat außer der Liebe, versucht in ihrem letzten Lebensabschnitt, gut perforiert, das damals noch Unbeschreibliche (unbelehrbar!) wenigstens annähernd zu beschreiben, damit auch andere verspätet daran teilhaben können. Das löscht solche Geschehnisse keineswegs aus. Diese Künstlerin mit Anführungsstrichen verbreite nur Tatsachen, schwört sie, es müsse doch möglich sein, einen Platz Papier dafür zu finden. Sie beschreibt ihr Leid, denn das Leid ist die Würze der Kunst. Also ist das Leid in der Kunst wie Maggi. Genau. Es verbessert eigentlich so gut wie jede Speise, aber keiner will es heute mehr, denn alle diese Kulinariker aus der Zeitung möchten jetzt eine zeitlang Suppe aus echt Natur essen. Alle wollen lieber selber etwas erleben. Jeder denkt eben, er sei wichtig. Das Angebot dieser Künstlerin ist fest verschlüsselt, aber schon von weitem kann man es in der Ebene schamlos glitzern sehen, gleich wird es in die Kamera winken. Sie schade sich nur selbst, sagen die Kenner. Sie schadet dem ehemals Geliebten in seiner Todesvolière längst nicht mehr. Er ist zeitlos, und sie ist beendet. Die Kunst muß vor der Wahrheit kapitulieren wie vor dem Leben. Es können ja lebendige Personen in einem Kunstwerk ausgeforscht und verhaftet werden. Sie können erschossen werden. Die Kunst ist ein schwarzes glitschiges Sekret (secret!). Macht alles kaputt, ruiniert Kleider. Auch über die derartig schöne Heimat bitte keine Kunst ausschütten! Auf so einem Stückel Papier, was geht da schon drauf? Also nicht übertreiben, die Natur geht nämlich drauf! Viele sind aus Prinzip gegen die Kunst. Keine Lügen über Personen verbreiten, gelt, sonst setzts was. Das ist eine Haltung gegenüber der wahrheitsgemäßen Kunst: daß sie lieber wahrheitsgemäßigt stattfinden sollte. Wenn Menschen darin verschlüsselt, aber erkennbar, enthalten sind, dann her mit dem Gericht, dem Gerücht und den Anwälten, die vor Gericht dann zudringlich werden und Geld verdienen wollen. Nicht Vorbilder in der Kunst beschämen! Und diese alte Frau ist nicht würdig, vor einen Presserichter gezerrt zu werden, denn bald muß sie vor dem ewigen Richter stehen und dessen Knie umschlingen. Und daher halten die Redakteure, diese Kunstbeamten, die ohnedies immer nur dort pissen gehen wo schon sehr viel Wasser vorhanden ist, die halten die schönen Gedichte der alten

Frau in ihren Hirnkasterln zurück. Das ist soweit hoffentlich klar wie ein Schlüsselbeinbruch. Die Redaktionäre halten die Gedichte feig zurück, obwohl sie leider nicht darin vorkommen, welch ein Schmerz, ein erneuerter Schmerz täglich, denn sie kommen sich unwürdig vor. Sie wollen selber ihre kleinen Lacken auf dem Spannteppich machen. Blähen sich auf vor dem Eingang von ihren Kunsthefteln. Gönnen der Frau den Triumph über die Wahrheit nicht! Schon in der Küber Villa hat der Philosoph sie wegen ihrer gräßlichen Gedichtwürstel, die damals noch recht dünn waren, -ein schmaler Durchblick auf etwas, das sein könnte- (so zusammengewurstet, faschiert halt zu einer Paste) unnachsichtig verspottet. Besonders vor Zeugen. Aber schon in Cambridge, das wir aus Dichtung, Gesellschaft und Spionage kennen (und auch in diese Dichtung hat es vergeblich versucht, sich zu flüchten), war sogar der Hohn wegen etwas derart Geringem und Geringfügigem wie so Gedichterln schon zuviel Mühe für einen sterbenden alten Mann. So ein Sadist soll also in seinem Fachbereich zum letzten Mal tätig werden können und rast, von seinem Gerippe nur notdürftigst zusammengehalten, erblindet von dem hellen Licht seiner eigenen Eingebungen, rast herum, bis ihm die Gedankengelenke aus den Kugeln springen. Dort in England war er still, scharf, trocken. Sie war für ihn vorgesehen, eine Art Tragetasche, auf der nur für IHN Reklame gemacht werden durfte. Ihre Kunst war zu keiner Zeit frei im Handel erhältlich, sie war nur unter der Hand zu haben. SIE war vor den Philosophen gespannt, damit er noch eine letzte kräftige Lebensäußerung wagen konnte. Der Wirtskörper, an dem sich der Parasit zutode frißt. Er hat sie damals schon nicht mehr direkt angeredet, nur über die Assistenten und sonstigen Helfer. Es war ihm nicht mehr der Mühe wert, das Leben entfloh ja bereits sacht, nun hieß es, die letzten Atemzüge nicht zu versäumen. Die Assistenten haben sie danach, als das letzte Echo schon fort war, mit Fetzen aufgesaugt. Das, was wirklich geschehen ist, schauen Sie sich bitte in der richtigen Reihenfolge, in der Familien so leben, im Fernsehen an, wie Sie es sonst ja auch tun. Dazu ist es da. Niemand kann heute wagen, eins ihrer Gedichte anzugreifen, es sei denn als Kritiker oder mit einem Rechtsanwalt bewaffnet. Der Philosoph war einmal es war so schön. Er hat sie auf die oberste Stufe nicht mitgenommen. Er hat sie immer nur zurecht geschliffen, bis sie zu klein geworden war, als daß man noch hätte etwas Größeres als eine Spanschachtel aus ihr basteln können. Zum Muttertag. Er hat rückbezüglich ihres Kunstpelzkragens immer scheinheilig gefragt, ob sie etwa nicht könne oder nur nicht wolle. Er hat von Kunst überhaupt nicht viel verstanden. Sein Lieblingsdichter war ein erfolgreicher, wenn auch mit der nationalen Stimmgabel eingestimmter (und nachkriegs viel zuwenig eingedämmter) Heimatdichter, von Dunkel und schlechtem Ruf umfangen, also ein Jünger von wem. Der Philosoph ist von ihrer Handtasche, voll vor lauter Erschaffungen, erschrocken. So schlecht waren die Gedichte nun auch wieder nicht! Sie sollte ihm nicht über den Kopf wachsen, sondern seine Kopfgewächse alles inkl. verehren. Er hat nicht gewünscht, daß sie über ihn hinaustrete als etwas, das vielleicht auch was werden könnte. Der Falott. Der, es muß ausgesprochen werden, der Nazi. Die Assistenten beschauten sie gern an den ihnen bezeichneten Stellen. Sie war ihrem Lachen preisgegeben. Was hat der Philosoph nur in ihr erblickt, was andere nicht zu sehen vermochten? Er hat seine Worte gesprochen, und sie ist, zerrüttet, zur Seite geglitten. Was damals in Küb vorgefallen ist, davon spricht keiner, aber jeder denkt unaufhörlich daran. Am häufigsten sprechen jene, die rein auf Vermutungen angewiesen sind. Sind verhallt wie Türklingeln, die Geschlechtsnothelfer. In fast ganz geöffneter Kleidung fahren sie frech auf Urlaub nach Griechenland, wo schon andere vorhanden sind, solche von ihrer Sorte. Nur die alte Zuckerwattespinnerin mit den dicken Schenkeln macht stur ein Gedicht nach dem anderen fertig, und die Kritiker machen dafür sie fertig. Wer will sie an solchen kleinen und preisgünstigen Vergnügungen hindern, Gedichte zu schreiben? Diese Dichterin ist unter dem Arm der Literaturgeschichte eingeklemmt und in dieser wackligen Position vergessen worden. Nur manche ihrer prall gezäumten Darbietungen schäumen noch wütend aus Anthologien und geodynamischen Zeitschriftenmißgeburten hervor (meist Neugründungen unruhiger Jugend, die kräftigst subventioniert worden sind) oder sie kühlen im Kunstbroschüren – Ausgedinge langsam ab. Die alte Frau kocht nun Essen, wie immer, doch es muß immer erwähnt werden, und mustert ihre Gäste, ob einer von ihnen einmal berühmt werden könnte oder es gar schon ist und wenn ja warum und auf welchem schlüpfrigen Parkett. Sie hat von keinem jemals Großartiges zu hören bekommen. Die bringen ihr Dissertationen eigens heraus, wenn sie damit fertig sind, und auch ihre sich mühsam abgepreßten Habilitationsschriften, akademische Pfade ohne Wiederkehr oder um einen höheren Grad wie beim Fieber zu erlangen. Auch Zeitschriftenartikel, dreist wie Karnickel (und auch so zahlreich), fruchtbar wie stupide, die sie sich im ungleichen Kampf mit sich selbst abgerungen haben. Sie selbst bleiben dabei immer die Stärkeren. Und doch sind sie nur ein Bruchteil: diese Akademiker. Die Frau ist stolz darauf, daß die dreisten jungen Männer ausgerechnet zu ihr kommen. Sie liest wenig, um sich nicht mit Wissen abzuspeisen, sie will auch noch etwas zum Fragen übrigbehalten, wenn die jungen Männer herbeikommen. Aber sie spricht ununterbrochen, und immer wenn sie ICH sagt, dann meint sie sich plus ihrem verstorbenen Gehirnakrobaten (des Zwischenbereichs: Gefühl und Verstand), denn auch das Gefühl will zu seinem Recht kommen. Das Gefühl hat übrigens immer recht. So sind es also zwei Personen, die aufzeigen in der Schule des Lebens und der Geläufigkeit. Dies zumindest kann ihr keiner mehr nehmen: Sie war eine Geliebte. Und ihr Dazugehöriger war (diese Eroberung früherer Tage, ein Priester der genialen wie genitalen Gemeinheiten) einer, der Frauen fest anbindet, am liebsten solche, die ohnehin schon freiwillig gern Bindungen eingingen, ist der Mann das auch nur annähernd wert (und vom Leben dafür freigestellt). Solche, denen aber bald das Rückgrat, das schwache, von der Last des Eindringlings knackt. So einer war der. Hat ja zusätzlich eine Art Schutzhaube für sie entworfen, aus Leder, fest sitzend, mit so Bandeln dran. Eigens nach Maß von einem verschwiegenen Sattler in der Steiermark angefertigt. In dem Philosophen ist etwas von einem Handwerker gesteckt, können seine Verehrer jederzeit an Werkstücken überprüfen. Hartnäckig hält die alte Frau alles fest, was von ihm noch übrig ist, Bücher und Gerüchte. Sie war eine Menschenschaukel für ihn. Das ewig sinnliche Weib, beschwören die nie zufriedengestellten Kenner. Eine nie gestillte Herausforderung an den Kopfmenschen, Meister der Perfidie und Perkussion. Für die Liebhaber des Gedruckten, also der Lüge: bei ihr hat ein bedeutender Philosoph Visiten gemacht! Vorher war er lang in Amerika. Ihre Gedichte genießen längst nicht mehr den Schutz der Realität, sie genießen ja nicht einmal den Schutz der Kulturredakteure, die ihrerseits Personenrechte persönlich zu schützen haben, wie in ihrem Berufsneid geschrieben steht. Damit haben sie genug zu tun. Welcher Schutz bleibt also? Die Anonymität. Diese Redakteure, diese WIE MENSCHEN müssen sich prinzipiell immer in den Vordergrund schwingen an den Lianen ihrer vollblondlichen Verblödung. Die Aufgabe des Literaturkritikers besteht ja im schönsten Ausmaß darin,

Personen, die schon ganz allein atmen können, weil sie ja auch unverschämt vor der Öffentlichkeit herumparadieren, auch noch unter ihren Schutzschirm zu nehmen (damit der Kritiker nicht allein im Trockenen stehenbleiben muß). Die Kunst (unzerbrechlich wie sie ist, was schon viele Attentäter verärgert hat) wird sich dann schon allein zu schützen wissen. Diese Schirme gibt es in jedem Kaufhaus. Aber was geschieht, befürchtet die alte Frau, wenn meine Kunstwerke nicht dazu gebracht werden können, dem uninteressierten Publikum, das so schwer beweglich ist wie der Oberschenkelknochen an sich, vor die Linsen seiner Augen gelegt zu werden, damit das Publikum sie sehen und anbeten kann? Sie veranstaltet mit offenem Mund (und rein privat in ihren Grenzen, in ihren Gestänken) Lesungen von ihren Gedichteln. Die Kunst ist derart zäh, daß sie gewiß noch weitere Jahrhunderte in ihrer Hundehütte überleben könnte, ließe man sie ungehemmt gewähren. Man könnte sich direkt an sie gewöhnen. Dieses Findelkind Kultur, jawohl, keiner will es, jeder glaubt, er hat es ohnedies zum Milchholen geschickt (er hat schließlich noch mehr zu gebären!), aus jeder Familie wird es gleich wieder weggeschickt, um sich zu Fuß draußen in der Wildnis zu bewähren. Die alte Frau will ihren Namen gedruckt sehen. Sie wünscht sich in letzter Zeit ein Zusatzgerät: bitte auch ein Körperhäusel, damit man nach einem länglichen Leben vollends ausrasten kann. Ein Pensionistinnenhäuschen. Sie glaubt, so eins ausgerechnet in einem Holzknecht gefunden zu haben, der nicht einmal richtig Deutsch kann, diese Sprache, die jedes Gedicht sofort freiwillig für sich erwählen würde. Diese Kultursprache! Diese Kultur! Gut deutsch Kultur! Fest drauf hauen! Fast schon zu spät im Leben hat diese Frau einen Wunsch und legt dazu die Hand auf das Herz, um ihre Wahrheitsliebe zu demonstrieren. Ihre Liebe ist nämlich das einzig Echte an ihr (also wie die Kunst sein sollte). Zuvor haben Kunst und Wissenschaft, diese ewigen Mitesser des Gebildeten, in ihren engen Grenzen sie im Leben enttäuscht, und zwar in Gestalt ihrer hervorragendsten Repräsentanten. Alle waren mit Eisen beschlagener als sie. Jetzt glaubt sie, in der Natur, der ewig Grausamen, und deren Vertreter im Waldstaat einen Unterstand gefunden zu haben. Den will sie nicht mehr hergeben. Diesen kleinen Dienstraum wird sie sich noch zugänglich machen, garantiert sie ihrem treuen Publikum, das ihre Gedichte lesen würde, wenn es könnte. Sie wird auch über ein solches heikles Thema Gedichte zu singen wissen: Wartet nur ab! Sie hat einmal einem berühmten Denker den Eintritt in sich gestattet, nun sollen sich ihre Leser geschmeichelt fühlen, dieses Kabinett auch ihrerseits besuchsweise aufsuchen zu dürfen. Der Holzknecht hat nur sie, sonst niemanden. Und jeder gesunde junge Mann braucht als Mindestausstattung doch nur eins, eine Dame zum Bezwingen. So zwingt einer den anderen ins Joch. Der Holzfäller kennt wenig Gutes und bekommt gewiß nichts Besseres. Sie ist alt. Dafür ist er jung. So gleicht es sich wieder aus. Er soll seine Waldesruhe verlassen und ihr zum Opfer fallen. Einmal will jedes Opfer Täter sein. Er ist arbeitslos und hat viel Tages- und Nachtfreizeit. Sie hat immer noch ihre geliebte, vom Tod geliehene Freiheit, ihn wieder wegschicken zu können. Auf dem grünen Liebesrasen kann immer nur einer gewinnen. Der Ball ist rund. Wer rastet der rostet. Wichtig ist der Fleiß des Liebeslehrlings, denn andere wollen schon aufrücken und auf seinem Rücken eine Karriere starten. So geschieht es auch in der Kunst: Immer sollte frisch gemäht sein. Dann sieht man, worauf man tritt. Ungleiche messen sich ständig wahnhaft aneinander. Sie schreibt Gedichte, diese Frau, in denen sie furchtbare Martern beschreibt, die sich auf sie herabgesenkt haben. Ein Lufthauch wie von Maschinenherden streicht vorüber, ein durch Gewalt vernichteter

Hain. Dieser Klumpen Kunst, dieses Gewölle, ist ihr selbst zu schwer zum Aufheben. Sie schreibt alles viel zu groß hin, als wäre es exakt so geschehen, und macht sich selbst groß damit. Was für ein Bruchteil an Zeit ist ihr in die falsche Richtung gelaufen, daß sie nicht EINFACH sein kann in ihrem Schreiben? In der Kunst überhaupt? Es liegt glaube ich an folgendem: daß die Ereignisse zu einfach sind. Die Kunst dient dazu, den Schwierigkeitsgrad des Lebens künstlich zu erhöhen und zu verhöhnen. Also, man hat es auch ohne Kunst oft schwer genug stimmts? Das ist die Essenz in ihrer blutüberströmten Nische, in der ansonsten nur Statuen nisten. Der Kunstort. Der Kunsttort. Die richtig leben, so, daß dabei auch etwas weitergeht, für die ist das alles keine Kunst. Die überhaupt nicht leben. Für sie kann jede Zeile zu unabwendbaren Zündfunken werden. Küb: der Weltuntergangsort in Miniatur. Die alte Frau liefert vage Beschreibungen, in die sich jeder Beliebige hineindenken kann, ohne aus dem Sessel aufzustehen. Was hat sie denn noch zu verlieren in ihrem Alter, fragt sie gern rhetorisch und zählt ihr Kleingeld nach. Sie schildert jedenfalls nicht wahrheitsgetreu, was in Küb passiert ist. Sie könnte sonst vor der Welt und deren jungen Schmarotzern, die zu ihr herauskommen, nicht länger bestehen bleiben. Sie würde sich, was wirklich geschehen ist, nicht einmal selbst laut vor den Mund halten. Das in Cambridge, später, war ja nur mehr bloßer Nachhall auf eine verklungene Marschmusik. Andere ernten jetzt davon. In Gedichtform ist dieser schwere Klumpen aus maßlosem Gelächter gerade noch bei einem Zipfel Haar zu fassen. Die Redakteure, von denen schon die Rede war, in ihren Bruchteil-Stübchen, ziehen sich feste Handschuhe an, wenn sie Briefe mit Gedichtmanuskripten von der Adresse dieser Frau kriegen, und zwar immer eingeschrieben, damit nichts verlorengehen kann nach solch langem Lebensweg. Wenn diese Frau nicht acht-

gibt, rotten sich welche zusammen und machen Gerichts-
manuskripte draus, es gibt genug Kritiker und Neider, die
solche Töne für wahren Naturgesang halten, der endlich
aus der unauffälligen Kehle dieser Frau hervorbricht, also
wie bei einem Todesschwan. Jetzt bilden sie Todesschwa-
drone, diese unbeholfenen Kunstschleicher in ihren Anzü-
gen oder in kühn geschwungenen Pullis. Sie gehen zum
Presserichter und beschweren sich mit ungenauen Anga-
ben. Wegen der Post wäre noch anzumerken, daß keins dieser Gedichte je einen anderen Weg als den vorbestimmten
nähme, es wüßte doch, daß es überall gleichermaßen unwill-
kommen wäre. Die Frau will den Lektoren und Generatoren und Generationen auf diesem Weg beweisen: so und
soviel geschieht in der Natur (die gern weitschweifig ist),
während sie sich fürs Ficken zurechtatmen. Die Redaktoren
also die Geistestraktoren wollen viel lieber das Personal-
recht (von Philosophen in Jagdstiefeln, von sonst einem
Wichtelmann, der noch schlimmer dran ist als sie, also von
so jemand, der die Erde gröblichst verunziert!) wahrneh-
men, und sie sind doch selbst nichts als untergeordnetes
Personal von einer Sorte Heiland, dem die Zeitung eigen-
tümlich gehört. Dem Industriellenverband. Sie schützen
Tote wie noch schwach Lebendige mit dem ihnen eigenen
eigentümlichen Eifer, der kein besseres Ziel findet, wie
scharf er auch durch den Feldstecher glotzen mag. Sie
schreiben schlechte Kritiken über MENSCHEN: diese
Dodeln. Den Philosophen darf also auch nachträglich kein
Trumm vom engen Horizont der Frau treffen, dafür sorgt
nun die Kritik und die ihr verwandten Haustiergattungen.
Der Philosoph, ein großer, weißer, wichtiger Mustermann
(Musensohn??), der Sprache und deren Volkheit verhaftet
(wofür ihn keiner nach dem Krieg verhaftet hätte), so steht
es in einer Biographie aus einer gewissen gewissenlosen Zeit
zu lesen. Ja. Also auch dem Denken und der Folgsamkeit

innigst verbunden. Solch ein Mann konnte denken wie Gott, der das nicht nötig hat. Unter den zahlreichen Gesichtern, die unter seinen ehemals hellen Augen aus und eingingen, waren Männer, weiß wie der Schnee auf einem hohen Berg, in Uniformen. Sargträger. Es gibt sogar heute noch ein dicht verschleiertes Geheimnis sie umgebend, und zwar in Südamerika oder vielleicht sogar viel näher, drunten im Toplitzsee. Dort tauchen sie unter. Alle wollen Genaueres wissen, alle sind als Hobby daran interessiert. In späteren legalen Existenzen (weiß sind die Totenköpfe gebleicht, die auf den Zaun gespießt sind, es quillt nicht die geringste Form von Persönlichkeit mehr aus ihren grinsenden Mäulern, sie sind fort ja) alsdann da wird das Heil Hitler, das einst unter seinen Universitätsordnungsrufen gedruckt stand, vollkommen ignoriert. Es ruht in der Geborgenheit der Mehrheit in der Heimaterde. Dort spielen auch Filme. Zum Beispiel der Hundefilm Krambambuli. Wer konnte in solcher Weise nur denken und danach entscheiden? Unmöglich, daß es solche geben konnte. Sogar ins Ausland hat man den Philosophen wieder, mit Vorbehalten und im Streit mit manchem Unbelehrbaren, offiziell eingeladen. Zu so Vorträgen. Und daß er ihnen was vorliest. Und daß er ihnen nichts vorenthält. Von einem Sekundenbruchteil zum nächsten verlischt schlagartig der Eifer der Verfolger (bald werden sie selbst als verfassungsfeindlich verfolgt sein) und wird zur Klage des ewigen politischen Einbrötlers, der im Kulturbetrieb keinen einzigen Fuß auf das deutsche Parkett bekommt. Jetzt sind eben andere am Zug, wenn auch nicht mehr am Drücker. Es ist alles vergeben und vergessen worden, und zwar von denselben Leuten, denen vergeben werden müßte. Von solchen, die es gar nicht mehr gibt. Die Assistenten hoffen seit Jahren, daß die ehemalige Geliebte, dieses Gelichter, bald sterben möge, damit ihr Gedichtstrom und ihr besseres Wissen, gegen das sie noch ankämpft, mit Gestein endlich zugeschüttet werden kann, diese nicht endenwollende Moräne von düsterer Autobiographie, die ein Redakteur einmal durch Zufall doch für die Wahrheit halten (und dafür kämpfen) könnte. So tollkühn ist nicht einmal die Kunst, daß sie die Wahrheit sagen würde, wenn andere in der Politik, die jeden Tag unser kariertes, kastriertes Bett bereitet, der Wahrheit nicht einmal eine Scheibe Zeit überantworten würden. Nicht einmal eine Lebenssekunde. Es ist vergessen amen. Einmal, hören Sie doch zu, da ist eine Anzeige tatsächlich erstellt worden. Es ist die Dichtung zur Wahrheit entstellt worden. Im Üblichen müssen die Kunstschwätzer schon ernsthaftere Gedichtmängel und Durchlässigkeiten im Reim und im Ausdruck nachweisen können, weshalb sie diese Gedichte auf gar keinen Fall drucken können. Es geschieht im Interesse dieser alten Frau, wenn die Gedichte hinter versiegelten Lippen und zusammengepreßten Oberschenkeln liegenbleiben sollten. Eine ganze Reihe Leute schließt den Blick vor dem nach bestem Wissen wahrheitsgemäßen Inhalt von so einem Gedicht! Die entsprechende Zeitung fordert diese Gedichte höflich auf, sich lieber zum Verrekken von der Straße weg und in den Busch zu begeben. Freifahrt und Platz dem Tüchtigen! Das fordert eine Zeitung für die gebildeten Schichten, die immer wieder, wie sehr man sie auch bekämpfen mag, oben drauf als Schimmelpilz entstehen, genährt von der Hefe derer, die sich selbst für ungebildet und unzureichend halten. Egal. Dem einen wie dem anderen sollte man die Wahrheit besser verheimlichen. Dem einen, weil er sie nicht glauben würde, dem anderen, damit er sie nicht glaubt. Die alte Frau ist ein Ärgernis für die Kritiker und die ewig Hiergebliebenen. Die nichts anderes kennen. Auch für die Hinterbliebenen des Philosophen. Wie eine Form in der blanken Luft entsteht, so liest man ein solches Gedicht aufmerksam durch, weil etwas darin enthalten sein könnte. Der Philosoph hat gern Reitstiefel und andere Sportdressen getragen. Er hat zu verschiedenen Menschen DU gesagt. Die Launen von einem solchen erträgt man daher gern. Rätselhafter Erdgrund! Der auch ihn ertragen hat. Und noch anderen Ertrag liefern kann. ER ragte über alle schlichten Schichten himmelwärts empor. ER hat (als Liebhaberei) die philosophischen Kräfte für das ehemalige Großdeutschland zu einer gigantischen Anstrengung bis ins Nebenfach Jodeln, Volksliedersingen und Schäferhundezüchtigen hinein zusammengespannt. Immer am liebsten in der Natur angesichts von Bergen gehausnet! ER hat ihr, der Frau, die Hölle zubereitet. ER ist tot er ist tot. Die Zeugen sind jetzt auch verschwunden. Verschollen wie die sogenannte verklungene jüdische Welt, wie sie es so zart und rücksichtsvoll nennen und im Fernsehen zum Jubiläum besingen. Und zwar genauestens die, die sie zum Verklingen gebracht haben! Einverstanden. So ist die Wahrheit, sie spricht halt nicht gern über sich. Die Sprache des Philosophen hatte ihre gewisse Gewalt, das heißt sie war mitreißend für das Fußvolk der völkischen Studenten. Nachher haben sie die Juden in die Schnauzen getreten. Vor den Vorlesungen ein Getrampel unter den Füßen. Worte kamen dann aus blutigen Nüstern hervorgeschossen. Trotzdem bitte merken: Sie dürfen jetzt keine unkorrigierten Unwahrheiten über einen Toten verbreitern, nicht einmal über jemanden, der vor Gericht nicht freigesprochen würde. Denn es war einst wie im Mai und ist schon wieder genauso. Der Philosoph hat die längste Zeit in einem von der dankbaren Stadt zur Verfügung gestellten Haus nach seinem Geschmack im Grünen residiert. Da lebte seine Frau noch, die mit dem Knoten hinten im Genick (schönes langes Haar, so lieben wir es), wo der Schuß anzusetzen ist. Diese Leute und ihnen ähnliche ziehen die unverblümte Natur vor (allem anderen vor), auch wenn sie selbst der menschl. Natur längst entfremdet sind. Die gehören ausgeschlossen! Aber das befolgt ja keiner. Sie sind die Metastasen der Natur, die so ein wunderbares Produkt allen anderen gründlich vergällen können, diese Nazis diese Nazis, das sind ja keine Menschen. Widersprechen Sie mir wenn Sie sich trauen! Man kann nicht mehr auf die Straße gehen, nicht einmal die Dunkelheit ist wachsam, wenn sie zu ihren Stammtischrunden nach Kärnten, Salzburg oder gar Oberösterreich stapfen oder auf dem frischgefallenen Schnee ausrutschen. Wenn sie mit Menschenköpfen kegeln gehn. Auch diese alte Frau ist einst auf dem Bauch gerobbt vor so einem Untertanenführer (und seiner Schar), der sich heute mit gewissen österr. Parlamentariern (unseren Oberscharführern) auf eine Stufe stellen könnte. Jetzt ist es also soweit: die Dichterin möchte über alles erzählen und sogar die Mühe hat sie sich gemacht, es in gereimter Form zu tun. Man möchte nicht glauben, wieviele Leute auf einmal in der Kunst, dieser weichen Daune, dieser Frau Holle, die höchstens einmal über ihren Gegenstand schwach hinstreift, eine erbitterte Rivalin der Wahrheit sehen. Die Redakteure werden unziemlich heiter, weil sie sich nicht getäuscht haben: diese Frau phantomisiert ihnen was vor. Kurzum: Der Philosoph hat damals die Frau durch seine überregionale Bedeutung als Denker und seinen national ausgerichteten Liebesprügel aus der Menge der anderen Beutegierigen herausgeschoben. Er war schon damals nicht mehr der Jüngste. Er hat immerhin abgewartet, bis seine Frau gestorben war. In solchen Formalitäten halten sie sich strikt ans Gesetz, diese Kammerjäger. Der Philosoph konnte einst mühelos mit seinen Gedanken allein eine faulige Ebene von Kilometern Länge und Breite, samt Wien, der Donaustadt, überfluten. Aber fest steht: einmal im Jahr nach Bayreuth fahren müssen, zu den Gleichgesinnten! Sich Wagnermusik anhören, besser als die Kopie im Radio, wenn auch nicht jedem

zugänglich (und nicht jedermann anhänglich). Wagner gehört uns, und wir bleiben es bis heute. Doch zu einer Ehren-
rettung sich aufschwingen: diese alte Frau hat IHN erst
später, nach dem Krieg, als einen von so manchen Promi-
nenten, denen noch die Nasenlöcher von den ungerechten
Beschimpfungen der Nachkriegszeit brannten, als einen zu
Unrecht Angespuckten kennengelernt. Die Menge ist ungerecht, wenn sie etwas einen Meter über ihrem Horizont
nicht versteht. Das ändert sich aber immer rasch. Bald war
er wieder ein Denkmal mit stark aus dem Fels herausgeho-
benen Zügen, an ihm führte kein Weg ins gesteigerte Gei-
stige vorbei. Und wir alle haben ihn rausgehauen! Darauf
können wir stolz sein! Die haben mit gefälschten Publika-
tionen aus der Zeit vor der Vergangenheit, die wir vergessen
wollen, weil sie endgültig aus & vorbildlich vorbei ist, Lügen Lügen Lügen verbreitet! Das könnte alles bewiesen
werden und muß daher nicht bewiesen werden. Die Ver-
leumder sollen sich schämen, wird ihnen handbegreiflich
bedeutet, und es kommen auch manche ins Gefängnis für
ein Flugblattl. Jetzt ist es ganz aus. Die Frau Aichholzer war
immer eine unpolitische Frau und ist heute noch stolz auf
sowas. Das Politische ist eins Privatsache und außerdem
unwahr, spricht sie laut. Die Redakteure sind aus nichtigen
nur ihnen einsichtigen Gründen ohnehin zornig. Und ausgerechnet auf sie, die niemandem etwas antun könnte, das
länger währt als ein unreiner Reim. Wie der Philosoph, so
müssen auch die Wichtigen im Land sich anstrengen, um
der Elite zu gefallen, dort, wo sie zuhaus ist, in den Rübe-
zahlbergen (wo die wohnen, die viel zahlen können), wo sie
ihr Waldrevier verteidigen, und das ist auch heute wieder,
wie immer, Deutschland über alles: die BRD. Ein reiches
Gebiet, bei dem heute die anderen Schulden machen, so gut
stehen die dort. In ähnlicher Weise sprach der Philosoph
über die Juden zu seinen Studenten, unter denen bald keine

Juden mehr waren, und forderte sie zum Wandern und Vordenken auf (Das Denken, das vom Geschlecht zum Gegenstand und wieder zurück hupft), damit die Arbeit gut zwischen oben und unten verteilt wird. Die Füße gehen, der Kopf aber lenkt, wen man zusammenschlagen muß. Nach jeder Vorlesung blutige Köpfe, zuerst Tumult, dann blutige Gesichter von den Juden. Bis sie nicht mehr in die Uni kommen. Heute ist das Gehen wieder modern geworden. Was sieht man dabei nicht für Wunder! Natur! Unsre Natur! Mittlerweile ist der Philosoph: gerichtet und gerettet. Er ist inzwischen unverzichtbar geworden für das Reich der Philosophie wie es an der Universität vorkommt, also in seiner gereinigten Gesteinsform. Und auch die Dichtkunst könnte nur schwer auf ihn verzichten, sagt die Frau Aichholzer, die über ihn Gedichte verfaßt. Sie sollte nicht, wie ihr die Redakteure schon oft erklärt haben, über dieses tote Genie herfallen, sonst wird einmal in einem Artikel über sie gründlichst hergefallen werden. Nicht einmal zu diesem gedanklichen Aufschwung sind sie fähig: bitte das Trennende vor dem Gemeinsamen! Sie sind zu beschäftigt, das Gemeine auszusortieren. Das Gemeinsame mit Gewöhnlichen ekelt solche Firmlinge nur an. Die in ihren neuen Hosen, die durchaus auch sportlich geschnitten sein können, mit so Taschen vorn und hinten (zum Tadel Wegstecken) ja: denn sie wollen niemals viele sein, sondern immer nur einer allein, und dieser eine sind SIE! Meinen Glückwunsch! Der Kritiker denkt einmal hilfsweise nach und schon hat er es geschafft bis zu einem Ergebnis: Er selbst ist ja schon ein Kunstwerk als Person, auch wenn über ihn keiner ein Wort verliert, schauen Sie nur, wie schön, aber eigentlich unausstehlich seine Finger und Zehen aus dem Gewand hervorstehen. Die Natur ist ein Wunder. Nur bitte keine Grausamkeiten über Tote! Denn auch sie waren zu ihren Lebzeiten Kunstwerke von ihrem Schöpfer, fast so wie der

Kritiker. Der Tote könne sich nicht mehr wehren, sagt der Kritiker laut, um eine menschl. Regung zu beweisen, und vielleicht könnte man das nächste Mal sogar einen Lebendigen schützen, nur so zum Spaß. Also hören Sie zu, es ist noch nicht zu Ende, da steigt doch tatsächlich dieser übermenschlich verkleinerte Maßstab, dieser Gott (dieser Kritiker also) vom Firmament seines Küchenstockerls herab und liefert sein Maß ab, das von nun an allgemein gültig sein soll. Das macht er so, daß er mit dem Küberl einen kleinen Haufen aus Sand aussticht. Und so groß darf die Kunst dann geraten, weil er es ihr vorschreibt, er ist ja auch nur ein Mensch. Und so müssen auch alle anderen werden: menschlich. Eher gibt er nicht Ruh und verbietet gleich noch das neue Buch vom Thomas Bernhard, dieses schöne Buch. (Ist ja schon wieder vorbei, hat doch nicht wehgetan, oder?) Noch keiner hat so oft Mensch gesagt wie die größten Unmenschen. Das ist ja allgemein bekannt. Man soll überhaupt nur allgemein Bekanntes aufschreiben, dann wird man nicht getadelt, allerdings auch nicht geadelt als etwas besonders Fleischkräftigendes. Also weiter, die alte Frau ist plötzlich in ihren Gedichten (ohne Grund) übermenschlich streng mit einem Verstorbenen, der heute der ganzen Welt gehört, den sie aber mit ihrem geringen Fassungsraum nicht einmal dem Namen nach begriffen oder umfaßt hat. Er umspannt aber mit seinen Adlerflügeln zumindest Wien, Niederösterreich und das westliche Burgenland. Wo man ihm schon einen Gedenkstein errichtet hat. Entscheidet man sich für einen gewissen Waldpfad, stößt man ohne es zu wollen auf den Stein. Die alte Frau hat sich seit langer Zeit voll und ganz der Literatur hingegeben und will sich noch darüber freuen dürfen. Das ist verständlich. Doch man kann sich vorstellen was passiert, wenn diese herrlichen Gedichte öffentlich in Zeitschriften oder gar! Büchern! erscheinen und in einem Fachgeschäft gekauft werden können. Nicht einmal diesen geringfügigen Triumph über den Philosophen-Reißwolf läßt der Kulturbetrieb ihr übrig. Sie schmiegt sich leise an ihre eigene Kunst (wie man sich bettet so ruht man), das Lamm an den Wolf. Das sind die Wölfe der Gegenwart, steht hier zu lesen, das Werk schlägt zurück, aber erst, nachdem andere Flachkräfte es falsch beurteilt haben. Prall vor Gemeinheit und Geltungssucht ist der Philosoph noch im hohen und höchsten Alter auf den gekiesten Wegen seiner absonderlichen Gelüste herumgetobt. Wie wenn Sie immer nur Essiggurken essen möchten. Begreifen können Sie es, aber vorstellen können Sie es sich nicht! Hinter sich einen Schweif aus Wärtern und Bewunderern, die sämtlich studiert haben. Die lassen auch heute nichts von seinem wirren skurrilen Spätwerk verkommen, selbst wenn es auf den ersten Blick gegen ihn sprechen mag. Wer weiß, wann jemals wieder ein national gestimmter Denker des Undefinierten und Undefinierbaren geboren wird, und auch dann wird dieser erst noch lang lernen müssen. Wittgenstein, von dem oft die Rede ist, würde man längst gerne vergessen, käme etwas Gegenteiliges, das ihn endlich auslöschen und der Verachtung preisgeben könnte, aus einem ähnlich gut u. fest angeklebten Kopf hervor. Aber da ist weitlings niemand in Sicht. Wie wäre solch ein Denken sogleich Allgemeingut und würde in die Schulen einsickern, es könnte Fundamente aufweichen. Leserbriefe können sogar aus dem feinsten fernsten Ausland kommen. Jeder zieht das Gefühl dem Verstand vor wie das Bekannte dem Unbekannten. Diese Frau war damals jünger, wir sagten es schon, ein fleischiger Stumpf in diesem Park, niemand richtete je ein Wort an sie. Nun richtet sie ganze Wortheere an die ihr Nächststehenden. Wird sie in den Philosophenschriften persönlich auftauchen oder wird sie sich selber mühevoll Schriften abringen müssen? Auf diese kurze Formel läßt sich die Frauenfrage heutzutage reduzieren. Lieber wäre sie ein blinkendes Rücklicht an dem viel bekannteren Werk des Freundes. Ich weiß auch nicht, aber diese Frau hat einen Fehler gemacht, sich in den Philosophen zu verstricken wie ein Muster in ein Hauberl. Selbst ihre kleine ehemalige Lehrerinnenexistenz wäre besser geblieben was sie war: eine unter zahlreichen Gemütsvollstreckern. Und aus diesem Grund ist sie schließlich ganz unterblieben. Jetzt, in diesem späten Wachtraum, in diesem Trinkgeld von Leben, das ihr geblieben ist, schreibt sie alles auf. Die Redakteure sind da Gott vor. Sie könnten das Gericht verständigen, daß die alte Frau für ein Irrenhaus zurechtgemacht werde. Falls sie nicht endlich schweigen und verschweigen sollte. Es wird ihr sacht damit gedroht, mit der Doppelexistenz von Geliebter und Künstlerin wäre es dann aus, ihrer Kunst würde der Garaus gemacht. Aus der Anstalt kriecht die Einheitsexistenz, die wir alle fürchten, sie hat ein graues Kleid an. Man findet dort ungezählte andere Gesichter vor, die sich vielleicht einmal interessant gedünkt haben. Für den toten Philosophen könnte sie der hohe Schornstein sein, der ihn, übelriechenden Qualm ausblasend, endlich doch noch überragt. (Ja, auch die Schornsteine hat es mit seiner ausdrücklichen Billigung früher schon gegeben!). Sie zersetzt den Philosophen posthum. Schließlich hat sie einmal unter ihm laut geschrien, eine Wasserwoge, die aus ihrem Bett nicht mehr herauskann. Lieber nichts sein, hat sie damals fälschlich gedacht. Es hat sich gelohnt. Vergangener Schmerz ist nicht mehr wahr, und er kann in aller Ruhe beschrieben werden. Wenn etwas beschreiblich (so unbescheiden, sich vorzudrängen) ist, so ist es schon unwahr. Ein Beispiel. Es sind Millionen allein durch Gas umgebracht worden (andere sind, ich schreibe es hier gleichwertig hin, im Leben weit herumgekommen, es ist ja nur ein Beispiel) und fühlt jemand etwa heute den Schmerz wie sie? Dabei war es MORD. BLUTSCHULD

WEGEN ALLER UNSERER BRÜDER! Was ist es übrigens, das viele derartig anzieht? Und zwar wenn einer schwarze Reitstiefel, ein Koppelschloß, ein Kappel trägt? Blond ist? Hunde bezüchtigt? Und so weiter. Ein zweiter Blick gilt solchen immer. Man muß zweimal hinschauen, aber dann ist man begeistert. Es paßt alles so gut zusammen. Auch die Dolche und Reitpeitschen, das paßt zum Beispiel auch dazu. Wie der Blick einen durchbohren kann! Jetzt haben sie, nur ein Rinnsal noch, nicht mehr, endlich doch gewonnen. Die wenigen, die überhaupt noch leben. Von den Fleischhauern und Wundhackern. Was für eine weltweite kollektive Einbildung, daß die Geschichte wahr wäre! Nur die Fachkundigen können so etwas entlarven. Die Tierverwerter haben die Krematorien ausgeräumt und sprechen wir nicht mehr darüber, haben wir ein Hobby und Spaß daran. Kaufen wir uns lieber etwas Neues für die Wohnung! Seien wir froh, daß wir immerhin den «Musikantenstadl» haben. Über solche Jauchegräber kann nicht verhandelt werden, Sie hören richtig, Geschichte ist Verhandlungssache. Sonst würden die mittlerweile beruhigten Schläger aus ihrer Sofakacke gescheucht. Sie schreiben dann gleich einen Brief oder telefonieren. Sie bekleiden Ämter mit ihren hohl grinsenden leeren Ärmeln, die ihnen von richtigen Ministern und deren Fans klatsch klatsch geschützelt werden! Wer hat ihnen eigentlich die Geheimnisse, die Heiligenscheine um die Verbrechensköpfe (Tonabnehmer für immergleiche Schuhplattlermusik), um diese Fleischklumpen mit menschlichem Antlitz gewunden? Sie sagen wirklich menschlich und Antlitz, wenn sie auch nur vom Nachbarn reden. Sie selber liegen derweil auf dem Rücken und spähen in den Tunnel der Geschichte zurück. Und was sehen sie dort? Die Erde, die ihnen heilig ist, weil ausgerechnet sie darauf geboren sind. Alles übrige ist Schall und Rauch. Es interessiert sie nicht. Denn es liegt alles darunter, unter ihrer Erdkruste. Andere wieder haben das nicht verwinden können und mußten verschwinden. Es müssen Opferdarsteller vorgebracht werden, fordert eine Epoche, die aber auch vorbei ist. Da ragt einer in seinen Tötungsstiefeln in die Höh (wie die Kanalräumer ihre Betriebskleidung tragen, wenn sie mit dem Lastauto und den Saugrohren der Firma wegfahren) und sofort wundert sich eine verschwindende Minderheit darüber, die aber nicht zählt. Manche schreiben dagegen in der Zeitung an. Doch andere verlangen immer noch gebieterisch ihre Andenken an den Hitler, der von hier aus geboren ist, zum Beispiel eine Segeljacht oder eine Gala Uniform. Bezahlen richtige, wenn auch nicht echte Tagebücher und Harmlosigkeiten, die längst keinem mehr wehtun. Das Persönliche erinnert den Deutschen nun einmal heftiger als bloße Theorie, die er nicht glauben mag. Dafür muß es einen Ausgleich geben, nämlich all jene, die nichts ändern können (an dieser Schweinerei) und selbst ihre kleinen Haufen unter die Asterln machen wollen. Gehen wir der Reihe nach vor: Was will diese alte Frau, die noch aus jener Zeit und davor stammt, was will sie, während dies und das auf der Welt geschieht? Einen Holzfäller, nichts weiter, unter einem Vorwand in ihren Keller locken und endlich auch einmal Praktiken an jemand vollführen, die Liebe? Er muß sich dann auf ihr Maß einstellen, das heißt, er muß sich auf die Zehen stellen. Er ist anderes gewohnt, aber nichts Besseres. Seien wir privat bei uns! Seien wir aber privat auch bei anderen! Der Starke gewinnt, und der Schwache kann sich zwar etwas aussuchen, aber er bekommt es nicht. Muß man sich da nicht ärgern, daß die völkischen Denker und Sänger auch heute noch ihre Plätzchen in den Herzenswinkerln backen? Sie müssen ja nicht unbedingt Karl Heinrich Waggerl oder so ähnlich heißen, diese Binkerln. Und nach dem Krieg ist der Philosoph rasch wieder von der akademischen

Mehrheit lauthals in sein ererbtes Recht eingesetzt worden, er wurde sogar Mitglied in einem Verein. Er wurde nicht Mitglied im PEN. Das Land zeigte bald wieder auf ihn. Es zeigte ihn außen vor. Künstler möchten es ihm sofort gleichtun, denn Künstler müssen immer alles nachmachen, wenn es ihnen nur etwas einbringt. Es begann eine Weltmeisterschaft im Vergessen, die wir zuerst im Wintersport, und zwar mit der Note Eins gewonnen haben. Keiner wird je unsere unsterblichen Schisiege bei der Olympiade (der Toni Sailer) vergessen! Die alte Frau will vor diesem imposanten Hintergrund gleichfalls ein Ereignis sein: Dichterin! Es ist ihr freier Entschluß. Berühmt werden wie der Philosoph einer gewesen ist. Sie würde mit niemandem tauschen wollen, sie würde die gute Luft hier gegen nichts im Leben eintauschen wollen. Glück ist vielleicht das einzige, das sie, außer Nahrung, freiwillig verschenken würde. Der Philosoph hat seine Werke aus seiner Gedankenfabrik entlassen, und schon mußte sie zwanghaft, zwergenhaft hinterher rennen, die Milchkanne mit den eigenen bescheidenen Gedichtbeeren schwenkend: Es sind die Gedichte eines ganzen gesammelten Lebens! Mit prallen Fäustlingen ist der Philosoph dann in ihre Vorratskammern eingefallen, der Verbrecher von früher. So einer steht jedoch über der langweiligen und billigen Tagespolitik. Hochgradige SS-Männer und Hitlerjungen (wollen einfach nicht erwachsen werden, die Kerle und Landeshauptleute), man nennt sie kurz und bündisch Ehemalige, denn nur damals haben sie richtig zu leben gelernt. Die sind ebenfalls da. Karriere haben sie später auch noch gemacht, jung gewohnt alt getan. Sie arbeiten heute, zu einer riesigen produktiven Anlage von Vergessen zusammengeschwitzt, daß nur keiner draufkommt! Es macht gar nichts, wenn ihnen einer draufkommt. Solche Männer braucht man zu allen Zeiten, damit das Wesen der Gemeinde funktionieren kann, sozusagen ihr innerster

Kern, wo Blumen und Pilze wachsen und die Häuser einen Preis für Blumenschmuck erhalten. Die Überreichung wird zu einem Fest. Diese Bürgermeister und Abgeordneten mit einer ihnen gütigen Vergangenheit, die sich durch Nachsicht längst verdient gemacht hat. Niemand schämt sich ihrer in diesem Land, sie sind zwar nicht gerade das Salz davon, aber sie sind trotzdem oft ganz oben zu finden, als Abschaum. Haben nämlich auch diese herrlichen Falottenstiefel getragen, und, was bei einem Mann wichtig ist, recht groß gewachsen! So Leute aus Licht, Regen, aus Eiskörnern. Im Hintergrund befindet sich das fugenlose Gebirge. Ein Mann muß nicht schön sein, aber mein, und Charakter großgeschrieben, belügt sich die alte Frau tapfer selbst. Wenn nämlich alle Jäger wären und keiner Wild, das ginge nicht. Jeder sieht das ein. Jeder an seinem Platz und in seinem Ort des Verbrechens am besten gleich Bürgermeister! Es gibt sie. Sie werfen Münzen ein und ziehen ein Packel Zigaretten hervor. Fahren auf Afrika Safari. Manche finden eine Mehrheit dort, wo sie gerade hinspucken. Die Zeitungen warten auf ihren Hochschaubahnen brav ab und schauen manchmal sogar hin. Am liebsten soll alles Deutsch werden und so bleiben, denn diese Sprache beherrschen sie bereits. Nun wollen sie auch die dazugehörigen Menschen beherrschen. Weg mit den Slowenen, den Kroaten! (Her mit denen, die beim Quiz alles erraten!) Und alles, was ihnen gleichschaut, gleich auch weg! Deutsch ist die Sprache der Dichtung und der Vernichtung. Man hört einen Schuß, und die Jagd ist ein Sport. Man muß sich vorher warm anziehen und nachher früh aufstehen. Die alte Dichterin hat in ihren Schriften versucht, die dunkle Brauerei bloßzulegen, aus der dieses bittere Bier auch heute noch fließt. Und die Redakteure legen alles zu ihren Aktenhügeln, diese Waldbauernbuben des schlechten Geschmacks, für den sie auch bei anderen sorgen, diese! die einst mit kurzen Hosen aus Tirol in die Stadt kamen. Die politisch ganz auf der anderen Seite (aber welcher? Da ist guter Rat erschwinglich) des Spektrums in einer Art Fußnote angelagert sind. In einem Glas, zusammen mit dem Sauerkraut und den roten Rüben. Jedenfalls sind sie meist trübsinnig, daß niemand auf sie hören mag. So wie sie sollen alle sein. Aber sie wollen zu der winzigen Minderheit der Gebildeten gehören. Sie sind wie von der Omi und der Uni her. Sie waren ja auch einmal Studenten! Inzwischen hat sich nichts geändert in ihrer chronischen Umzäunung aus Gartenzwergen, ein netter lebender Zaun!, der sie auf ewig von den in ihren Betrieben Krankfeiernden trennt. Es gibt inzwischen (immerhin heute 40 Jahre!) wieder nur die Einen und nicht die Anderen. In den Kärntner Schulen (falls Sie je von diesem gebirgigen tückischen Land mit seinen Sommerfrischen und Wirtshaustischen gehört haben sollten) wird übrigens Deutsch geredet, damit die Urlauber dorten sich sogar mit den Kindern verständigen können. In der berüchtigten Kärntner Frei = Ferienzeit, in der die Besoffenen über die sauren Almen kugeln, ist es manchmal anzuraten, Englisch zu können, denn der Fremdenverkehr verlangt danach. Lockruf des Goldes. Diese Kosmopolitaner, die sogar selber an den eigenen Seen kleben und daher von der Natur soweit bevorzugt werden, daß sie als erste das Wasser draus trinken und an seltenen Krankheiten krepieren dürfen. Dieses Wissen (bevorzugt zu sein) geben sie an ihre Enkerln weiter. Sie sind von der Natur persönlich auserwählt worden, und die Geschichte hat ihnen den letzten Schliff versetzt. Die Geschichte hat sie erst richtig ausgearbeitet, diese blassen Fotografien von Menschen. Diese Deutschlautsprecher. Heutzutage haben sie das Gütesiegel österreichischer Spitzenqualität vor den gierigen Schlündern hängen, diesen ausgezeichneten Heimatorden, und werden auf Lebendige losgelassen. Wohin sind die Anderen, die es auch noch gibt, verschwunden? Sie servieren Servietten und ein neues Set Spucktücher im Gasthaus zur Goldenen Gams, wo sie zum gut Glück angestellt sind. Die Einen essen dort regelmäßig zu Mittag, irgendwo müssen sie ja essen. Die besser verdienen als der Landesdurchschnitt. Die einmal Studenten waren, sind heute hohe Beamte und fahren mit ihren Familien, die schon im Kindesalter genauso korrupt sind wie sie, genau an der Böschung entlang, damit sie nur ja nicht drüber hinwegstürzen. Sie alle tragen, wenn auch aus verschiedenen Gründen, Anzüge mit rosa Krawatten. Lassen Sie sich bitte jetzt (unterbrechen Sie sofort, bremsen Sie sich ein, oder von mir aus auch nicht, es ändert gar nichts!) bei einem Sport, den Sie aber unbedingt beherrschen müssen, fotografieren! Auf dem Tennisplatz, dort ist es doch schön, oder? Dort kommen Sie in ihrem gesamten Ausmaß zur Geltung, wenn Sie nur weit genug von der Kamera zurücktreten, damit Sie ganz auf dem Bild sind. Treten Sie dabei aber bitte nicht auf solche, die noch weiter hinten stehen! Der Philosoph hat sich, fällt mir jetzt ein, ja auch gern beim Hupfieren oder mit seinem Flitzebogen ablichten lassen, ein Wort (ablichten) aus der Verstandes-(Vorstands) Sprache, die dieser vegetabile und auf den Kammerton eingestimmte Streithansel für das Ungewisse und gegen das Vernünftige beherrscht hat (in seinen Schriften) wie kein zweiter Zwitter. Der Frauen quälen muß, sonst empfindet er gar nichts. Wir alle sind schließlich fanatisch eingenommen von dem undefinierten Raum, der nur durch unsere Gedanken begrenzt wird, durch Unsagbares also, wie Klang und Licht und hohe Bäume! Wo unsere Vorstellung aufhört, dort fängt unser Wille erst an. Wenn unsere Vorstellung aufhört, dürfen wir uns verbeugen, WIR sind die Akteure, nicht die anderen. Die Grenzen der Natur sind nicht auszumachen, denn die Natur ist wunderbar und riesig groß. Berg mit so Schnee, gelt, das könnte euch so passen! Die Dienstboten der Besitzer, die Künstler und Intendanten und Friseure und Boutiquenbesitzerinnen (ihre Geliebten), die sitzen gemütlich in der Natur und schauen aus ihren kleinen Körpern hinaus ins Große, Unbegreifliche und hinauf zu einem großen Unbegreiflichen, dem Tausende von Hektar davon gehören. Der Künstler zwingt die Natur zur Übereinstimmung mit sich, sie soll gefälligst klingen lernen für den Individualisten (Individualtouristen), der sie recht verstehen könnte! Und der Besitzer der Landschaft zwingt den Künstler dann, wenn dieser am tiefsten versunken ist, mit ihm einer Meinung zu sein. An der Waldschützerfront kämpfen die Adeligen und Brauereibesitzer am leidenschaftlichsten, inzwischen glaubt sogar die Allgemeinheit, der Wald gehöre ihr! Haha. Erfolg Erfolg! Diese Erfolge darf der Dichter sich nicht ins Stammbuch schreiben. Übrigens Künstler: Wer kann die Natur schon so lieb anschauen wie jemand, der sonst nichts zu tun hat oder jemand, dem sie gehört? Was frei ist, grundsätzlich frei, sind einmal die Gedanken, nur wenn sie von Politik zusammengefaßt werden, machen sie unfrei, spricht die Presse. Die sich auch um die Kultur zu kümmern hat. Nun werden es jedes Jahr mehr, die ungeschminkt zu denken behaupten wie der Philosoph, der für die alte Frau gedacht hat. Immer mehr Leute stöbern die alte Frau hier draußen auf und wollen Anekdoten und Geschichten über den Verstorbenen einvernehmen. Von den Gedichten der alten Frau wollen sie aber grundsteinlegend nichts wissen. Nur einer könnte ihnen die Natur so schön in kleine Bissen vorschneiden wie der teure Tote. Und das sind sie selber. Wenn sie empfindungsfähig und daher empfindungswürdig geblieben sind. Die Erde ist bevölkert. Und auch in diesem Land wird das nationale Geflügel wieder in seinen Brutanstalten tätig. Die wollen schon wieder (wenn sie überhaupt damit aufgehört haben) Minister und Landeshauptschutzleute werden. Ihrerseits Hände schütteln. Im Parlamentsposament wollen sie an führender Stelle vertreten sein, und zwar genau so wie sie eben sind, die schminken sich nicht einmal mehr die Lippen. Sie sind persönlich. Steigen über Frauen hinweg, die im Bikini auf einer Wiese in der Sonne liegen. Ziehen ihre fesche alte Niedertracht an, um eine Autobahn oder eine Brücke zu eröffnen. Sie halten sich einen rassigen Hund. Es wird einem heiß und kalt von ihnen. Sie haben einen Teil der Menschheit mit ihren Fäusten zerfetzt oder sich auf andere Weise auflösen lassen. Heute genügen ihnen dafür Rätselzeitschriften. Aber sie sind keine Dämonen. Sie bohren wie du und ich Löcher in die Wand und hängen Bilder an Haken. Sie kuscheln sich, friedlich geworden und somit wieder ehrgeizig, zusammen, die völkischen Früchterln. Denn sie sind schon seit vielen Jahren fast unbemerkt reif geworden. Sie sind und haben Generationen. Waren früher bekleidet mit: Schirmkappen, Koppeln, Lederstiefeln. Sie waren blond oder braun, liebten bei weitem nicht alle Frauen. Ledermäntel sind heute noch zu kaufen. Kuscheln sich also zusammen: Hier Heimat im Osten, dort Helmut im Westen. Das sind nämlich Begriffe, die wieder etwas gelten. Wollen wieder überall zu Haus sein und fahren daher auf Urlaub. Sie verschmelzen zu einem öffentlichen Schatten und sind in sich ganz zuhaus. Pflanzen ein blaues Gebüsch im Vorgarten. Ihre Frauen tragen Handtascheln. Auch sie sind wer. Auch ihre Vergangenheit ist es schließlich wert, noch einmal gelebt zu werden. Rücken alle zusammen und haben Gefühle, die sie in erster Linie der Natur zukommen lassen. An diese Gefühle kann man Haken nähen und sie wie die Schonbezüge in einem Wohnzimmer wegziehen, wenn die Rede auf Tempo hundert kommt für ihre Autos, mit denen sie sich prinzipiell besser verstehen als mit der Heimat. Das ist verständlich, obwohl man an der Heimat und an den Autos verdienen kann. Man muß schon hier, im Inland, geboren sein, um das alles zu begeifern. Und mit den anderen, weg damit! Unser Obst ist, wie gesagt, endlich reif. Ausländer raus. Sogar vom Staatsoberhaupt ist anerkannt, was uns alles gehört. Es wird uns garantiert. Wir sind die unerhörten heimischen Vorkommnisse: Denn wir kommen hier vor! Fremde raus. Touristen rein. Herzlich willkommen, zahlender Gast! Wir vermieten uns und unsere Fremdenzimmer mit fließend Warm- und Karlwasser. Schauen Sie hin, jetzt spricht sogar im Fernsehen jemand mit Gefühl von uns. Vom Gefühl werden wir vereinigt. Aber nur mit Gefühl können wir uns noch lang nicht vereinigen, wir müssen unserem Partner auch sonst einiges bieten. Diese Leute leiten das Heer und das Gesetz neuerdings an, damit beides nicht in die falsche, sondern in ihre Richtung läuft. Das sind die wahren Revierförster im Kampf gegen diejenigen, die sie alle am liebsten erschießen würden. Jäger, haltet zusammen. Denkt richtig! Seid zuhaus! Geht über die Dörfer hinweg, denn sie gehören euch längst! Seid alle gemeinsam! Und als nächstes den Papst anbeten, wenn er sich entschließt, einmal herzukommen. Sie sollen, wenn endlich abgestimmt wird, für Gott und seinen Vertreter deutlich die Hand heben, damit sie gezählt und für zuwenige befunden werden. Heimat, her! Wenn der Hl. Vater dann auf seinem Schimmelauto hereinrollt, sind sie schon fast zerstampft vor lauter Rührung (und zerstampfen ihre Gegner, die nicht an Gott und dessen Reisende glauben). Sie sind auf dem Boden nur winzige Erhebungen, weil sie alle dort knien, das gehört nun einmal zum Brauchtum dieser nützlichen Religion. Die Sozialdemokraten stehen derweil geduldig an der Pforte des Vergessens und fahren jeden Tag (ebenfalls geduldig) die betonierte Autobahn des Niegewesenen entlang. Ihre Führer sind mittlerweile die Krätzen des Proletariats geworden. Schämen sollten sie sich, und ihre Partei sollte sich ihrer schämen. Keiner schneidet sie aus dem Fleisch der Arbeiterbewegung heraus, bevor sich die Arbeiter überhaupt nicht mehr bewegen können. Die Volkstumskundler sind jetzt auf einmal in der Regierung, diese Krebsgeschwülste. Und schaffen an! Sie hupfen einmal im Jahr über ein Sonnwendfeuer, aber auf jeden Kommunisten, den sie sehen, auf den treten sie sorgfältig drauf. Diese ich weiß nicht wer. Mir fehlen die Worte: ach, auch aus der Gewerkschaft kommen sie. Die auch einmal Anführer sein wollen, denn es ist ihnen zu lang vorgemacht worden, daß man welche braucht. Endlich sind auch sie am Zug. Sollten lieber vor Schande Erd auf ihre Köpfe häufeln. Diese Schlachtenbummler, die mit leeren Flaschen schmeißen. Eine Fabrik ist einmal ein Ehrenplatz gewesen. Aber wenn es auf der Welt brennt, fahren sie ungefährdet hin (Nicaragua) und kommen als unbelehrbare Ausflügler wieder nach Haus. Das ist der Preis für ihren Ruhm: die kleine Koalition. Endlich sind auch die Nationalen wieder auf der großen Seite der Mehrheit und haben daher recht (auch sie, auch sie scheißen dorthin). Sie dürfen sich Interessenten einladen. Schon ducken sich die nationalen Nistplätze in die Spannteppiche der Gremien und Ausschüsse und machen ihre Scherze mit denen, die sie früher mit Schuß und Tritt zusammengegatscht haben. Nun, dann gehen Sie eben zum Russen, wenn Ihnen was bei der Anprobe des braunen Anzugs nicht paßt. Wenn beide Seiten es genießen, was will man da tun? Gott, der Bundeskanzler und der heilige Ungeist falten ihre Hände über denen. Und wenn wir noch ein bißchen haushalten mit uns, kommt auch noch das Gemüt ins Öffentliche! Und bitte, was sagen Sie nun, hier ist es schon: Hören Sie mir gut zu. Da fährt ein früherer SS-Todesbrigadist, obwohl er mindestens zehn Meter von jeder menschlichen Ansiedlung entfernt aufgestellt werden sollte, zum Vortreten und Aufzeigen und Gedichtaufsagen im Namen aller seiner Bürger,

Untaten und Untertanen, ein Mann aus Mayrhofen (Ziller-tal in Tirol, die beste Adresse in dieser Gasse) wohin fährt er? Nach Amerika, wo manchmal die vielen Schifahrer zu uns herüberkommen. Aber was geschieht dann? Kurze Pause bitte. Für eine Ausschweifung: Die Europa entwen-deten Juden, die heute in Miami, Florida, wohnen, schmei-ßen ihn gleich wieder komplett aussi. Hier kommt er also wieder retour und nun ist auch er ein schmählich Ausgewie-sener aus: kein schöner Land in dieser Zeit als hier das Unsre weit und breit, wo die Olympiade stattgefunden hat, dieser Goldregen. Auf Fotografien und Videotapes ist das alles für uns festgehalten worden. Das wissen Sie ja schon. Der Bür-germasta hat sich dort aufgebläht vor lauter: den Kopf aus dem Fenster halten, denn wir sind inzwischen rehabilitiert und haben ernstlich ein Amt zu bekleiden und unsre Frauen mit Pelzmänteln. Wir sind wieder wer. Der Bürgermeister verdient vernünftig, seinem Maß entsprechend, an den Fremdenverkehrslaunen von Ausländern. Mit seinem Bu-ben ist der erste Bürger seiner Stadt Mayrhofen dorthin gefahren, wo das Saison-Geld auf ihn wartet, eine Musikka-pelln hat gespielt sursum bumm bumm, wie Nietzsche heute sagen würde. Das Hausbergl, wie ich heute sage, denn so heißt der Mann, ist über den Ozean bewegt worden, genauso wie ihn früher kein Flehen aus Menschenhals zu bewegen vermochte. Der ist eine menschliche Brandung, die alles überschwemmt. Hat Kinder und Frauen ins Moor gescheucht wie die Fliegen von seinem Tisch, und jetzt auf gehts in die Sümpfe Floridas, wo es sogar Krokodile und Indianer gibt, die man auch heute noch ausrotten kann. Das Hausbergl! Grüß Gott. Heute fahrt der nur mehr mit sei-nem Mercedes Schlitten. Dieser Ehrenstich von einem gewaltsam eingedeutschten Ländler, der nur in der Schreib-stub gehockt ist, während die anderen, die wahnhaft Akti-ven, mit ihren Reißzähnen (nur für den Eigenbedarf an

Nahrung, so ist die Eigenart des Raubtiers in den heimischen Wäldern) so lebendige Leutln, gelt, geschlagen haben. Sagt er. Das Tier kann nichts dafür, daß es mit solchen verglichen wird. Das sind Schlachtzimmer, eigens dafür eingerichtet, denn irgendwo muß das Blut tüchtig spritzen dürfen. Oben offen sind diese Zimmer, damit das Wetter auch noch hineinprügeln kann. Die Witterung wird oft von den Fremden nicht gebilligt. Ich wiederhole es hier noch einmal, wenn es sein muß: Das Hausbergl hat von alldem nichts gewußt, Sie brauchen es also nicht noch einmal zu befragen. Sie brauchen gar nicht so blöd schauen oder mich anzeigen! Dieser Todeshotelier, dieser Bürgerkleister, der die Gemeinschaft beleidigend und unnötig zusammenhält, weil ihm vieles an Besitz gehört in diesem Alpenvorort. Ist nicht so einfach, denn wo kann man heute noch Goldzähne herausbrechen, wenn man zum Zahnarztberuf nicht gerade berufen oder geboren ist. Gut gut, er verbeugt sich in Florida, nachdem er eine Volkskundedarbietung geboten hat, dieser Einmannbetrieb im Jodeln und Dodeln, der verbeugt sich jetzt so tief wie der deutsche Bundeskanzler und kriegt hernach einen Orden und Buketts. Kriegt Geschenke. Verschiedene Industrien zahlen gleich vor Freude und nehmen danach wiederum etwas Geld ein. Die Stadt Mayrhofen im Zillertal werden wir uns merken müssen, die hat sich noch nie bei seinem Anblick (beim Anblick von ihrem ersten Bürger) übergeben müssen, sonst müßten die Mitbürger, die keine Totenmeister sind, ja dauernd über Lacken hupfen, selbst bei gutem Wetter. Und wie viele Jahre hat er die Stadt jetzt in der Faust! Er wird von den Produkten dieses Oberorts (Handwerk für die Andenkenläden) und dann, weiters, von ganz Tirol, das unter einer Dornenkrone schmachtet, die die Italiener ihm aufgesetzt haben, als es nicht hergeschaut hat, jeden Tag höflich gegrüßt. Er ist ein Meister seines Fachs, in dem die Leichen aufgeschichtet liegen, die er früher in eigener Erzeugung hergestellt hat. Ein Tiefkühlfach ist das, denn die Leichen sind schon alt, aber immer noch frisch. Mehrere Frauen nehmen ergebenst die Kopftücher ab. Dieser Mann antwortet auf alles, sogar im Rundfunk, ohne Verlegenheit, aber in der österreichischen Tradition der Verlogenheit. Gleich wird es wieder privat werden, keine Angst. Das Papier erstickt ja sonst. In dem dunklen Wald rings um Mayrhofen spielen Hirsch und Reh sich mit den Bäumen. Auf den Fensterbrettern wachsen Blumenkisten. Denn im Ausland braucht so ein Ort ja eine Auslage, in der es sich spiegeln kann. Es gefällt dem Bürgermeister, diesem Repräsentanten, hier so gut in diesem Frischluftdepot (zum Tanken und Bedanken), daß es eigentlich auch anderen gefallen müßte. Jedoch nicht jeder hat so ein großes Herz für Tiere und die Natur. Und gerade in diesem kritischen Moment, da alles auf des Messers Schneide steht, da es um Sein oder Hänschen Klein an den heimischen Frischluft Bühnen geht, da hauen ihn die Juden diese internationale Mafia aus Amerika raus. So eine Schand. Obwohl die Presse gewaltig übertreibt, es war ganz anders! Wie, das wissen wir nicht. Das können wir gar nicht wissen. Der Bürgermeister und sein sich der Öffentlichkeit bedrohlich nähernder Sohn (30), der auch einmal in eine Menschenschule gegangen ist, sprechen im Männerchor: eine Bagatelle von dieser Bagasch! Und wem hat es genützt? Österreich nicht. Sehen Sie. Der ortskundige Mayrhofer schweigt und gießt Öl ins Feuer. Es schämt sich keiner wegen sowas. Da ist schon Schlimmeres vorgekommen, ohne daß die Öffentlichkeit es bemerkt und sich darüber unterhalten hätte. Der Bürgermeister war schon oft zu unrecht der Hauptredner in seinen Hosenbeinen, an einem festlichen Abend. Was war ist vorbei. Was war ist nicht. Der hat seinen Ort inzwischen komplett ausgrünen lassen, da kommen die Sommergäste bald, weil es keimfrei gemacht ist. Die Armut wie die Anmut haben wir an diesem Ort längst ausgerottet. Dafür haben wir die Sklaverei bezüglich des Fremdenverkehrs eingeführt in diesem Jahrhundert. Das ist eine Leistung. Die Dienstmenschen in dieser Branche (davon erfahren die Ärzte nichts) bluten sich vor den renovierten Bauernfassaden und den übrigen Ehrengebäuden zutode. Die einen leben im Wohlstand, die anderen fühlen sich wenigstens gesundheitlich nicht wohl. Der Fremdenverkehr ist die größte Frauenvernichtungs Maschinerie, der läßt ganze Menschengruppen (weibl.) auf dem Bauch kriechen und ihr bäuerliches Erbe für total Fremde aufpolieren. Das ist ein Erbe, das immer die anderen kriegen. Ja, Herr Bürgermeister, ich fordere Sie auf. Jetzt aufpassen: Weil die Juden in den USA, wo dieser Nachbar von uns allen mit einem Liedl aufgetreten ist, einen Aufstand gemacht haben (die wollen nicht schon wieder eigens Schiffe mieten müssen), was wird los? Da muß auf einmal der Herr Landeshauptmann von Tirol, also der Oberste vom Oberen, der ohnedies seit langem informiert worden ist, seine Werkstatt urplötzlich von den Hobelspänen befreien, die immer nur die anderen sehen können, komisch. Der muß jetzat aufkehren und ausgerechnet jetzten diesen Mann aus seinem berühmten Ohrenbläserensemble entfernen (die ihm nämlich in die Ohren blasen, wieviel Subventionen sie vom Land benötigen). Niedrigste Zeit, schade! So ein Tiroler Landl hält viel aus im Lauf seiner erniedrigenden Geschichte, sogar Italiener, die die Deutschen kujonieren und dafür mit Treibbomben in den Äther hinauffliegen sollten. Als Engelgeschwader. Aber daß die hl. Schifahrer aus Übersee mit ihren gführigen Brettln für den wunderbaren hl. Mayrhofenschnee ausbleiben könnten, nein, das kann auf Dauer nicht einmal einem Heiligen nützen. Und uns auch nicht. Deswegen wird ein Wort zu dem Bürgermeister auf seiner Heimschaukel gesprochen werden müssen. Von Mann zu Mann, von Oben zu Oben. Das wird er gewiß verstehen und sein Amt ablegen. Jetzt wird mit diesem Bürgermeister von der Großen Seite her geredet werden müssen. Sonst haben sie in dieser beliebten Firma, wo die Felsen in den Himmel wachsen und der Käse in die Form wächst, die ihm gebührt, nichts gegen den Mann, der ein wirtschaftliches Interesse an seiner Gemeinde hegt, nämlich: die Meisterprüfung im Geldverdienen ablegen! Die Fremden aussackeln! Dem Mann gehörten ja der Fremdenverkehr und dessen Institutionen und Melkschemel dorten, und daher müßte er sich selber beseitigen wie Abfall. Das kann keiner von ihm verlangen, der nur ein Buch schreibt. Wer ein Buch schreibt hat schon verloren, weil er dafür jede andere Aktivität aufgegeben hat. Das geht nicht so. Der Mann hat ja frühestens Skelette im Handerl gehalten, dieser, der fast so hoch gewachsen ist wie der Präsident. Das geht heute nicht mehr so ohne weiteres, ist aber lange gut gegangen. Die Journalisten könnten es mit einem Kugelschreiber notieren. So eine Ausschweifung. Und die einem ihnen Gleichsinnigen dieses Regierungsbankerl untergeschoben haben? Es sind genau solche, die ihr altbackenes Niewieder (wie oft haben wir es gehört? Einmal? Zweimal?) auf bunten Heimatabenden aus dem Mund nehmen, abspülen und wieder in die Kiefer zurückstecken. Aber sonst wollen sie nicht zurückstecken! Dieses Eis ist glatt. Die Roten, wie der Volksmund zum Beispiel in Vorarlberg solchene Halbrechts Abbieger nennt, diese Rotte, ausgerechnet die, die ganz den Mund halten sollten, zumindest aus Verlegenheit, treffen am Fließband der Tapezierer und Tanzpartner fürs Haus Österreich (also der Mittelstand, ders Weltkugerl tragt) mit dem extrem nationalen Rudel zusammen und kracks. Sie wollen sich allesamt Helme aufsetzen. Die Fensterscheiben zittern, wenn solche Nachttiere unterwegs sind. Viele verstehen sie schon halbwegs wieder. Der Boden schwankt unter ihnen, Risse tun sich mitten in der Gemeinde auf. Sie streiten erbittert um eine Anschaffung, ein Schwimmbad, eine Hallensauna, eine Pilzkultur, ein Kurzentrum für das Sommerensemble. Es ist ihnen prinzipiell alles zu teuer, diesen Bürgern und Preisträgern und sonstigen Zusammenzählern. Die Nacht zuckt vor Entsetzen, obwohl sie einiges gewohnt ist. Sie hat noch zur Erinnerung die Stiefelbitten gekannt. Und die Sozis in Österreich: sprechen neuerdings in ihrer Haussprache mit denen! Saufen sich an. Aber DIE werden nicht die warmen Hauspatschen anziehen, wenn sie mit den Rotzüglern (Sie haben rechtgelesen, nur ihre Zungen sind rot!) schlittenfahren! Viele wissen das oder haben es läuten hören. Die Roten haben neuerdings nur einen Ehrgeiz unter ihrem neuen Anführer: für das Nationallager in Braun keine Fehlinvestition sein! Die sind jetzt in unserer ureigensten Regierung, tobt das Volk nicht, denn es ist ortskundig. Es findet nicht einmal eine Massenrücksendung von Parteibüchern (Drecksache) in der sozialen Kanalabfärbung Rosarot statt. Diese neuesten frisch gewachsten Regierungsmuskeln auf dem Minderheitenbankerl (die jede Minderheit sofort bekämpfen, wo sie noch eine finden), die lassen keinen Halm zu hoch in den Heimathimmel wachsen. Die trauen sich jetzt und treten als Belegschaft der Firma Austria (Gipse & Platten) aus ihrem eigenen finstren Schatten heraus und vors Mikrophon. Bereiten ihre Wiederkunft schon vor wie der gemeine Hausschwamm, der sich gern einnistet, wo das Wasser freundlich längere Zeit rieselt. Besonders auf dem Land und dort vor allem in Kärnten (außer Tirol, Salzburg, Vorarlberg, Nieder mit Oberösterreich, Steiermark, Burgenland, Wien und was sonst? Bitte melden! Zum Aufgeschriebenwerden!), wo die Fremden wie die Forellen springen, wenn sie eine Sehenswürdigkeit erkennen. In der Strafwirtschaft und der Gefängnispolitik, an der man eine

Kultur deutlich erkennt, lacht der Vertreter des kompletten Bausatzes für Anfänger: «Recht und Unrecht für das gelehrige Kind zum Selber Zusammenbauen» mit auseinandergerissenem Gaumen dem Publikum der Republik frech ins Gesicht, wenn er über das Sonnwendfeuer springt, selbstverständlich rein privat. Mit einem Mädel vielleicht, das gebären muß, wenn es kann. Es geht allein mit und nicht gegen die Natur, es gilt: verwalten, nicht vergewaltigen! Wie für das Weibliche schlechthin, diese größte aller Unordnungen. Die Besitzer der Sau Wirtschaft haben ja immer genügend Zeit und Anlaß zum Sportieren gehabt. Und fürs Aussortieren von Aas ebenfalls. Und damit schließt sich der Kreis schlußendlich wieder fürs reine Erzählen, und wir begeben uns ein letztes Mal in die Natur hinein, solange der Vorrat reicht. Am Himmel stehen Sonne, Mond und Sterne, wenn auch nicht zur gleichen Zeit. Ein herrliches Wunder ist mithin geschehen. Legen Sie die häßlichen Köpf in den Nacken und schauen Sie genau hin! Sie sehen es jetzt! Haben Sie es auf Ihrem Schirm! Sehen Sie es jetzt sofort! Sehen Sie nichts anderes mehr! Dieser gute Rat stammt von mir. Runzeln Sie nicht die Stirn und bleiben Sie der gelben Mittelstreife fern! Die alte Dichterin, Hauptfigur in dieser allgemeinen Unordnung hier, aber das Gras wächst ja auch wies will, sieht die Wahrheit so wie man sie ihr immer dargeboten hat: soviel zur Politik. Gerade weil das Politische immer recht hat, sollten Bücher darüber schweigen. Die künftigen Dozenten und heutigen Assistenten wollen nicht über Gedichte, sondern über das wahre Leben des Philosophen reden. Über den, von dem nichts übriggeblieben ist als ein paar Festmeter Schriften und ein Paar feste Schuhe, für die es keine Wanderungen mehr gibt. Die Assistenten sitzen ja auch lieber auf dem Monte Video und schauen in die Ferne. Der Philosoph hat einmal kleinenteils dieser Frau, neben seiner verstorbenen eigenen, gehört. Wie und warum hat er so gedacht? Und wie ist es dieser alten Frau gelungen, aus dem Walzwerk seiner Gedanken immerhin im Vollbesitz ihrer Haardecke (als solche beschädigt) hervorzugehen? Dies ist Vergangenheit und ebenfalls eine Lüge. Es soll noch lang kein Ende mit ihr haben, erbittet sie sich. Das wünscht sich jeder. Sie hat noch ein großes Werk zu verfassen, nur eins noch! Und einmal außerdem möchte sie sich in Liebe zur Ruhe betten und dann so daliegen bleiben, spricht sie unhörbar den Holzknecht an. Er wird schon wieder zu ihr heraufkommen, denn er muß ja einmal essen. Sie denkt in Liebesfragen liberal, das heißt lieber an sich als an andere Frauen, aber auch lieber an die Liebe als an andere Fragen. Lieber alles als nichts! Sie ist noch nicht zu alt dafür. Sie ist bekleidet mit: vorn durchgeknöpftem Jeansrock, Bluse, Strickjacke. Sie wartet heute, bis es dunkel wird. Das Dunkel ist der treueste Kumpel des Alters. Die Assistenten des Philosophen fahren bald nach Griechenland auf Urlaub. Sie nehmen einander gegenseitig mit, nie können sie sich voneinander separieren, außer wenn sie Karriere machen, einer auf des andern Rücken. Solche Leute (und nicht der Rückspiegel in Ihrem Auto) sollen Ihnen die Welt erklären! Der Philosoph hat der Frau damals nicht einmal gestattet, der Welt auch nur unter die Hutkrempe zu blicken. Und jetzt bilden seine ehemaligen Assistenten Freßkommandos, die über die Alpen ziehn wie Hannibal oder ins Elsaß, in die wunderbaren Restaurants. Zu essen was einen freut ist eine großartige Mode. Die Namen von Gaststätten werden unter den Assistenten ausgetauscht wie die Codewörter, mit deren Hilfe die Sonnenensembles und Freilichtbühnen in Salzburg gegeneinander jedes Jahr antreten: Karajan oder Nichts! Das Sein oder Karajan. Aber die alte Frau würde niemals wagen, einem dieser jungen Denker hinter seinen Schlitz zu fassen. Und diese ihrerseits sehen lieber eine junge Dame, der alles ein bißchen egal ist. Sie wollen sie heiraten und Kinder bekommen. Sie bitten sich ausgerechnet von so einer ein Foto fürs Brieftaschel aus. Die alte Frau ist derweil die Zusammenseite (also die bessere Hälfte) der Kunst, was ihr von den dahergelaufenen Assistenten nicht geglaubt wird. Die sind damals zum Ehrenbegräbnis der Stadt Wien gefahren, sind aber längst wieder zurück. Es war das Begräbnis vom Philosophen. Der Zentralfriedhof ist fast so groß wie ganz Wien. Die fast an der alten Frau zu Mördern geworden wären (in Küb), stehen da vor einer Grube, die sie nicht selbst gegraben haben. Politik pfui. Ein anderer Mensch, der in Küb ebenfalls Zeuge war, hat die alte Frau zur Probe einmal von fernher grüßen lassen. Auf einer Ansichtskarte. So etwas ist Ansichtssache. Es existieren gewisse Fotos, die die Post nicht anvertraut erhält und mit gutem Grund. Die Universitätsarchive würden ein Vermögen dafür zahlen, sie für immer verschwinden lassen zu können. Es sind sogenannte Kuriositäten. So wie Bierflaschen, in denen man wie zufällig Wein aufhebt. In einem kurzen Fortbildungskurs könnte man das alles jetzt gleich ein für allemal erledigen: Der Philosoph hat zum Beispiel die alte Frau sozusagen zwangsernährt, also geschoppt. Wie ein Gansl. Dafür würde kein Kind in Afrika verhungern. So hängt alles zusammen. Armut und Perversion. Anmut und Ehrgeiz. Hochmut und Kunst. Der Philosoph war, das steht inzwischen fest, Asket (nicht Azteke! Nicht Prolet!). Er hat zudem lange Sport betrieben wie die breite Mehrheit, die sich durch die Täler wälzt. Diese mittlerweile stinkigen Gletscher! Die alte Frau ist gleich nach dem Tod des Philosophen aus Wien weggezogen. Mit diesen Auswurfsendungen im Postkastel (denen Assistenten!) wollte die Frau Aichholzer nicht mehr länger in einer gemeinsamen Stadt leben, die ohnedies längst den unsterblichen Meistern des Goldenen Operettenzeitalters übergeben worden ist. Sie muß aufs Land, in die frische

Luft, darüber sind sich auch die Assistenten einig, als wären sie allesamt schon bei Gott und könnten befehlen. Auf dem Land können wir sie dann alle besuchen und auch über sie in Ruhe schreiben, soviel wir wollen, außer sie schreibt einmalig über uns. Die Frau Aichholzer und die Assistenten, wie sie sich alle in einem gemeinsamen Fluchtpunkt irgendwo treffen, das widerspräche der Ideologie des Genusses! Und zwar buchstabengetreu. Diese Frau ist ein einziger Geschlechtshaufen. Sie ist noch nicht zu alt, etwas Neues zu erlernen. Aber sie kann nichts Neues mehr beginnen. Sie verhehlt dem Holzknecht bis zum Schluß ihre Absicht, ihn zu dressieren. Die Hausfrau hat ja immer das Wohl der anderen im Auge. Ihre Gedichte sind keine Zugnummern in einem literarischen Buchprogramm, denn sie werden nicht abgedruckt. Sie hat kein Herz, daß sie intime Dinge ausgerechnet einem Gedicht anvertraut! Herzig war sie auch nie. Aber sie war fesch. Sie war früher schon nicht jung. Das Liebesflehen scheint keiner aus ihr herausprügeln zu können. Frauen sind im gewissen Sinn schwer erziehbar. Dabei könnte sie gemütlich Kaffee und Kafka trinken. Beim gedeckten Tisch. Sie wird zu keinem Symposion im In- oder Ausland eingeladen. Und es ist doch für jede Frau ein Bedürfnis: andere dran teilhaben zu lassen! Ihre gemeinen Einfälle sind auch noch gereimt. Sie haben aber zuwenig Halt in ihrem Gerüst aus Gedicht. Vor der Klotür hartnäkkige Tröpfelflecken. Der Holzknecht bringt ihr bereits aus dem Konsum das einzig wirksame Gegengift, das den Boden sukzessive unterminiert und abträgt, den Fleck aber im Prinzip stehenläßt. Wie nach dem Krieg, als es ans große Säubern ging bei den Leuten, die einst gut gelitten waren und nie selbst leiden wollten. Die alte Frau prahlt, daß sie die Philosophie immer noch nicht in ihrem ganzen Ausmaß begreifen könne, obwohl sie jeden Tag ihre Leistungen gut durchputzt, nichts geht mehr durch die Leitungen. (Verkalkung!) Fast wäre sie durch Kunst unsterblich geworden. So ungebildet wie zu des Philosophen Zeiten ist sie heute nicht mehr. Da, ein widernatürlicher Aufschrei, unter den heutigen Gästen ist sogar ein berufsmäßiger Dichter und Dilettant hier hervorgetreten. Er soll über ihre Gedichte ein hingeneigtes, also windschiefes Urteil sprechen, sie wird sich ihm beugen. Dafür liegen als Werkzeug bereit: dreihundert Werke und Liter Wein zum Spülen. Und Gedichte zum Spielen. Der frisch angekommene Dichter (den Wagen hat er sicherheitshalber, weil ihm sein Körper zu kostbar ist, unten stehen gelassen) zankt noch mit sich und der Natur, die er weder in seinem Werk noch im Werk dieser Frau wiedererkennen kann. Doch in seinem Werk wird ein Baum recht ordentlich beschrieben, denn auch das Kleine, ja gerade das, zähle bei ihm ganz besonders hoch, protzt er mit seinen Schenkelhälsen, die, wie beim Bergwanderer und im Gegensatz zum normalen Menschen, zu weich ausgefallen sind. Der Rohbau Natur hat auf einem Höhenunterschied von derzeit zweihundert Metern in der letzten Stunde recht hart auf ihn eingeschlagen. Er soll sofort zu lesen beginnen (der Flachmann). Er soll arbeiten, kaum daß er mittels Alkohols aus den Schuhen gekippt ist. Sie sitzen also gemütlich beisammen. Die sich gegen den Sturm der politischen Verhältnisse hierzulande am Kunstgeländer festklammern, sich sogar festbinden lassen. Immer rechtzeitig um Unterstützungen einreichen. ER (-ICH) kennt die Natur nur vom Arbeiten. Und das geht so: wenn arme, ausgemergelte Männer mit ausgeleierten Pudelmützen auf den beschämten Köpfen und mit Gamaschen aus Loden und mit billigen Strickjacken aus dem Ausverkauf oder dem zähen Schleim, der von den rostigen Stricknadeln ihrer Frauen herabträufelt (der unendlichen Vorwurfswolle), steifgefroren schon, wenn sie aus dem Bett kriechen, in den Hochwald auf die Alpe aufsteigen. Welche Behörde im Bereich der uner-

schöpflichen und unergötzlichen Natur hat die heut früh
ausgespieen? Diese armen müden Männer. Sie sind der
Reichtum dieses Landes, widerspricht die Landeshymne
jeder menschl. Vernunft, nämlich seine Söhne und deren
Darsteller. Die einen Söhne gehen zum Jagen in den Wald,
die anderen Söhne züchten und pflegen das Schußwild wie
kosmetisch (wie sie ihre eigenen Wohnungen nicht einmal
pflegen könnten). Die Arbeiter, sagt der Volksmund wahrheitsgetreu. Da wollen wir die Töchter lieber gar nicht erst
anschauen gehen. Bleiben wir lieber auf dem Sessel sitzen!
Es sind noch andere gemeinsam. In den Sägemühlen und
auf den Großbaustellen der Straßen und Stauwerke.
Wächst auch einmal Gras drüber oder der Unweltschutz
wird sich entsetzlich beschweren gehen. Ganz allein ihr
Wort gilt überhaupt nichts. Ganz allein ihr Werk gilt soviel
wie es wert ist, falls jemals beendet, aber sie waren jeder nur
ein kleiner Bolzen im Gerüst. Das Fertige ist dann ein riesi-
ges Gebäude für das Allgemeine, an dem sich gemeine Männer (in der Breitensportart bis zum Minister!) bereits persönlich bereichert haben. Aber niemals die, die es gebaut
haben. Keine Kühe gehen hier mit schwerem Tritt herum,
nur mehr die Touristen in ihren Spezialschuhen, nach den
Kühen jeden Tag vergebens suchend. Die Arbeiter haben
alle ihre Sparkassenbücheln. Das dazugehörige Geld Geld
Geld können sie sich nicht einmal vorstellen, weil sie es noch
nie auf einmal zu sehen bekommen haben. Müd zählen sie
die Ertragszinsen an ihren Fingern ab. Die sie sich noch
nicht abgefroren oder abgehackt haben, reichen dazu aus.
Es ist für ihre Kinder getan, von denen sie tödlich gefürchtet
werden. Sie sind für ihre Kinder abgetan. Die Kinder sollen
sich dennoch einmal fortfreuen, verlangt die Gattin, diese
Geldretterin. Diese Goldmarie. Die Kinder sollen sich
freuen, wenn sie nachhaus kommen und werden auf ihren
Mopeds von betrunkenen Lastwagenfahrern verlegen zur

Seite gescheibt. Alle haben das gemeinsame schöne Hobby: Schlafengehen. Kennen das Licht nur zum darin Arbeiten. Sind doch auch ein Mensch wie du, aber warum trinken sie soviel, was du nicht tätest, lieber Bub und liebes Mädel? Auch was sie sonst zu sich nehmen, ist sein Gewicht in Geld nicht wert, das viele Fett! Jetzt kommen die Nachrichten im Radio. Sie brechen sich jetzt die Glieder, während es Interessantes zu hören gibt. Kriegen nach Verletzungen Muskelschwund und müssen sofort ins Tobelbad gebracht werden. Dort lernen sie eine Trafikantin aus Villach kennen und lieben, weil sie der eigenen Frau daheim überhaupt nicht ähnlich sieht. Das ist schon Grund genug: der Reiz, den eine berufstätige Frau auszuüben vermag. Sie ist außerdem nicht immer anwesend, wie schön. Die verlassene Ehefrau nennen sie im nachhinein (in die Nacht hinein) einen fühllosen Steinsbrocken, wie sie im Licht eines Liedes oder Schulgedichts einmal gehört haben. So wenig fühlt sie. Es ist diesen Männern im Winter zu kalt und im Sommer zu heiß. Als könnten sie es sich aussuchen. Nie kann die Witterung es ihnen rechtmachen, darin ähneln sie wieder ganz dem Alpinisten. Grau und eisig sind sie selber. Sind jeden Tag müd, wenn andere sich erst sachverständig aufzudrehen beginnen. Ihr Stolz sind ihre Kinder, die im Rang gleich nach dem Häuselbauen kommen, und die sie kaum einmal lebend zu Hause antreffen. Sie machen sich Sorgen. Sie wissen gar nicht, welche Auswahl an Sorgen überhaupt möglich ist (Wirtschaftsverbrechen?). Denn sie sind nie lautstark und autark im Ausland untergetaucht. Dürfen nicht einmal 10 Schilling Schulden machen im Wirtshaus. Das Hausinnere ist ihre einzige Heimat, sieht man von ihren Frauen ab, die auch keinen anderen Wohnort kennen dürfen. Die Heimat, in der sie arbeiten, ist ihnen durchwegs feindlich gesonnen. Die Frauen gehen nur heimlich auf Besuch. Die Männer fliegen derweil über die Kegelbahnen und sind doch keine Engel. Einmal in der Woche am Abend mobil wie ein Gestirn am Himmel sein! Wendig und schnell. Wie der Kredit, den sie endlich doch für das Häusel bekommen. Sie geben ihr Geld für das Traumhaus aus, das sie sich wünschen, und das sie über den Umweg des TVs gewinnen können, wenn sie eine Spendenpostkarte richtig ausfüllen, frankieren und absenden. Es hat sogar eine Veranda mit holzgeschnitztem Geländer, nach Art des Hauses. Es ist ein Tausch, wenn sie schließlich doch selbst bauen müssen. Sie geben ihre Existenz und bekommen eine Hütte dafür, in die sie ihre Existenz hineinsperren können. Sie fließen in ihre Häuser hinein. Und sind doch allesamt wie in der Hölle. Die Bank macht ihnen bald heiß unter den Fußsohlen. Die alte Frau, von der wir sprechen, begreift nicht, wie sie ohne Kultur überhaupt atmen können. Man sollte die Kultur zumindest einmal kennenlernen, um sich dann frei entscheiden zu können ob ja oder nein. Bei Nichtgefallen Geld zurück. Nun werden sie HIER zum Gegenstand der Kultur, diese Schmerzsäufer. Denn ein Gedicht über sie ist im Entstehen! Sonst noch etwas über diese Vorkoster der Wirtschaft: sie verlieren als erste ihre Arbeit, wenn der Wind von der falschen Seite her weht. Es gibt zuviele von ihnen unter dieser heißen Trockenhaube. Der Wald stirbt, also benötigt man Fachkräfte, die ihn hernach wegräumen. Als Arbeitslose sind sie in ihren Körpergehäusen, diesen Klapperkästen, verschwunden. Oder sie gehen aussi und hängen sich an einem Baum. Im Tod sind sie dann mit ihrem Arbeitsmaterial vereinigt. Oder der Baum fällt auf sie, statt daß sie den Baum fällen. Sie bestehen aus sich und dem, was sie jeden Tag kalt essen müssen. Sie verfehlen ihr persönliches Ziel und das Ziel der Wirtschaft: den Menschen glücklich zu machen. Nicht einmal ihre Frauen können sie glücklich machen. Der Bub geht schon in die Lehr, das Mädel auf die Haushaltsschul und dann auf die Schwesternschul. Die

Mutter geht ins Spital, wo sie sich völlig Unbekannten auf Leben und Tod anvertrauen muß. Bald darauf wird sie Opfer der Chirurgie. Der Schmerz weidet sich an ihren Organen. Die jungen Dichter sitzen, während all dies geschieht, in einem Haus. Die alte Frau entdeckt manchmal willkürlich ein Genie unter ihnen, das schlecht erzogen aus seinem Stuhl heraus Tritte austeilt. Die alte Frau schweigt ab sofort vor Liebe und Andacht und vor diesem neuen werdenden Gedanken, der da hervorquellen will: er möchte ans Licht, aber auch wieder nicht zu hastig, wie die Fliege aus ihrem Ei. Und gleich Nahrung zu sich nehmen, kaum daß man das Bewußtsein erlangt hat, denn das Ei ist mitten ins Fleisch hineingelegt worden. Der Gedanke wird am liebsten am Unvergänglichen genährt (schon wieder Natur?). Rücksichtslos schießt die Fachkraft mit ihren Gedanken herum. Der Denker hat früh gelichtetes Haar, so brennheiß wird es den Haaren auf ihrem Boden. Jede Freundlichkeit der alten Frau wird von dem Genie frech zurückgeschmettert, denn die alte Frau darf nicht verwöhnt werden. Sie könnte sonst anfangen, in ihrem Fußsack herumzutrampeln. Das Genie darf, wie die Kunst, in der es sich herumwälzt, alles und muß nichts dafür einzahlen. Der Kritiker hingegen darf garnichts und muß das Maul halten. Der Alkohol kommt dem Genie bald wieder als Rotz aus der Nase heraus. Die Frau Aichholzer flattert vor Besorgnis um den herum, der da der Welt verlorengehen könnte. Er wäre absolut unwiederbringlich. Nichts von ihm darf abhanden kommen. Er wird eingesammelt wie am Abend die Zeit im Bild. Diese herrlichen Finger und Zehen! Und die Krawatte und dieses Oberhaupt erst! Wenn er spricht, blüht es auf wie in einer Kirche, die von alten Frauen geschmückt worden ist. Die alte Frau bittet um einen Gedankenvorschuß und bekommt ihn auch schon gegen ihr Scheitelbein geknallt, daß sie umfällt. Der junge Dichter schreit wild und schreibt langsam.

Er schreibt wenig, aber das Wenige ist umso kostbarer. Er sprüht in feinen Tropfen und müßte eigentlich desinfiziert werden. Er ist nur desinformiert. Er informiert dafür andere gern über seinen Gesundheitszustand, der grauenhaft ist. Ersparen wir uns Details! Nur soviel: ein einziges Entsetzen in diesem schwächlichen Körper, der, ausgehöhlt vom Denken und eine arme alte Frau gröblichst in die Irre Lenken, in den Schutz eines guten Krankenhauses gehören würde. Die alte Frau fleht das Genie an, sich unverzüglich dorthin zu begeben, denn ihre Pflege könne ihm nicht genügen. Sie wird darüber im Ungewissen gelassen. Eine Zweiliterflasche Wein zersplittert an einem Stein. Und was geschieht zur gleichen Zeit? Der Holzknecht darf nicht dabei hocken! Er wäre kein Ornament in dieser Versammlung von Assistenten und Weitspringern. Er kaut und kauert jetzt, während Sie diese Zeilen lesen, in seinem Einzelzimmer bei seinem verläßlichen Elektrisch, das ihn noch nie im Stich gelassen hat. Es trinkt aber auch er. Die alte Frau denkt heiß an seine Muskeln, die an seinem Körper so schön angebracht sind. Die alte Frau denkt ununterbrochen an diesen Körper, wenn sie nicht an die Kunst denkt. Wie schön er erst sein wird, wenn das Licht verlischt, damit er sie nicht sehen kann! Wer nicht sehen will, darf aber fühlen. Sie ist ein Teig, der längst aus seiner Form geflossen ist. Schade! Ihr macht es nichts aus, aber gewiß wird es ihm etwas ausmachen. So denkt die alte Frau nach, während sie wendig und windig einiges über ihr Metier verrät: die zwei Tragflächen der Kunst. Wie immer. Eitelkeit und Geltungssucht. Man möchte seinen Namen gedruckt sehen. Die Adern treten ihr an den Schläfen hervor. Sie wird geschüttelt vor Eifer, ein junges Stück Fleisch in ihren Bau zu schleppen. Sie würde es nie öffentlich zugeben. Sie gibt nur den Philosophen als ihren Geliebten zu, der ihr auch heute noch ideellen Nutzen bringt. Sie krallt sich an ihm fest, und er trägt sie zur Belohnung mit sich in die Luft hinauf. Später wird alles literarisch unsauber verschlüsselt gebeichtet. Vor der breiten Öffentlichkeit, die auf das Leben des Künstlers, also auf seine Biographie, ein Anrecht hat, wie der Künstler fälschlich annimmt. Es wird ihr jetzt für das Kochen gedankt. Die Worte dafür sind aus einem Misthaufen herausgeklaubt, aber immer noch für brauchbar befunden. Für so etwas geben sie sich keine Mühe, das Essen hat ihnen ja auch keine Mühe gemacht. Die wischen sich alle den Mund ab, nachdem sie bei der Frau waren. Die Kunstfaserschmeichler und die Denker, die die Künstler noch mehr verachten als sie sich selbst verachten könnten, torkeln vor der alten Bauernkate im Kreis herum und erbrechen sich, zu Paaren zusammengebunden, die sich für diesen Abend gefunden haben, ins Ribiselgesträuch. Sie verglühen fast vor Geldsucht. Sie gelten immer noch mehr als sie je an Flüssigkeiten zu sich nehmen könnten. Was glauben die eigentlich? Wir sind doch nicht in einem Park! Sie schonen nicht einmal die schönen Heckenrosen am Geländer, auf alles fällt ihre Speibe. Auf alles fällt ihre Schreibe. Und die Rose ist doch zum lieben Hinhocken und Anschauen eingepflanzt worden, wie die künstl. Gedankengestecke in die Gestirne dieser Männer. Der Frau Aichholzer sind schon alle Stifte gespitzt, um von ihrer Elefantenhochzeit mit dem Holzfäller zu berichten, alles zu gut abgezählten Reimen verkabelt. Was für eine glanzvolle Vereinigung zwischen Ungleichzeitigen! Es befindet sich zwischen den beiden Teilnehmern ein Gefälle wie vom Heiland zum Volk seiner Wahl, zu dem jeder gehören möchte, wie in den Leserbriefen der Wochenzeitschriften selbstkritsch geschrieben steht. Diese bevorzugten Gotteskinder (allein weil sie an Gott glauben, können sie noch nicht billiger einkaufen), die niemals mit Glaseln nach dem auf Besuch weilenden Papst schießen würden, um nicht sofort liquidiert zu werden. Für solch eine

Lappalie. Von der Menge, die soeben noch fest um Lächerlichkeiten wie Gesundheit und Reichtum gebetet hat. Und: bitte laß mich die Zinsen zahlen können. Auch Gott spricht ja ununterbrochen von seinem Hauskreuz herab, und nur die Kabelfernsehschauer können ihn in allen seinen Programmen vernehmen und sehen. Die Aichholzerin wischt sich nach dem Essen grob den Mund ab, das tut sie wie viele. Sie hat einmal, mit dem Philosophen auf einer weit gefehlten Reise, in einem Hotelzimmer nach ihrer Mutter geschrien, doch die gab es damals schon längst nicht mehr. Aber ja: ich liebe an Frauen nur meine Mutter, hat der Philosoph zu ihr zu sagen gewagt, als sie nach ihrer eigenen Mutter schrie. Nun wiederholt sich also auch diese Geschichte als Farce: der Holzknecht Erich wird mich doch nicht weiterhin Mutter nennen und auch so behandeln, wie einen Ausreibfetzen, befürchtet Frau Aichholzer. Die Villa in Küb hat damals von Faustschlägen und Fußtritten vibriert, es sind der Frau Fäuste in den Nacken geknallt. Es sind ihr Gedanken in den Rücken gefallen. Doch heute beschäftigt sie, wie uns, nur mehr die alte Frage: was ist Dichtung, was kann sie und warum, also wie oft? Sie ist heute eine vor sich selbst anerkannte Dichterin, doch dafür ist sie nicht berühmt. Sie ist berühmt für ihr kreatives Zwiebelfleisch. Der Philosoph hat ihr Essen einmal ausgespuckt, und sie hat es als Liebesbeweis erster Ordnung aufessen müssen. Ja, er hat gutmütige Bütteln gehabt. Und mit gutem Grund, nur ein Beispiel. Zu dem Flügel im Küber Salon ist ihr nichts als der alte Vierzeiler in ihrem Verteilerkopf eingefallen: man müßte Klavierspielen können. Wem geht nicht ausgerechnet dieses kleine Licht auf angesichts eines Klaviers? Im Fernsehen spricht soeben ein Sprecher freundlich extra zu ihr, sie soll an einem Preisausschreiben für unsere Alten teilnehmen, um dran teilhaben zu können! Sie ist ja alt. Und gleich darauf heißt es unvermutet, der amerikanische Präsident, ein Lachsack und Werbebeutel wie ihn nur die Industrie erdenken konnte, der möchte partout Bomben abwerfen. Und so ähnlich geschieht es auch der Frau Aichholzer: geistert als ein Witz durch das Lebenswerk der letzten Jahre eines berühmten Denkers. Das ist nicht nichts. Regen prasselt auch heute wieder auf die Villa in Küb, die inzwischen verkauft ist. Im Keller eines viel kleineren Hauses ist die Liebesfalle für den Erich Holzfäller schon aufgebaut. Die Falle ist dermaßen gehaltvoll, als könnte sie jederzeit gebären. Heute soll auf keinen Fall einer der Assistenten in den Keller gehen. Es finge sich sonst der falsche Mann. Sie wird den Holzknecht, darauf freue ich mich jetzt schon, vorn beim Bankerl erwarten. Heute wird ihr Kochen gut aufgenommen von denen Gescheiten, die Stellungen bekleiden. An der Universität Wien, oder unter einer ähnlich heißen Gedanken-Dusche. Im Gespräch ist sie ein rechter Störenfried, immer nur halb geöffnet ist ihre Denkritze. Sie glaubt, bei so vielen Millionen Gedanken müßten auch ihr ein paar davon zufliegen. Sie nennt die jungen Männer, die bei ihr kauern, Genies, und denen kommt dafür das Gedankengift beim Auspufftopf heraus. Sie lachen die alte Frau aus. Die möchte doch nur dabeisein, das ist alles. Das weltumspannende System des Sports hilft einem, mit sowas fertigzuwerden. Sie stört den Bergfrieden durch ihr Mitspracherecht. Läßt jeden, der ihr den kleinen Finger hinhält, einer Lebens- und Lernhilfe teilhaftig werden. Die Gäste schlafen unter dem unerbittlichen Befehl des Alkohols ein. Außerdem gehorchen sie noch den Befehlen der Wissenschaft und ihrer Vorgesetzten an der Universität Wien. Das macht sie im höchsten Ausmaß bösartig. Die alte Frau spricht noch wie im Schlaf von ihrer Herkunft, die sie gleich, weil sie schon dabei ist, etwas höher anhebt als nötig und wahrhaftig. Viele, die ihr zuhören, was sie über den Philosophen zu berichten weiß, halten es für unwahrscheinlich. Die Schuld muß ihr Alter tragen, das Erinnerungen betrügt. Zum Schluß hat der Meister ihr, damit das Ausziehen Spaß macht, zehn verschiedene Schichten übereinander angezogen. Und die alte Frau wünscht sich heute, mit Ausnahme des Holzknechts, den sie sich auch wünscht, einen Kulturpreis vom Land Österreich oder der Stadt Wien. Ihre Haut ist alt, paßt gar nicht zu den jugendlichen Gedanken, die sie umschließt. Die Assistenten gewähren ihr nicht einmal zum Erbarmen eine mindere Anerkennung für ihre sprinkelnden Einfälle, die heute sogar in Vorarlberg oder in der Schweiz veraltet wären. Das junge Genie ihrer Wahl, ein aus der Menge Herausgehobener, ein Unverdaulicher, kotzt in seiner Zimmerecke vor sich hin. Er ist beleidigt, daß sie auch noch mit anderen Menschen spricht, die Oma. Draußen gehen plötzlich ein paar Armeleute vorüber, die ein ähnliches Schicksal haben: Körper sein und es für immer bleiben müssen! Der Wahnwitz der Ideen glitzert denen Gescheiten auf den Augäpfeln. Der Glanz und Glimmer könnte aber auch vom Wein herrühren. Die alte Frau serviert zum Abschluß eine Gulaschsuppe. Dazu gibt sie eine Theorie von einem Franzosen zum Besten, von der noch nie jemand gehört hat. Die aber auch keinen gestört hat. Alles, sagt sie, sei der alten Frau jetzt klargeworden. Das Fernsehgerät spielt seine eigene unscheinbare Weise und doch hören ihm Millionen zu. So ergeht es der Dichtkunst nicht. Gerade wird für eine Automarke geworben wie für eine gotische Kathedrale. Die Musik leistet die internationale Verbindung vom Auto zur Kirche. Es ist dunkel geworden. Der folgende Tag wird dem Holzknacker gewidmet sein. Eine Fläche Mensch ist er. Diese Frau wird für ihn wieder jung werden. Schön und klug. Jetzt schreibt sie ihr tägliches Brot, ein Gedicht. Dieser lachende Stein Kunst. Weshalb wird er so wichtig genommen, wenn auch nur von denen, die ihn produzieren? Und denen, die ihn kritisieren.

Die Kunst ist nicht menschlich, und sie trägt auch kein menschliches Gesicht, sie muß sich ja nicht verschleiern (wie die Diktatur). Sie nimmt und gibt nichts dafür. Sie gibt nur dem etwas, der sie fabriziert. Die Kunst ist also: zwei Schifahrer, die parallel nebeneinander über einen Abhang gleiten. Und die Kunst ist wie die Schier: ahnungslos, wohin es geht. Sie ist ein absichtlich eingeschaltetes Licht, das auszudrehen sich nicht lohnt. Was sie berührt, lebt sofort im Wahn seiner eigenen Bedeutung. Die Kunst schaut in die Welt hinein, aber die Welt läßt sich nicht gern abzeichnen und wendet den Kopf weg. So eine Sau ist die Kunst. Lügt wie ein menschl. Wesen. Sie liebt niemanden. Sie ist in unser aller Mitte, das heißt, sie ist für manche Lebensmittelpunkt. Man kann sich für die Kunst nicht einmal Lebensmittelpakete kaufen! So eine ist das. Ist diese alte Frau häßlich, ist die Kunst im Gegensatz dazu schön. Die Kunst wird nach dem Maß derer angefertigt, die über sie zu urteilen wagen, nicht nach dem Maß derer, die sie hervorbringen. Und diese Kunstschiedsrichter, nehmen wir sie genauer unter die Lupe: sind Männer in englischen Regenmänteln, die ihre eigenen unerschwinglichen Regelmäntel über die Künstler stülpen. Denen ihre Augen herumschwingen in alle möglichen Richtungen, am liebsten aber in die Ferne, die sie aber auch schon kennen. Aus Ideenmangel nennt die alte Frau sich ab und zu einen bunten Vogel im Reich der Kunst (mangels Erfolgs für immer verlängert), *exotisch* sagt sie, das möchte sie wohl gern, anderen die Körner und Körper wegpicken. Jungen Männern möchte sie das am liebsten antun. Sie und ihre Gedichte stehen allein im Kampf gegen die anderen und deren Gedichte, die schon abgedruckt worden sind. Aber alle lügen sie gleichermaßen wie gedruckt, wir sagten es schon früher, aber keiner hat auf uns gehört. IHRE Gedichte sind schön wie Schonkost: etwas für Kenner, Liebhaber und Kranke. Die Natur ist eine rasch verstreichende Möglichkeit, und hier wird sie in Gedichte ein-gesammelt, ein klägliches Ende, wie unter der Axt der Ro-dungsbeamten. An der Natur naschen und profitieren zu viele. Zum Beispiel was ist der Wald im eigentlichen Sinn, den sie jeden Tag sieht? Angenehme Einbildung, köstliche Ungereimtheit, die sie zu reimen vermag. Unten liegen tote Tiere und verwesen in Schichten, die sie aus sich selbst gebildet haben. Die Natur, das Sargassomeer der Leiden und Leichen. Die alte Frau ist froh, hier zu sein. Sie ist im vollen Bewußtsein ihrer selbst hierher gezogen. Ihre ehema-lige Gemischtwarenhändlerin in Wien bedauerte es aus-drücklich. Zur Abschreckung für Nachahmer sind andere in ihrem Alter im Altersheim. Erschreckt, die Zähne ge-bleckt, ein scheuendes Pferd, am Kopf kein Zierat mehr, so flieht sie vor der schnellen Zeit. Ihr Jeansrock ist zu jung für ihr Alter. Der Holzknecht ist zu jung für sie. Seine Frau wirft derzeit in einem westlichen Bundesland Papierln weg. Doch Erich gehört fix zur Waldpartie. Er gehört nicht zur Waldpartei, die, im Gegensatz zu Erich, erregt für das Schlägern und Schlögeln eintritt. Die alte Frau plant, vor Liebe zu vergehen. Bevor ihr Leben der Vergangenheit an-gehört. Sie nennt den einleuchtenden Namen laut dazu, aber nicht vor ihren erlauchten Gästen aus der Wissen-schaft: ERICH. Seine Hand hält als Gerät eine Hacke. Sie will ihn umfassen wie ein Gedicht seinen Gegenstand. Er ist ein Arbeiter. Er ist jetzt arbeitslos. Seine Zähne sind noch kein einziges Mal bewußt gepflegt worden. Er ist so schön in seinen Schuhen, über denen er haushoch steht, das kommt von seiner Jugend. Die Frau schreibt ihm liebe lange Ein-kaufslisten von Dingen, die sie nicht benötigt. Er soll nur daher kommen. Von ihrem Geld zweigt er sich immer etwas für den Schnaps ab. Sie rechnet ihm heimlich nach. Sie verlangt nichts was ihr gehört zurück, es sei denn in der zähen Tropfenform der Liebe. Ich möchte in vielen Jahren genau in dem Wald, in dem du arbeitest, ein Grab bekommen, spricht die Frau aus und hofft, ihn damit aufzurütteln und bis aufs Blut zu reizen. Er hat (als Aushilfskraft) schon einmal im undurchlässigen Lößboden des Friedhofs Leichen zerhackt, mit dem harten Eisenblatt der Schaufel. Es hat ihm nichts ausgemacht. Die alte Leiche wird zerkleinert und die neue dann drauf gehäufelt. Darüber Erden. In ihrer Erdgrube drängen sich die Toten unbesonnt. Unterdessen sind ihre Lieben oberhalb des Rasens unbesonnen und tätigen Ratenkäufe. Der Boden ist mit Kadavern gespeist worden. Der Boden ist leichenstarr, und da soll die Erde jemandem leicht sein! Diese Frau ist bald nichts, aber eine Kleinigkeit: ihre Kunst muß hierbleiben. Sie ist Dichterin. Hoch das Bein für den Aufstieg! Und schon steigt sie auf eine Leiter und dann wieder hinunter. Ihre Gedanken können auf Befehl (wie die Milch) zu Gebilden gerinnen. Der Holzknecht ist fast Kunst, denn er ist fast so schön wie eine Skulptur von Menschenhand. Der Erschaffer braucht sich seiner nicht zu schämen. Der Schaffner wirft ihn aus dem Zug nach Neuberg, weil er schon wiederholt betrunken randaliert hat. Er ist eine zunehmende Gestalt, der Erich. Die Briefe seiner Gönnerin verliert er schon auf dem Weg zum Postkastel. Er ist eine nehmende, vielleicht sogar einnehmende Gestalt, was das Geld angeht, das er von der alten Frau verlangt. Jetzt fordert er schon ganz unverblümt und verlangt ein echtes Auto. Er hat aber keinen Führerschein. So weit hat ihm noch keiner über den Weg getraut. Händeringend hält die alte Frau ihm vor: er könnte sich unüberlegt mit ihrem Geld töten! und soll doch mit ihrem Geld für sie leben und immer parat stehen! Sie springt innigst mit ihm um. Sie spricht intim mit ihm. Sie kann ja eins: bezahlen. Es ist früher für sie bezahlt worden. Warum also nicht umgekehrt? Er flennt, er will ein schönes Auto bekommen, er fordert es mit körperlichem Nachdruck. Diese

Frau hat früher einen Teil der Welt gesehen, der sich inzwischen aber gewiß verändert hat. Wenn sie miteinander reisen, werden sie dafür öffentliche Mittel benutzen müssen, denn Erich hat keine Fährerlaubnis. Sie will nicht der öffentlichen Fürsorge zur Last fallen, sondern allein Erich, den sie als einen kennt, der fest zupacken kann. Er könnte sie hegen, pflegen und einen schönen Anblick bieten. Er ist nicht elegant. Die Welt zieht sich jetzt um sie herum an ihrem eingearbeiteten Gummizug zusammen. In der Mitte natürlich: SIE. Rasend vor Eifer schlägt sie in alle Richtungen, wie ein wachsender Gummibaum. Sie bleibt leider in der Bruchbude ihres Leibes versteckt. In ihr toben gleichzeitig etwa so viele Gewalten wie am Feiertag Mariä Empfängnis in den Geschäftsleuten. (Da geht es nämlich in Stadt Salzburg gesetzwidrig um die Landenöffnung, ist sie erlaubt? Ich hoffe nicht. Das Einzelhandelskapital hofft pfiffig: JA!) Frau Aichholzer hat zum Beispiel noch all ihre inneren Organe, widerspricht sie ihren Neidern. Eine Seltenheit in ihrem Alter! Und prompt stimmt es auch nicht. Erich ist an ihrem Inneren aber nicht interessiert. Wahrscheinlich werden alle Rumpforgane auf einmal ausfallen, wenn es so weit ist. Hat denn das Alter gar keine Rechte, muß es denn alles auf eigene Rechnung tun? Es glaubt jedenfalls, immer recht zu haben. Die alte Frau hat, wie jeder gute Bürger, ihre Anlagen immer geschont, geschönt und regelmäßig gemolken. Nun ist sie fertig: eine Dichterin. Sie ist nicht in Geistesverwirrung abgängig und wird daher auch nicht im Fernsehen zwangsweise vorgeführt. Kein Medium fragt eigens nach ihr. Als ob sie schon tot wäre. Sie sitzt jetzt neben dem Kunstflämmchen, das sie jeden Tag aufs neue anfachen muß, auf dem Bankerl. Ich kann nämlich unter anderem durch Kunst auch bewirken, daß jetzt schon morgen ist! Blutig gestriegelt (von der achtlosen Industrie) stehen die Fichten- und Lärchenstämme im Halbkreis im Hintergrund. Die Tannen sind verschiedentlich dahingeschieden. Die Frau Aichholzer bleibt in diesem unordentlichen Naturhaus, doch ihre Innenräume sind tadellos tapeziert und möbliert, und zwar mit dem Gegenteil von Natur: der viel haltbareren Kunst, bravo! Sie hat dem Holzknecht schon öfter laut vorgelesen. Er hat geblinzelt und ihm Vertrautes schmerzlich vermißt in ihrem Gezirpe, das kaum zu vernehmen war. Er kennt die Wörter weder im einzelnen noch alle zusammen. Diese Kunst muß einen doppelten Boden haben, denn wohin verschwände sonst das meiste von ihr? Er dagegen: geht tatsam mit seiner Umgebung um, wenn man ihn läßt. Jetzt ist er wegen allzu reichlichen Alkoholgenusses arbeitslos geworden. Er möge zum Ersatz Schönes bewußt sehen lernen, wird ihm angeraten. Wo hat er nur seine Augen? Das Geld braucht er doch gar nicht, hat er doch sie. Die Frau und die schönen Sachen, die sie ihm schenkt. Ganz für sie dasein und dafür Bares einheimsen! Er hat keine Familie und kein Bargeld mehr. Er hat aus einem Eigenheim ausziehen müssen, denn es war nicht sein eigenes Heim. Er hackt die Zweige von den Stämmen dieses Landes. Er hackt der alten Frau ihr Holz vor der Hütten klein. Ißt ein Speckbrot und bekommt in ein paar Jahren Magenkrebs. Sie schreibt in der Natur über die Natur, so etwas Feines über ein so grobschlächtiges Vorbild. Sie hat für alles ein Freigehege, auch für den Holzknecht steht schon ein netter Zaun bereit: die Liebe ja die Liebe. Der Zweck der Liebe: damit er nicht zu den anderen Damen draußen ausbrechen kann. Die Substanz ihres Körpers, also das, woraus diese Frau besteht, kreist zitternd in der Luft, um auf ihn herabzustoßen zu können. Sie ist das Helle zwischen den Baumstämmen, das auf Anwesenheit hindeutet, entweder Mensch oder Förster. Sie erblickt nur ihren Erich, und ihre Halsschlagader zuckt vor Freude. Sein Körper ist für sie zu einem wesentlichen Bestandteil ihres Wohlbehagens geworden. Das ist einer! Der könnte sie direkt aus ihren Kunstschuhen kippen wie Müll! Sie zum Hochsprungversuch hinein ins Leben veranlassen, und das in ihrem Alter. Jetzt erst, nach dieser Erfahrung am Menschengerät, wird sie möglicherweise ein herrliches Alterswerk schaffen können, blickt sie weit voraus. Ihre Kannen beginnen sich bereits, und nicht mit der zahmen Hausmilch, zu füllen. Ihr Können hält damit nicht Schritt. Erich wird sie niemals mit dem Preisschild eines Gedichts versehen, Erich wird sie schweigend aus seiner Box löffeln. Keinem etwas verraten! Sie wird für alles zahlen, wenn nötig. Aber den Preis setzt sie fest. Was er wert ist, das bekommt er in bar ausbezahlt. Bei Nichtgefallen Geld retour. Ein junger Mann braucht seine Unabhängigkeit, und sie braucht einen jungen Mann. Er ist jetzt noch fort in der unermeßlichen Stille, die sich Natur schimpft, aber gleich wird er aus der Kühltasche auftauchen! Schon jetzt steigt er als reine Einbildung in ihrem Kopf hoch. Wie Kotze. Sie sitzt still auf dem Bankerl. Sie schaut. Er hat dieses Bankerl früher mit seinen Händen und seinen Kindern erschaffen, aus einem früheren Paradies heraus: Heim! Süßes Heim, wo man die Tür zusperren kann. Mein! Mein! Alles. Meins! Sie hat jetzt ihre Strickjacke ausgezogen, selbst diese kleine Kälte der Vergangenheit glaubt sie, nur mit einem Schonbezug ertragen zu können. Wie wird es erst mit der Wirklichkeit sein! Sie schaltet jeden Abend ihre Heizdecke ein. Bald wird sie an deren Stelle Erich paradiesisch parat haben. Ihre äußere Form ist recht unsanft geworden. Ihr Körper ist ein hermetisches System sorgsam erfundener Krankheiten (bitte um Mitleid!), die besser erfunden sind als ihre Gedichte, denn diese Krankheiten sind einleuchtend, beachtet man ihr hohes Alter. Allerdings sind auch die Krankheiten untereinander uneins und ungereimt. Sie wagt sich nie ohne ihren Pensionistenpolster in den Wald: was sie sich mit ihrer

Rente alles leisten kann! Vor Begeisterung darüber liest sie ihre eigenen Gedichte, in denen manchmal ein ordentlich in Gold gerahmtes Häufchen vorkommt. Sie schreibt so gern kleine Altersschweinereien auf, das macht Spaß. Ferkeleien in der funkelnden Richtung: Geschlecht, in der sie sich auszukennen glaubt. Sie weiß alles noch von früher, als andere Techniken modern waren. Jung gewohnt, bald nicht mehr getan. Die Geschlechtspraktiken haben sich wie alles geändert. Ihr macht heute noch Spaß, was sie früher für Mistigkeiten und Nichtigkeiten mit Partnern aufgeführt hat. Für ihre Zeit ist sie (denkt sie) recht weit aus den Angeln geschwungen. Aber wo ist sie gelandet? Sie hat in den Unterhosen von einem Philosophen herumgestiert! Das verzeiht keiner, der das Wort Philosophie je gehört und verstanden hat. Sie behauptet schlau, ihre Gedichte noch steigern zu können, und zwar am Barren des Holzfällers. Er soll ihr Stiefelknecht werden, sich vor ihr bücken. Der Holzknecht hat gestern schon wieder gewildert, er hat ein Reh geschossen, weil es ihm gerade in den Sinn gekommen ist. Statt ihre Sinne zu befriedigen. Immer ist er mit Tötungsgeräten gespickt. Wenn das der Oberförster erfährt! Sie spricht darüber zitternd zu Erich, übers Gehölz hinweg. Da ist sie wieder, diese Furcht vor etwas, wozu er imstande sein könnte. Sie gibt ihm sofort, um seine flackernde Wut zu dämpfen, Auskunft über sich, sie ärgert ihn des weiteren mit ihren abenteuerlichen Absichten: Sie verdiene doch genug Rente für zwei Personen! Sie fährt mindestens einmal im Jahr (früher öfter) in die Stadt, liest in einem Kulturzentrum für diejenigen, die immer im Zentrum stehen wollen, auf Einladung etwas vor und erzählt verbogene Erinnerungen an den Philosophen, den jeder kennt (jeder sollte froh sein, ihn nicht persönlich gekannt zu haben!). Ihre schwere Wärme wird von einer Lampe bestrahlt. Sie erhält ihren Dichterinnenlohn und fährt wieder zu Erich nachhause zurück. Ich kann dir später einmal sogar einen echten Anzug kaufen, verspricht sie ihm zart. Er spricht zu ihr von seiner Frau und seinen Kindern, sprachlos vor Entsetzen hinter seinem Gewehr. Nirgends ist diese Menschenanhäufung mehr zu sehen, um miteinander spielend umzugehen. Die alte Frau wieder ist ihm im Denken voraus, wie kann er sie je einholen? In der Jugend ist nun einmal das Lernen dran, antwortet ihm die Frau Aichholzer, die sich seine Jugend aneignen möchte. Sie möchte auch von seiner Jugend lernen. Ob das gelänge? Die schreibt ein Gedicht über die Liebe und glaubt das, was sie selber geschrieben hat! Sie ist ein dunkler Umriß auf der hell erleuchteten Tür der Zeit, es gibt nur diese eine Tür nach draußen. Sie ist wie ein Schatten auf dem Papier, das sie beschmiert. Erich wohnt jetzt: erster Stock rechts. Kein Name kein Namensschild. Nichts. In einem Rohziegelbau der Gemeinde. Für die Arbeiter und ihnen zum ewigen Angedenken errichtet. Nicht einmal sein Name an der Tür, jeder kennt ihn ja, in diesem Zimmer wohnt nur sein Schlaf. Er ist nichts und schon lang fort. Die alte Frau schwitzt sich feucht vor Angst, auch bald fort zu sein und nicht zurück zu können. Ihr Schlaf könnte sich einfallen lassen, ewig zu währen. Tiere schleichen um ihr Haus, um nicht auf sich aufmerksam zu machen. Hier wohnt kurzweilig ein Wilderer. Schon in aller Früh schießt er manchmal vor sich hin. Sogar Leuten ist er schon gefährlich geworden. Wen interessiert es. Die Katze kotzt einen Klumpen Gift vermischt mit Blut auf den Fußboden. Erich zerfetzt die Füchse, zerreißt den Dachs, er zipft dem streunenden Hund die rechte Vorderpfote weg. Mit diesem Hund hat sich ein Mensch lieb beschäftigt. Erich läßt den Tag an sich vergehen, er dreht höchstens den Kopf weg. Er ist voll von nichts als Getränken. Wird im Wirtshaus eingeladen. Vom Leben und dessen Stellvertreter, dem Jäger, verwundet, schleppt er sich betrunken zu der alten Frau hinauf. Er trägt den Rucksack. Einer hat einmal einen Schlüssel in seine Wohnung gesteckt und sie ausgeraubt. Seine Frau hat alles mitgenommen, vor allem die Kinder. Die alte Frau könnte sich den Kopf abschrauben, er würde es nicht bemerken. Sie will sich herzhaft mit ihm vereinigen: aus zwei mach eins! Darüber lacht das Volk schon jetzt, bevor es stattgefunden hat. Eine alte Frau ist bekanntlich das schwächste Glied in der Kette Natur, dieser Ladenkette zu Billigstpreisen. Jeder kann darin seine Sauereien machen und noch Geld dafür verlangen. In jeder Filiale gibt es das gleiche zu kaufen, denn die Vielfalt des Angebots ist ausgemerzt, und zwar aus wirtschaftlichen Erwägungen: wer vieles hat, wird auch nur wenigen etwas davon bringen! Wege zucken hell durch den Jungwald. ER könnte, ohne daß sie es rechtzeitig bemerkte, vom sogenannten oberen Weg her, der über den erloschenen Kohlenmeiler führt, zu ihrem Haus herunterstoßen. Soll er ruhig denken, sie habe ihn abgepaßt. Gewiß wird er sein Gewehr mit sich führen, und sollte doch lieber diesen Gebrauchtmenschen bei sich führen: die alte Dichterin. Sie wird sich schützend vor ihn stellen. Hinter der Konsumgenossenschaft steht eine gigantische Organisation aus Mitgliedern und Verwaltern dieser Mitglieder. Beiden brennt es in den Augen vom Schauen und Preisvergleichen. Im Gehen träumt Erich jetzt von seinen Kindern ja. Die Sonne wird jetzt bald untergehen. Eine alte Frau eilt, um einen jungen Mann willkommen zu heißen, der ihr Heimat werden soll, ein erstickendes Gefäß. Sie trägt bunte Kleidung. Sie ist verliebt und verlangt Liebe zurück. Sie kann nicht mehr länger warten. Einmal hat sie aufgrund einer Blutdrucklaune das Gleichgewicht verloren und ist die Kellerstiege hinabgestürzt. Das könnte ihr jederzeit wieder passieren. Nur: heute wird sie einen solchen Sturz simulieren. Wer anderen eine Grube gräbt. Sie hält sich noch fast für eine Erstausgabe, so schön, so klug, aber es ist angezeigt, das Licht abzuschirmen. Der Holzfäller wird leidenschaftlich geliebt und weiß es nicht, weil er immer noch leidenschaftlich seine Frau liebt. Der Holzfäller ist, wie der Wald, an dem er sich vergeht, in erster Linie für Freizeit und Sport da. Er weiß es nur noch nicht. Der Wald ist klinisch tot und weiß es auch nicht. Er steht noch da, kann aber im nächsten Augenblick schon verschwunden sein wie eine Bühnenkulisse. Wo einmal ein warmer Schirm für Menschen war, ist heute stumpfe, nur vom Rascheln der Chemie unterbrochene Stille. Jemand zerreißt sich vor Wut in seinen Jeans. Die Sonnenstrahlen liegen auf dem Boden, die Zweige können nichts mehr festhalten. Die Vögel sind ruhig. Im Fernsehen gibt es heute eine unbequeme Sendung über all dies. Um zwanzig Uhr fünfzehn. Ob Frau Aichholzer das noch erleben wird? Der Wind riecht nach Kühle. Alles ist dort, wo es ist, wird sich aber trotzdem bald ändern. Es sind dem Erich intime Gegenstände aufgeschrieben worden, gipfelnd in den Wörtern Deo-Spray und Intim-Lotion. Verkäuferinnen werfen ein Auge auf den Waldknecht und tischen ihm lachend auch noch eine Kurpackung für volleres Haar auf. Manche Fahrzeuge fahren jetzt in den Nachbarort ins Wirtshaus, als gäbe es hier keins. Pensionisten sitzen noch lang am Abend hinter dem Steuer und sollten doch im Bett liegen. Sie fühlen sich noch sicher. Die Schöpfer dieser Fahrzeuge der Mittelklasse rechneten mit allem (und mußten mit dem Ärgsten rechnen), als sie das Gefährt entwickelten. Wandergruppen verlieren Mitglieder auch durch natürlichen Verschleiß. Der Holzhacker ist durch Trunksucht arbeitslos geworden. In den Gaststuben blitzen jetzt die Kronenkorken der Bierflaschen in freundlichem Gold auf. Zu diesem einzigen Gold drängt es sie, die Harmlosen. Denen Leid angetan wird. Die Nichtigen. Die ausradiert werden, diese schwachen Bleistiftstriche auf einem Papier. Diese Fußstapfen im Sand bevor die Flut kommt. Die Regale im Konsum sind mit Putzmitteln und Schutzmitteln veredelt, jedes Körperübel läßt sich von ihnen wie durch Rauch vernebeln. Der Konsum hat es sich im Lauf der Jahre äußerlich und innerlich verbessern können und kann nun darangehen, das Leben der Bevölkerung zu verbessern. Aktionen werden angekündigt, für die keiner etwas leisten muß, denn dieser Verein beschenkt seine Mitglieder sogar mit kleinen Klebemarken. Feste werden gefeiert wie sie fallen, und fällt manchmal ein Preis, so feiert man auch ihn. Im Fernsehen gibt es heute abend Gauleiter und Graureiher zu sehen. Unter Erichs Zunge nistet der Spott der Verkäuferinnen wie schales Bier. Der neue Mann seiner Frau ist von Beruf Pfleger des Waldes. Er vernichtet Schädlinge und ist selbst als Schädling in das Leben von anderen eingedrungen. Eins greift ins andere und hängt mit allem zusammen. Eine Menschenmaschine ist das. Unter der Hülle des Wassers im Bach kann man Forellen fressen sehen. Der Fluß nistet zwischen seinen Ufern. Die Wanderer begeben sich jetzt zu ihren Unterkünften. Dort finden sie fließendes Warm- und Kaltwasser vor, ein Unterschied wie zwischen reiner Schurkenwolle und Acryl. Die alte Frau hält sich unterdessen makellos sauber, man kann nie wissen wofür, fürs Spital oder den Gemahl. An Schlachttagen in der Umgebung verschließt sie ihre Augen vor dem Vermuteten. Die Kinder husten. Krank wie nirgendwo sonst. Die Wanderer sitzen stumm vor einer Wand, in der bereits mehrmals Blut vergossen wurde, und essen ihre Mitbringsseln auf. Sie sind von dieser Schönheit begeistert, mußten sie doch ein Jahr dafür arbeiten. Diese Ausflügler. Flügel haben die nicht! Vor Liebe hebt die Frau ihre Hände ohne jeden Inhalt empor. Der Holzknecht legt die Einkäufe auf den Verandatisch. Halb Verdorbenes breitet sich auf das Plastiktischtuch, das leicht zu reinigen ist. Die Verkäuferinnen nehmen alles aus der untersten Lade, denn Erich versteht den Unterschied zwischen Nicht und Nichts nicht. Das Geschehen vollzieht sich gebremst durch Alkohol, das weiche Kissen, auf dem Erich täglich ruht. Wo man trinkt, dort laß dich ruhig nieder, denkt die alte Frau. Erich schweigt. Die Frau stellt einen Pappkarton auf den Tisch. Darin befindet sich etwas, das sie nicht bestellt und noch nie im Leben gesehen hat. Dafür gab es eine neue fast Gratis-Aktion. Vielleicht ist es ein Entsafter oder eine Gemüse-reibe. Die Verkäuferinnen haben es dem Erich kichernd in den Sack geschoben und flink berechnet. Er wirds wieder hinuntertragen müssen und sich schämen. Er räumt auf Geheiß ein paar Dosen mit Gulasch in das oberste Regal der Küchenkredenz. Er reckt sich und dreht der Frau den Rük-ken zu. Sie greift hastig hastdunichtgesehn durch die Spal-ten zwischen den Druckknöpfen ihres Jeansrocks, der ihr eigentlich zu jung sein müßte, und beginnt zu masturbie-ren. Sie ist unbescheiden und unzufrieden mit der reinen Anschauung. Sie ist eine aktive Frau. Die Dichter ihrerseits sind ebenfalls unbescheiden, auch ihnen genügt das Hin-schauen nie. Zum Charakter dieser Frau gehört das Tun (mit sich Geschäfte abschließen), während andere ewig nur spinnen und unsinnen. Sie sieht seinen Rücken vor sich und onaniert. Sie reibt sich mit den hornigen, dornigen Fingern, und ihr Gesicht bekommt einen völlig anderen Ausdruck als vorhin. Er wendet ihr den Rücken zu und beschäftigt sich damit, Zeit zu verbringen. Sie denkt: das ist ja meine Zeit, für die ich bezahle, und masturbiert heftig zwischen zwei Druckknöpfen: ein enges Tor, und doch gehen grandiose Empfindungen dort ein und aus. Sie gibt ihrem Gast An-weisungen für sein Schlichtungswerk auf der Kredenz, während sie an sich herumzupft. Sie verdeckt ihren zu ra-schen Atem durch unüberlegtes Sprechen. Was sie sagt, ist nicht wichtig, sondern wie sie es sagt. Der Liebeston macht die schöne Musik. Und ohne ihr Geld keine Musik. Sie gibt vor, ächzend auf den Zehenspitzen stehen zu müssen. Wie bei der Auferstehung des Fleisches. Dieser Knecht, ist er nun doch lebendiger als die von ihr geschätzten Sorten Drucksachen? Sie bekommt leichtes Nasenbluten. Das Rinnsal wird an der Schulter der Wollweste abgewischt. Der Holzfäller räumt wiederholt alles um, gemäß ihrem Begehren und ihren Befehlen. Beide so einträchtig wie niederträchtig: er wünscht Geld, sie wünscht ihn. Er wird von ihren Wünschen nicht einmal ungeduldig, seine Gedanken gehen wo anders ein und aus, in einer fremden Familie, wo seine Kinder im Sport Noten erhalten. Manchmal, betrunken, ruft er nach seiner Mutter. Diesen Gesang stimmt er an, den jeder kennt. Seine Frau hat er einst so genannt. Er hat die Adresse von den Kindern erhalten und erweist einer alten Frau Gefälligkeiten, damit sie ihm die Rück-Briefe aufsetzt. Diese alte Frau holt sich jetzt aus sich selbst empor. Wirds darüber später etwas Schriftliches geben? Es ist wie überall. Die Liebe steht im Mittelpunkt, was sonst könnte diesen Platz ausfüllen? Alle wollen es so. Diese Saat wird nicht mehr aufgehen, die Erde ist schon zu ausgelaugt. Von keiner Stelle wird der Frau wenigstens eine Hand entgegengestreckt. Oben stehen die auf Dauer ungesunden aber praktischen Konservendosen, welche die Zweisamkeit fördern halfen. Die Frau hat eine riesige Sammlung treuer Freunde an ihnen, muß sie sich doch jeden Tag etwas heraufbringen lassen, das sie nicht braucht, aber zu ihrer Sicherheit lang aufheben kann. Sie weiß nicht mehr, wohin damit. Sie muß den Holzknecht immer wieder in ihren Schutz bringen. Die übrige Welt wird von ihm bis aufs Blut gereizt. In diesem Augenblick hält ihn nichts mehr in diesem Lokal. Das Licht kommt durch ein kleines Küchenfenster. Der muskulöse Rücken wird hervorgehoben, solch schöne Stellen ist man aus Gedichten nicht gewohnt. Das Nachmittagslicht hebt ihn fast aus sich heraus. Die alte Frau keucht nun ungeniert, ohne Ehrfurcht vor seiner Anwesenheit in ihrem Leben, in dem er eine Nebenrolle verkörpert. Sie ist jederzeit bereit, ihren Fingern andere betrügerische Aufgaben zuzuweisen, falls er sich jäh umdrehen sollte. Er verstünde nichts. Er ist aus Fleisch. Und jetzt wendet er ihr wirklich wie durch Zwang das Gesicht zu, dieses grobe Maß für eine Menschenerfindung (zum Schwerarbeiten), vom Schöpfer schon verworfen, bevor sie in Serie gehen konnte. Oder gibt es einfach zu viele von seiner Art? Es muß solche und solche geben, spricht der Gebildete. Die alte Frau ist aufgeregt und weist mit dem Finger auf ihn, aber warum? Sie richtet sich hoch auf und verliert fast den Verstand. Er hat ihre Geldbörse nicht verloren! Sie wird jetzt in den Keller gehen und einen Schlagobers für den Kaffee holen, den er sich verdient hat. Er sagt dankschön. Sie weicht nicht mehr von ihrem täglichen Weg ab, wie auch die Verhältnisse nie von ihrem eingetrampelten Pfad abweichen. Sie stürzt verlegen hinunter zur Kellertür, wie um sich vor einem nahenden Autobus in Sicherheit zu bringen. In ihrer Aufregung, ohne jede Erleichterung oder Freude, vergißt sie, was sie dort für die Nachwelt aufgebaut hat. Wie um ihr Gedichtwerk durch ein praktisches Beispiel zu erläutern: die Liebesfalle aus Kübeln, Besen, Schaufeln, Fetzen. Sie schreit nicht, wie sie es sich hundertmal ausgemalt hat, um Hilfe, damit er herbeispringe, ein Funke Gefühl. Sie hält nicht einmal einen Finger zum Gebet hoch oder an ihr künstl. Gebiß, damit es drinnenbleibt. Sie ist sich und anderen bis zuletzt fremd in ihrem künstlerischen Wollen, weiß nicht, was sie nun hauptberuflich mit sich machen soll. Sie ergießt sich still in den Wunsch von irgendwelchen Vorgesetzten: daß alles immer so bleiben möge wie es ist. Sie neigt den Kopf in ihre vorgefertigte Fallrichtung, schon halb des Nichts bewußt, das, was immer zuvor gewesen ist, unweigerlich drauf folgen wird. Sie büßt für nichts und wird für nichts bestraft. Sie hat den Finger an sich gelegt und hebt sich da nicht ein anderer Finger mahnend? Schließlich ist auch sie einmal mühevoll angefertigt worden. Mit folgenden Worten beendet sie ihr Kapitel: Schweigen. Sie hat einen Ausdruck auf ihrem Gesicht, der bald unwillig erlischt. Sie berührt erst ganz zum Schluß, eine Ironie dieser Geschichte, die Liebesfalle mit ihren ankommenden Füßen, die nach nichts tasten. Sie stolpert auf der Treppe und stürzt kopfüber die Kellerstiege hinunter. Der Grund ist übertriebene Eile ihrerseits. Sie fliegt, ohne es richtig zu können, die Stiege hinunter und aus. Zu Fleiß und aus den undurchschaubaren Gründen der Kunst erfährt jetzt keiner, ob sie es überlebt hat. Vielleicht, vielleicht auch nicht. Wie Gott kann einer, der etwas erfindet, das Werk so oder so gestalten. Wie geht es also aus? Ich bin ja keine Uhr, daß ich es wüßte.

3. AUSSEN. NACHT.

Herrliche Prosa! Wertvolle Preise!

Wird es auch ihr bevorstehen, dieses schreckliche Ende für Kreaturen? Der blutende Hirsch auf seiner Tragbahre? Sie wird nicht hinschauen, denn sie weiß jetzt schon, wie es sein wird. (Die Jagd.) Wofür aber heute ein Beweis sein? Eine Frau allein, also ein Schlupfwinkel für den Beladenen, und doch einen Konzern in seiner Pracht vertreten. Eingezäunt und aufgezäumt in seinem Büro hocken. Ihre Blicke greifen über den Zaun des Oberförsterhauses hinweg, und einige Karosserien lodern vor ihren Augen wie lebendig im Licht der untergehenden Sonne auf. Was anderen Unberatenen die Kunst ist, äußerste Provokation durch etwas ganz und gar Unvollkommenes, das sich dennoch nicht ohne weiteres nachahmen läßt, ist ihr die Natur ringsumher. Ab morgen wird dort Lebendiges seinen natürlichen Verlauf nehmen, durch Menschenhand, etwas voreilig. Über die Natur wäre noch anzumerken, wollte man sie auf dem Papier beschreiben für solche, die sie noch nie richtig gesehen haben: Sagt die Kunst so, sagt die Natur etwas ganz anderes. Der Chauffeur kommt, von fremder Hand aufgezogen und unterrichtet, mit ihren beiden irischen Wolfshunden, denen es im Leben ähnlich ergangen ist, auf sie zugegangen. Gleichmütig steht die Gruppe vor dem Ende des Tages still. Es wird kalt. Im Garten des Oberförsters wird zum letzten Mal an diesem Tag auf Scheiben geschossen.

All die Besitzer sind anwesend, nur ihre Besitztümer sind größtenteils daheimgeblieben, fremden Menschen anheimgegeben, die sie mit äußester Schonung behandeln, z. B. mit Bienenwachspolitur. Vor dem Forsthaus und seinen liebevoll geschmückten Blumenfenstern (sogar Kakteen) huschen, die Seitenblicke gebändigt wie das Essen in ihren Einkaufstaschen und Körben, die Frauen des Dorfes Stück für Stück vorüber. Die Schnittstellen ihrer Büstenhalter und Miederwaren laufen müd über ihre breiten Rücken, diese Kainsmale von Menschen, die niemals in Illustrierte passen werden. Sie passen auch nicht in ihre eigenartigen Körper, und ihre Körper passen ihnen nicht recht. Leiden unter Krankheiten, von denen sie ständig reden, die sie aber nicht in ihrer ganzen Tragweite durchschauen. Von Ärzten werden sie belogen. Sie tragen nur die Einkäufe. Ohne Verständnis spricht man zu ihnen. Ihre Blicke irren, schon erschreckt, behutsam über den Förstersgarten hinweg. Niemand denkt freiwillig an sie, außer der Inschrift auf ihrem Grabstein. Manchmal wird sie schon zu ihren Lebzeiten aus Ersparnisgründen (wenn der Mann, das Kind stirbt) eingemeißelt.

Im Forsthaus prunkt eine Batterie kunstvoll zerschnittener Ananas, die sich die Förstersfrau, eine ehemalige Musikstudentin, die gelernt hat, herzhaft mitten ins Schöne zu greifen, also immer herzhaft zuzugreifen, wenns geht, aus der Kreisstadt hat liefern lassen. Sie ist ja seinerzeit auch immer vom Schönen ergriffen worden, kann sie stets bestätigen. Die Eigentümer der Jagd sollen sich daran freuen und lassen sofort Zigarettenasche in die gelben Auslandsösterreicher fallen. Die Hausfrauen, die draußen vorübereilen, der Zeit als leichte Beute verfallen (verfrüht verfallen sie), wären aufgeschlossen für die Blicke der Jagdherren, die sich aber ihre eigenen Frauen als Proviant mitgebracht haben, darunter eine ehemalige Filmschauspielerin! Eine solche, die zart aus sich herausblickt. Sie kennt die langen schmalen Namen der Dinge, die ihr gehören. Und die Dorffrauen schwanken sacht unter Berührungen, die ihnen nicht gelten. Sie bilden sich alles Unmögliche ein. Diese fettigen Frühstücks Stücke. Diese kräftigen Brotschnitten. Frost! Finstrer Forst! Die Managerin eines Konzerns ist hier, unter dieser natürlichen Kuppel von Tag und Landschaft. Das sei das Konzert der Natur, sagt ein Ausbund dieser Gemeinde zu ihr.

Sie paßt hier herein, als wäre dort ein genau großer Platz

für sie freigelassen worden. Über die Wiese flackern fremde Kinderschreie, zusammengedroschen vom wiederholten Zuspätkommen. Diese Landschaft ist ein Wunder an Schönheit, selbst die Verärgerten in den Büros sind still, ein milder Saft rinnt ihnen plötzlich aus den Augen, ach, könnten sie doch dreimal im Jahr Urlaub machen. Schön. Ob Kondor oder Konditor, drüber hinfliegen müßte man und einmal alles in Ruhe von oben betrachten, damit es endlich klein wird und auf Griffweite zusammenschrumpft. Morgen werden sie alle mit Geländefahrzeugen zum Jagdhaus auffahren. Die Möchtegerns lungern seit gestern vor ihren Eingangstüren oder schicken ihre Kinder abwechselnd ins Sperrfeuer der Oberförsterhecken, der Oberförsterbeete. Vielleicht gibt es aus Milde ein Geschenk aus Geld für die Kleinen. Sie verlieren aber nur unnötig ihren Atem vor solchen.

Der Jagdherr, der Kaufhauskönig, legt seine in Kärnten handgearbeitete Büchse (aus Ferlach) voll Liebe an seinen Kopf voll der Wunder, die er sich früher für seine Kaufhäuser ausgedacht hat. Dieser Kopf ist schon Millionen Menschen in Zeitungen und Magazinen erschienen. Diese Liebe ist äußerst (innerlich und äußerlich ersichtlich, meine ich). In einem der Wagen läutet das Telefon. Die Hunde sollen mit dem Chauffeur in das Gasthaus gehen und dort bleiben, wird angeordnet. Die Stimme der Managerin hebt sich um einen Halbton, als wollte sie sich selbst aufs Meer hinauswerfen. Sie ist hier, um sich in den Bergen zu erholen. Morgen wird das Wild heftig zu bluten beginnen. Diese Frau wünscht heute ausdrücklich, davon berührt zu werden. Sie schießt nicht selbst, nur mit der Kamera. Vor Hilflosigkeit erstarrt sie fast, was nichts mit ihrem Beruf zu tun hat: heilen und helfen. Sie ist ja weniger mit Anlagen gesichert als ihr Haus im Tessin!

Eine Tischlerstochter schleppt zwei schwere Taschen mit verbilligter Nahrung vom Konsum nach Hause. Das

Faschierte schweißt noch von altem Blut, diese billige, diese milde Sache Essen. Jenes Kind ist in Beschreibungen schon manchmal wild genannt worden, jetzt erstarrt es vor einem fremden Gartenzaun (den es jeden Tag sieht), als sollte es gleich Mörderbeute werden. Diese hohen Leute dort, solch ein Angstabstand zur Welt! Morgen sind sie wieder weg, wir winken ihnen auf Wiedersehen zu.

Die Oberförsterin geht in den Schutz ihrer Küche zurück und wird ganz ruhig. Zwei Aushilfsfrauen reisen vom Herd zur Tiefkühltruhe und wieder zurück. Ihnen unerklärliche Menschen wimmeln im Zwickel dieses Hauses herum. Solche sehen sie hier nur alle paar Jahre einmal. Oder auf der Leinwand, auf unsrigem Schutz und Schirm. Manchmal dürfen sie mit dem Personal auf die Alm mitfahren. Sie waschen dort bestenfalls das Geschirr ab und weiden im geschossenen Wild. Mitfahren! Mit diesen verzückten Todesengeln, die wie funkelnde Granaten ins Tierfleisch einfallen.

Es gehört ihnen was sie wollen. Was sie sehen, gehört zumindest ihren Freunden, die auch mitgekommen sind.

Die Oberförsterin zeigt vor Verlegenheit im Wachen ihre Zähne. Die Filmschauspielerin erblickt erschrocken auf einmal das Wetter, das sich, wird ihr versprochen, bis morgen noch klären kann. Dieses Haus ist nicht ihr Eigentum, sie wollte es auch gar nicht haben, und doch weigert sie sich, schwierig geworden, hinauszugehen. Sie trinkt aus einem fein geschliffenen Glas. Manche Stimmen von jungen Leuten kommen von draußen herein, frech versuchen sie auf ihren Mopeds Blicke, die zur Landnahme führen könnten. Aber diese Küste ist vermint. Diese Menschenzahl ist zusammengeworfen um zu töten. Doch auch ihre Lebenszeit vergeht. Die Managerin nimmt etwas wahr, aber nicht dich. Nicht nötig, darüber laut zu sprechen.

Sie erkaltet in Ruhe. Bis vorhin hat sie noch schwer gearbeitet. Auf einmal öffnet sich ein Schutzwinkel, und ein junger Mann, dem sie vor vielen Stunden etwas versprochen zu haben scheint, steht vor der Tür und bietet sich an, klotzig wie Beton am Bein. Er will die undankbare Rolle des Übervorteilten hinter seinem Glied spielen, also morgen zum Helfen mitfahren! Die Managerin steht, eine Königskerze, unvorbereitet vor nur wenigen entblößten Stellen seines Körpers: ein Ballungszentrum, das heißt, viele haben das ursprünglich wunderbare Ortsbild verschandelt, besudelt. Ein schönes Farb-Bild auf einer Konservendose, und innen ist der Inhalt vielleicht schon mit Verderbnis verseucht. Hier, auf dem Land, ist offenbar ein außergewöhnliches, der Unterhaltung dienliches Gewächs gezüchtet worden. Den auf Vordermann bringen, er ist ja immer nur hinten in der letzten Reihe gestanden! Und er, er verliert beinahe die Besinnung vor dieser Frau und vergißt seine Bestimmung im Getriebe des Waldes. Ohne fremde Hilfe hat sie ihn angesprochen. Sie soll ihm nun eine neue Heimat werden, wünscht er sich. Seine Farbe liegt ihr sonderlich. Also gut. Behutsam trägt die Oberförsterin, aufgebrochen zu einer letzten Besorgnis, die keinem nützen wird, ihren neuen Hut auf dem Kopf, ein unentbehrlicher Teil ihrer Tracht. Auch gut. Für einen Augenblick wendet sie den Besitzern und den Trümmern der Landschaft fahrlässig den Rücken zu. Der Kaufhauskönig schlingt, in Bekanntes vertieft, an seinem Schweinsbraten. Er liest dazu einige deutsche Tageszeitungen. Seine Frau entblößt in ihrer Trunksucht nervös eine Brustnaht, eine Schwelle ihres Körpers.

Die Managerin hat genau keine Vorurteile. Wie sie da am Zaun steht und nachlässig etwas von der Zeit in den Mund nimmt, die dem Holzknecht gehört, der aber auch nichts damit anzufangen wüßte. Was hat ein Arbeitsloser schon zu tun. Er fleht sie aus undeutlichen Motiven an, sie solle noch einen Platz in ihrem Saal für ihn frei machen. Bis jetzt war er

Wilderer, jetzt möchte er etwas ähnliches wie Jäger sein: die nehmen einem die Frau weg, randalieren zurecht im Forst. Er möchte in den Wald einfallen, mit einer recht herzigen Frau zum Beherzigen seines Willens. Sie gestattet zerstreut, daß er morgen die Auffahrt mitmacht und sich dem Personal zugesellt. Beeindruckt ist sie schon, wie er da so schön in seinem Körper hockt, typisch einer, der immer zusehen muß und dafür ein hübsches Plätzchen in sich selbst gefunden hat, wo er sehen und gesehen werden kann. Hat den das Leben selbst hervorgeschleudert aus seinem unergründlichen Schlund? Schon hat sie es in ihre Faust geworfen bekommen, wertloses Pfand. Sie trägt dazu Jeans. Noch ein paar Jahre und er wäre häßlich, abgeschunden wie alle. Er erhält einen Betrag als Vorschuß (der Tarif für Treiber), von dem er sich etwas kaufen könnte. Rustikal wie meist auf dem Bildschirm, gleiten einige Menschen in Gewändern, wie soll man es sonst nennen, durchs Forsthaus, das TV schneidet im Vergleich dazu gleich mehrere Meter Leben viel schlechter ab. Die Filmschauspielerin hat sich aus Langeweile schon zum dritten Mal umgezogen, ihr Mann gönnt ihr jeden Augenblick davon: Dieses bewaffnete Aborthäuschen, für dessen Schutz ganze Kompanien aus Stadt und Land abkommandiert wurden! Erich, der Holzhauer, erhält die Anzahlung sofort in bar gegen seine Lenden geknallt. Er starrt diese schöne Frau an, vielleicht wird ein Vulkan aus ihr, vor solchen, die irgendwie falsch isoliert scheinen, muß man sich fürchten wie vor kaputten Elektrogeräten. Oder ist sie die ersehnte Heimat, endlich Glück? So ein menschl. Wesen! So sehen die also aus, wenn einmal keine Glasscheibe dazwischen ist. Gewiß wohnen Organe wie in dem Bilderbuch, das er sich bestellt hat, in ihr, an Blutfäden befestigte Unbequemlichkeiten, die er noch nie aus der Nähe gesehen hat, bei seiner Frau schon gar nicht (sie hat sich zurecht immer verborgen). Ist das auch eine

Frau? Man müßte sie aufschneiden können, denn man kann in Menschen nicht hineinschauen.

Er wirft sich ihr zu Füßen wie ein Futtersack und wird nicht aufgefangen. Erstaunt hält sie ihm (wies Gras vor dem Regen) die krausen Arme entgegen, er schwankt vor Alkohol. Er hat sich Mut angetrunken. Der Jagdherr derweil, zu einem Haufen Freßgier zusammengefügt, in ganz Europa hat er keine Konkurrenz, lobt den Schweinsbraten der Försterin in geruhsamen, aber gedankenlosen Worten. Er schlingt an der dritten Portion, und die ehemalige Musikstudentin fühlt sich plötzlich in die Großstadt zurückversetzt, als dürfe sie einen Teil von sich wiederholen. Wo die Lampen hell scheinen und die Kunst den Zuhörern in alle Spalten rinnt. War das schön. Wein wird nachgeschenkt. Im Oberstübchen drückt die Filmschauspielerin zerstreut Korken in mitgebrachte Flaschen. Sie kostet und öffnet dann gleich die nächste Flasche, weil ihr die erste nicht zugesagt hat. Das Kleid, schon das dritte, ist vollkommen zerdrückt. Eilig trinkt sie, so verrohen die Sitten auf dem Land. Die liebevoll gepflegten Möbel – die einzigen Möglichkeiten – der Forstfrau (auch sie hat ja ihre Sinne beisammen, auch sie ist verletzlich, diese lebendige Kulturfigur, die von des Schöpfers Schläger ins Dunkel verschlagen wurde) werden mit Zigarettenasche betäubt. Es stehen dort Aschenbecher bereit, doch keiner wagt darauf hinzuweisen.

Der Abend-Postautobus, dieses Großereignis im ländlichen Großraum der Altsteinzeit (denn jetzt hat jeder mindestens ein eigenes Auto), immer schon vor seiner Ankunft umflattert wie eine Stereoanlage, und zwar von Menschenwesen der Güteklasse B (Frauen und Alte und Kranke), biegt um die letzte Kurve: letzte Freude des Tages. Es folgt bald die erste Wirtshausrauferei. Der Bus prägt sich allen gut ein, so daß sie ihn bis morgen früh nicht vergessen können, vor allem, weil er schon um sechs Uhr dreißig abfahren wird. Und es ist so kalt. Füße scharren die Schotterstraße um. Ein paar wie betäubte Lehrlinge und Gesellen und Verkäuferinnen aus dem Nachbarort, denen gefräßige Umstände das Gesparte fürs Auto immer wieder, kaum ist ein kleines Häufchen zusammengekommen, wegfressen, kippen schlaff von der Ereignislosigkeit ihres Tages gegen die Pneumatore. Hastig wie ertappte Diebe entfernen sie sich in die Richtungen des Himmels. Die Frauen, um zu ihren Eignern zu gelangen, die Männer, um ihren besseren Hälften zu entkommen, bevor sie ihnen krankheitshalber ganz ausgeliefert sind. So will es die Natur in diesem Erdteil, in ihrer Vielfalt kommen ihr offenkundig nur wenige Einfälle. In Tragetüten aus Plastik eilt das Glück vorbei, ein Willkommen der Billigausgabe einer Schiausrüstung zum Geburtstag! oder eine Ladung neuer Bettwäsche, über die giftige Muster laufen, die sich kühn ineinander verschlingen, als wollten sie ihre gewaltsame Entfernung um jeden Preis verhindern. Alles kommt von einer «Super-Aktion», das kennen wir schon. Schlammige Geschenkpackungen für eine Hochzeitsfeier bringen gleichzeitig drei Familien mit, die das Brautpaar und dessen Krankheiten gut zu kennen meinen. Daher sind auch ihre Geschenke identisch miteinander. Die Auswahl im ländl. Raum ist dünn gestreut, doch die Landschaft bietet dafür alle Abwechslung, auf die man ein Anrecht hat, egal wo man wohnt. Sie ist einmal hell, einmal dunkel. Einmal kalt, einmal warm. Einige hören auf, sich über den Wahnwitz eines Supermarkts, aus dem sie gerade kommen, zu ereifern (aus welcher christl. sozialen Grube holen die ihre Preise heraus?) und beginnen, sich vor den Beschimpfungen und Schlägen ihrer angetrunkenen Männer zu fürchten. Oder sie halten diese fest unter ihre zerrissenen Pantoffeln geklemmt, wie der Volksmund sagt. Schatten fallen auf das Land. Es ist später Nachmittag, die ersten werden bereits mitleidlos beiseite geschoben, damit sie die letzten werden sollen. Fette Beute des Gewohnten, wenn die Frauen über ihren Schößen zum letzten Mal die Röcke und Schürzen glattstreichen. Diese Frauen sind nicht wie im Film, also sie sind anders als die gewohnte Hausmannskost im Fernsehen jeden Abend. Ihre Männer kommen von der Arbeit nach Hause. Sind der Erschöpfung anheimgefallen, bevor sie über die Schwelle ihres Heims treten und das Dreirad des Jüngsten zusammentrampeln, in einem Augenblick rasenden Zorns, sinnloser Wut, weil sie ihren aufgeweichten Tag, der hinter ihnen liegt, sich aber in seiner Heim-Tücke in ihrem Ärmel verfangen hat, nicht abzustreifen vermögen. Dieses dreckige Tuch. Wie sollen sie morgen wieder von vorn anfangen? Achtlos verschwenden sie jetzt die Minuten mit nichts, die ihnen später einmal fehlen werden. Die dörflich gestriegelten Fenster glotzen aus ihren Alpenfestungen hervor, klein, kleiner, am kleinsten. Blicke fallen auf nichts als das Gewohnte. Das ist trocken und sauber.

Die Filmschauspielerin ist vom Alkohol wie gelähmt. Ohne Nachdruck wird ihr hier ständig was aufgedrängt. Wie schmeichelhaft für die Försterin, daß ihr die Ehre gegeben wird. Um sie, diese längst ausgeschiedene Großstadtnahrung, entsteht jetzt Neid Neid Neid: den legen die Ländler nie an die Kette, den zeigen sie gerne. Sie hüten aber ihre Zunge vor dem Besitzer, hoffend, daß er einmal alles verlieren möge. Es ist ungefähr sechs Uhr abends. Die Kaufhausgattin verstreut ihren Umfang, der auf das Vielfache angewachsen ist (mühelos nimmt sie den mehrfachen Platz eines Mähdreschers unter ihren Beschlag, unter ihre goldenen Pantoffeln), unablässig um sich her. Sie vergrößert sich ständig, denn sie muß nicht an Orten, in Büros, in Schalterhallen arbeiten, welche für

Kleinwüchsige berechnet sind. Sie fliegt von sich fort wie ein seidener Schlafrock. Sie ist die Frau von einem, an dem sogar die Ritzen noch Schatten werfen. Wie der Wald, den man zufuß gar nicht umrunden kann, überzieht die Schauspielerin den größten Teil des Hauses mit sich und ihrem Geruch, während ihr Mann, der König, unten den Braten verschlingt, der eigens für ihn hergestellt worden ist. Der König ist klein wie ein Knüttel, aber oho, der kann es. Sie sprechen beide freundlich die Förstersfrau an, die entsetzt vor Glück in ihr Schlafzimmer flieht und sich verzweifelt liebkost, um zu fühlen, ob sie noch da ist.

Die Managerin des Konzerns öffnet ein letztes Mal für heute ihren Aktenkoffer, legt etwas endgültig hinein, schließt ihn wieder und reicht ihn dem Chauffeur. Die nächsten drei Tage wird sie sich der Jagd widmen. Aufgehoben in dem Tod der Tiere, diese Fotografin! Die Hirsche und Rehe werden zutal rodeln. Diese Frau kann privat sein, denn sie kann auch öffentlich vorkommen. Das blank gerodete Firmament, das wir gerade im Fernsehen zum ersten Mal an diesem Tag erblicken dürfen («das Österreichbild, also ein Land, das einmal echt und einmal als sein Bild vorkommt»), erschlägt sie einen Augenblick fast vor Glück, als sie jetzt vors Haus tritt, um zu atmen. Herrlich! Wie viele können es gerade heute nicht sehen! Fühlen! Das feurige Erdreich in seiner ganzen Attraktivität. Es stimmt, daß die Armen den Boden nicht besitzen, auf dem sie stehen, doch wäre das nötig, um zu genießen? Nein, sie genießen eben anders als wir. Was für ein großzügiges Dach, diese Natur, und wie energisch müssen die meisten sich die Schuhe abputzen, nachdem sie sie betreten haben. Denn ihre Wohnungen sind klein, aber rein. Die Natur schützen: es gibt keinen anderen Erdboden als diesen, es sei denn im heimischen Gemeindebau. In den Gräbern darunter Greise und sogar Kinder, in Frieden nebeneinander gebettet, und so geschieht es auch der Landschaft in ihrem Bereich: arm und reich.

Durch seine Tätigkeit im Amt hartnäckig geworden, und nicht nur gegen Bittsteller, steigt in diesem Augenblick ein dreißigjähriger Gemeindeangestellter aus seinem Wagen namens Golf, den die Golfspieler aber kaum jemals benutzen würden, denn er ist entschieden zu klein geraten, um auch noch eine Freiberuflertasche und Schläger darin unterzubringen. Die Hose aus Wollstoff und Trevira umspannt eng seine vom Sitzen aufgequollenen Glieder. Das Haar steht ihm in grau getönten Löckchen um die Stirn, und vor Ehrgeiz würde er mit seinen Därmen den Boden aufwischen, um seinen Fuß auf die nächste Sprosse der Leiter stellen zu dürfen. Von dieser Sprosse aus sieht er nämlich fast aus dem Dachbodenfenster! Von dort kann er dann täglich beobachten, wie seine Frau ihm die Hemden bügelt. Um jemandem aufzufallen, parkt er heute in der Nähe des Forsthauses, kilometerweit von seinen Eigenheiten, seinem Eigenheim und seiner eigenen Frau entfernt, die ihm so nötig ist wie der Hobbykeller seinem Haus. Sie bewahrt ihn vor dem Verhungern! Sie umgibt ihn ganz mit sich, damit er auf andere Frauen gar nicht schauen kann. Liebevoll ist er dann, wie zahmes Wild, in sein Gärtchen gepackt. Er, auf den diese Frau stolz ist, könnte sie mit einem Streich die Kellerstiege hinabschleudern, wenn sie zu ihrer Unvollkommenheit den Lungenbraten bereitstellt. Wie die Vampire saugen sie einander Blut und Saft heraus, und dieses Getöse, das Menschen mit sich machen können, sehen wir uns später als Familienserie an. Sie blicken einander auf die Ebenbilder. Sie sind einander wechselseitig nachgebildet, wie eine Versicherungsanstalt, die sich Fälle zum Vorbild nehmen muß, um ihre Kosten-Genußrechnungen aufstellen zu können. Bald, mit 75 Jahren etwa, werden sie sich sogar eigene Kinder leisten können!

Was für eine Kluft zwischen ihnen und der Wahrheit, und wie gut das Fernsehen es versteht, in sie hineinzufallen!

Das Fernsehen ist wirklicher als sie, aber sie ahmen es immerhin tapfer nach. Morgen wird der Angestellte wieder Formulare hervorbringen und Menschenruinen, die seit Jahren um etwas kämpfen (einen eigenen Zufahrtsweg, eine kleine Garage zum Häuschen etc.), das sie, hätten sie es endlich, nicht genügend zu schätzen wüßten, in seiner Amtsstube empfangen, die klein ist wie eine Quelle, aber ein reißender Fluß, was den Papierverbrauch betrifft. Spekkig lächelnd mißbraucht der sein Amt und schneidet sich im Dienst die Fingernägel. So vergrößern diese Leute ihr Leben auf Kosten anderer und schneiden sich sogar noch etwas ab! Morgen werden die Geschosse in die Tiere einschlagen, wie gern wäre der Beamte dabei! Tiere, die sterbend vor sich selbst als ihrem Hindernis zusammenbrechen, mürb von ihrem Skelett heruntersacken. Auch diesen Anblick möchte man einmal kennenlernen. Die Besitzer sind heute noch sicher in einem Heim untergebracht, das der Oberförsterin gehört, wie großartig wächst sie soeben aus ihrem Eigentum empor, und wie triumphal legen die Eigentümer darin ihre teure Ausrüstung an. Solche Leute dürfen ruhig kleinwüchsig ausfallen, sie sind doch nicht zum Überspringen. Nichts haben die im Sinn als die allernächste Minute, selbst der kleinste Teil von ihr gehört ihnen, und wie viele andere verbringen für sie noch mehr Zeit, die ihnen freilich bezahlt wird. Genieße das Leben, denn es ist kurz. Zum Entsetzen der Dorfbewohner sehen sie aus wie andere auch. Nichts dämpft ihre Taten, nichts dämpft ihre Talente.

Diese von ihren Besitztümern vorübergehend getrennten (privaten) und durch Privatflugzeuge in die Nähe transportierten Menschen, eine äußerlich anziehende Schar, innerhalb derer die sich gerade wieder umziehende Filmschauspielerin eine Sonnenstellung einnimmt, haben sich hier zusammengetrieben, um ihrer gemeinsamen Freizeit und der Vernichtung der Freizeit der Oberförsterin willen. Aber sie macht es ja gern. Sie sind, obwohl nur wenige, so viele in einem, daß sie niemals durch ihre vielfältigen Tätigkeiten beschrieben werden könnten, sondern nur durch die hell klirrenden Attribute ihres privaten Verbrauchs. Sorten Wein springen aus dem Schlamm des Kellers empor, der Rest wird weggeschüttet. Diese Aasgeiger, um die Illustrierte einen Geruch verspritzen, solche Zeitschriften, die enge guß-eiserne Reifen um die Hälse von Angestelltenfrauen legen. Die wünschen sich sofort etwas ähnliches, nur preiswerter, von ihren Männern. Der Bildschirm rät ihnen, lieber die Natur anschauen zu gehen, aber auch für die Natter Natur gibt es (um Geldes willen) ein Sortiment Geräte, um sich darauf fahrend der Landschaft zu erfreuen. So zu leben! Also in Schlössern oder auf eigenen Inseln, jedem erwachsenen Erwachenden wäre das sofort ein Paradies! Das ihnen Erreichbare ist ein einziger Widerspruch in sich: Pelzteile, angebracht an auffälligen Stellen von Wollmänteln, Echtholzapplikationen in ihren Wohnungen, Kleinwagen in selbstgemauerten Garagen-Garantien oder in kleinwinzigen Plastikkapseln verborgen. Sie schützen alles, was sich gegen ihren Schutz nicht zur Wehr setzt. Es wird hier nichts markentlich aufgezeigt. Bis in die Massen hinein hat sich das, was sich einfach gehört, ohne einfach zu sein, mithilfe der Medien herumgesprochen und somit durchgesetzt. Hier nun ist eine ländliche Stelle, an der dieser vorrangige Bewuchs, diese Flottenverbände, diese Menschengeschwader (nein, das sind keine Geschwüre, keine Furunkeln) zusammengefunden haben. Wie in einem Glanzheft, das jedes Mädel am Kiosk erstehen kann. Schon erschleichen Amateurfotografen mit unzureichender Augenoptik sich Bilder, aus fadenscheinigem Licht gefertigt. Die Förstersfrau oder ihr Mann, schäumend aus dem Maß ihrer kurzzeitigen Bedeutung, scheuchen diese Profiteure fort, und die haben keine Flügel, um sich auszubreiten. Dürfen sich nur zuhaus im Schlafzimmer herumstreuen. Bekümmert vor Scham wagen sie nicht einmal ein Wagenfenster zu öffnen, wie sie jetzt davonfahren.

Die meisten kennen das alles schon, denn sie sind Leser und Seher. Die betrunkene Filmschauspielerin, auf die bald aufgepaßt werden wird, noch ist sie nur sich selbst verantwortlich, zerfetzt sich vor dem Spiegel der Förstersfrau das Gesicht mit einem extra dafür hergestellten Set von elektr. Anlagen. Laserstrahlen sind ihr schon als Alterstherapie unter die Häute geschossen worden. Keine Angst, die Liebe wohnt tiefer! Der Kaufhauskönig, in dem sie wohnt und der mit ihr verheiratet ist, schlägt in seinen Schweinsbraten ein. Heimlich brennt in der Förstersfrau eine hilflose Flamme für ihn. Er ist ihr Held, also eine Innenhofpassage in ihrem Leib. Er schätzt ausdrücklich ihre Kochkunst, die wie eine warme Tellerlampe über den Tisch strahlt. Ihr Klavierspiel hat er noch nie vernommen. Keiner erbarmt sich der Försterin, die, ein schwächer werdendes Geräusch, auf dem Fußboden vor Diensteifer Flammenzungen wirft. Schade um ihre Sohlen. Bald wird sich die Schauspielerin übrigens erbrechen müssen. In einer Tasse splittert Flüssigkeit, die beim Aufstieg über die enge Holztreppe erkaltet und schwierig geworden ist. Höflich wird etwas zurückgestoßen. Die Dienstboten wohnen alle im Gasthof. Es ist recht nett. Wie Wasserfälle rauschen die Geweihtrophäen und Hörner von schafsartigen Tieren die Wände hinunter. Es sind schon ganze Köpfe von Karpatenbären und Mufflons in Kofferräume von Mercedesautos gelangt, Blutperlen hüpfen in Markenwagen herum. Aus dem Blut längst erschossener Tiere, die ihren Eignern auch nach dem Tod vorbehalten blieben, wachsen Bläschen hervor, der ganze Unschlat dieses Totenhauses. Die Meute geht bald schlafen und erwacht morgen gewiß aufs neue, nehme ich an. Es gibt welche, die ihr helfen, sich zu stärken. Die Försterin hält ihr Heim für eine Basilika, so geheiligt, und es ist doch nur vorübergehendes, flüchtiges Zelt für solche Basilisken, die Spiegel von ihrem Anblick zerknallen lassen. Morgen werden sie alle fort sein. Das Frühstück ruht, im voraus gekühlt. Die Nachbarn haschen nach Kümmernissen, die meisten fangen sie denn auch glücklich ein. Mit beschlagenen Augen glotzen sie über den Zaun. Sie erzählen ohne Rücksichtnahme auf Halbwüchsige und deren ganz anders geplante Existenzen (aber auch hier tritt das Auto auf, das überall vorkommt, wo es nicht zu steil oder zu steinig ist auf dem Lebenspfad) ihren Kindern von der Höflichkeit des Andersdenkenden gegenüber seinem Gläubiger und dem schiefen Winkel zwischen Sein und Nichthaben.

Die Schauspielerin läuft dicht an der Wand entlang und trinkt zu schnell. Ihr gehört sogar eine Insel wie jeder Mensch keine ist. Sie braucht sich gar nicht für so bedeutend zu halten, viele bedenken heute noch, wo sie einmal herkam, aus dem Nichts, und selbst dort mußte man erst suchen. Ja, diese gibt es wirklich!

Eine Kaufhausverkäuferin geht unter Qualen, abgewandten Gesichts und mutig rot vor Verlegenheit, zum dritten Mal in dieser Stunde in ihrem neuen Kostüm am Fort des Forsthauses vorbei. Schweißtropfen rieseln ihr in den reinseidenen Blusenkragen. Ein Kaufhauskönig lehnt innerhalb des Hauses gemütlich an einer Wand. Das kann ihm jeder nachmachen, der möchte. In seinen Kaufhäusern sind, wie man der Verkäuferin als Lehrling noch beigebracht hat, die Kunden Könige. Diese bröckeligen Kettenglieder, auf die kein Verlaß ist, nur Verdruß (heute kaufen sie grüne Strickwesten, die sie morgen nicht mehr wollen), und die sofort auseinanderreißen würden, entzöge man ihnen die beiden Ausverkäufe im Jahr. Es ist so: der Kaufhauskönig ist selbst der König, sagt schon sein teurer Name. Er ist ja wie der Vorgesetzte seiner Kunden, er besorgt ihnen was sie haben wollen. So besorgt ist er um ihr Wohl, um ihre Wonne. Mit dem schweigsamen Mann, dem Oberförster, wird derzeit ernst über den Waldstand gesprochen. Dieser Meister seines Fachs (Tierhege, Baumpflege) ist mit einer Strafe aus schmutzgrünem Loden belegt. Er muß ab sofort ein paar Runden aussetzen. Sorgsam setzt er seine Füße. Dies ist sein Gebiet, es ist ihm vergönnt, hier vor Kritikern aufzutreten. Niemand wird zornig. Aus dem Kaufhauskönig ist vorhin ein Mensch wie ich geworden. Das Wetter macht ihm Sorgen wie die öffentliche Hand ihm Sorgen macht, er ist ganz konzentriert auf dieses Thema. Er kann sich stets einer Sache ganz zuwenden. Wie ein Huf berührt er zur Zeit die Erde, in schriller, gut gespielter Demut. Das Wetter ist in jedem Fall stärker als er, erkennt er an. Der Förster ist schon früher zeitweise mit solchen von der Menschheit durch zahllose Bankverbindungen abgetrennten Personen umgegangen. An einem Seeufer entsteht derzeit eine private Kapelle. Die Pupillen beschlagen den Zuschauern vor einem solchen Sterbemonument: was man für sein Geld alles bewirken kann. Im Moment des Sterbens wird der Kaufhauskönig froh sein, diese Kapelle zu besitzen. Hell flackern im Wald die Tierknochen, in den Kellern ruht dazu noch die Pracht ihrer Weine. Und in all ihrer von der Natur ihnen verliehenen Heiterkeit und Herrlichkeit, während schon Wintervögel über ihnen kreiseln, verfangen sich ein paar Kinder in den Bäumen, um in den Förstersgarten hineinschauen zu können. Niemand Unbefugter hat hier Zutritt. Die Fugen sind mit Polizisten und Leibwächtern ausgefüllt worden. Vorhin ist noch auf Scheiben im Garten geschossen worden. Jetzt könnte einer auf sie schießen! Die Beobachter müssen, von berufener Hand gescheucht und geschunden, in ihre eigenen dunklen Sekrete zurückflüchten, dorthin, wo ihre Sehnsüchte auf dem Herd brutzeln und brüten. Die Förstersfrau schlägt mit der Faust gegen die Stämme, in gemäßigter Lautstärke darf nur sie alleine zuschauen, wie die Schauspielerin in ihren Zimmern wütet. Der immerwährende Ertrag der Dorfleute fließt in unübersehbarem Strom das Förstergrundstück entlang. Alle kümmern sie sich um fremde Angelegenheiten, um sie zu den ihren zu machen, aber mit sich werden sie nie fertig, sie können ja nicht einmal die Kirchensteuer pünktlich zahlen. Mörderisch, mit den ruckartigen Bewegungen der Zukurzgekommenen und nie richtig Ausgepeisten, geraten die Trafikantin und die Frau eines Eisenbahners in Streit über die Farbe eines Kleides, das einer Königin gehört. Dieser Streit ist eine Einbahnstraße, das Ergebnis ungewiß. Jetzt gehen sie soeben in ihre Küchen zurück und werden selber Königinnen.

Der Chauffeur führt die beiden Wolfshunde noch eine Runde über die Schotterstraße dahin. Von seiner Chefin, der Managerin, ist er zur Größe eines Befehls, den er ständig erwartet, feingeschliffen worden. Die Hunde werden von umstehenden Dörflern begrüßt wie eine befreiende Armee, plötzlich versteht man ausgerechnet an ihrem Beispiel die Kreatur und deren diffizile Wünsche. Daheim steht nicht einmal eine Kuh im Stall. Die geschundenen Dorfhunde und Katzen und vor allem die Schweine (in dunklen dreckigen Dosenverschlägen, die das Tier hautnah umspannen) sind des Schutzes der Dorfbewohner nicht würdig, sie selber, die Nichtselbständigen, werden ja auch nur von ihren Rentenzahlungen beschützt. In der Gaststube kann sich der Chauffeur später einen Zwiebelrostbraten bestellen und als einer, der viel herumgekommen ist, bestaunen lassen. Hinter ihm speit die Öffnung des Dorfes immer neue Männer aus. So neu sind sie auch wieder nicht. Ihre Frauen entblößen sich zuhause vergebens, um ihre Männer vom Wirtshausbesuch abzulenken. Wie sollten sie alle das Licht begreifen, das vom Forsthaus ausgeht? Es rinnt ihnen, wollen sie zugreifen, zwischen den Fingern heraus, durch die sie schauen. Dann setzen sich die Frauen vors Zimmergerät, um alles aus der Nähe zu beschauen und beschämt zu werden. Sie haben keine größeren Vermächtnisse zu machen als ihre Nachbrut, die aus einer schlichten Erdform zu stammen scheint. Diese Fahrerinnen einspuriger Fahrzeuge, die Männer treten da schon viel großspuriger auf! Kaufen sich immer neuen Zierat, um ihn auf die dummen Mützen ihrer Motore oben drauf setzen zu können. Sie schreien, um zu sehen und gesehen zu werden, doch es ist zu spät, und sie werden gegen den harten Mantel ihres Hausbergs, direkt vor den Orts-Toren, geknallt, daß ihnen das Blut aus den Nüstern schießt. Und dennoch sieht sie jeder jeden Tag aufs neue. Die Managerin lockert gähnend ihre Glieder durch eine Turnübung, die man auch allein am Schreibtisch ausführen kann. Schön wie ein Kleid geht sie zum Zaun. Ein frischer Knall in der Früh, der leuchtend den Tag in zwei Teile zerreißt, so steht sie da. Sie verwaltet die Wirklichkeit und deren Erträge, aber, wie soll man sagen, es fehlt ihr eine Rohrverbindung zu sich selbst: also sie ist am ganzen Körper abwaschbar, doch sie erträgt Wasser nur selten auf ihrer Haut (Angst verlorenzugehen?). Diese Frau, nicht einmal so recht aufgetürmt ist sie wie z. B. die Verkäuferin vorhin in ihrem neuen Kostüm. Von der Managerin träumen die Angestellten in ihren Ganzheitsbüros, wo sie ihre ganze Zeit verbringen, täglich aufs neue geschlagen durch die Gebrauchsanweisungen, die sie zu ihren Hobbies beigepackt bekommen. Denn in ihrer Freizeit leben sie auf. In ihre Freizeit leben sie sich hinein! Belegen sich mit Wurstbroten. Von ihren Frauen her erschließt sich ihnen das Wesen weibl. Anziehungskraft nie. Der Holzknecht, der, schön wie im Film, sein eigener Darsteller ist, streckt seine Hände nach dieser Frau aus. Sie erscheint ihm wahr und greifbar, ein Muttergottesbild in der Kirche. Was für eine Gnade, diese fein blumengemusterte Tapete, die man sich selbst abholen darf (nur die Maße muß man kennen, um die Grenzen des Ganzen nicht zu überschreiten). Erich bietet sich sofort an, möchte mit auf die Alm hinauffahren. Er wäre im Ernstfall nicht schwieriger als eine Schneeflocke auf der Kühlerhaube. Die Frau schaut ihn an und warum nicht? Es ist ihr vielleicht egal, nur ein neuer Makel auf ihrer Gesichtshaut. Er hat ein ausführendes Organ anzubieten.

Weniger als ein Haus besitzt er, um sich hineinzubegeben. So wird ihm für morgen ein bestimmter Wagen zugewiesen, er wird dem Gepäck Gesellschaft leisten. Auch die Waffen sind eingeladen. Er ist einer von jenen, zu denen ihre Väter grausam gewesen sind. Einer von den Vergeßlichen, um nicht Vergeltung zu üben. Sie dagegen merkt sich immer alles. Zu schwer hängt sie stets um sich herum, eine Katastrophe von Faltenwürfen, so kommt sie aus ihrem Büro in einem Innenstadt-Palais hervor, hilflos wie nasses Gestrüpp. Machtvoll und doch linkisch gleichermaßen. Strauchelnd vor Ekel, steigt sie über die Treppe. Wie ihr widerwärtiges kaltes Fleisch einmal abstreifen? Dieses Netz, mit einem Bratenschädel vollgeladen. Sie möchte sich am liebsten die Organe herausrupfen. Glück braucht der Mensch wenigstens ein wenig. Nach so manchem Essen steckt sie sich den Finger in den Schlund. Sie will sich auf diese Weise bügelfrei erhalten, ihr Ensemble bis aufs Gerüst freilegen. Nun gut, so bleibt ihr versagt, was vielen, bedenken sie von allen Seiten ihre soziale Lage, gleichgültig ist: die Gewichtszunahme. Kaum aus der Umhüllung ihres Wagens entlassen, wo niemand sie belästigen konnte, desinfiziert sie schon das Forsthaus aufs genaueste. Dieses uralte Gemäuer, über das Rustikalkenner in grauenhafte Schreie ausbrechen, bietet dem Schmutz ideale Verstecke. Sie säu-

bert alles außer sich selbst. Überdimensionale Wattepak-
kungen werden aus dem Kofferraum geladen, flüssige Mittel, giftig wie Rattenkacke, prickeln ihr bei der Arbeit, die
sie gründlich aber nicht schonend vornimmt auf der Zungenspitze. Der Chauffeur muß nach ihren Anweisungen
alle Fächer und Laden mit frischem Papier auslegen. Dann
beschließt sie, die Reisetasche gar nicht erst auszupacken.
Die eigene Bettwäsche wird über die so försterlich und
fürstlich vorbereitete gestülpt. Am liebsten wechselte sie
jeden Tag die eigene Haut, auf die schon viele warten, um
sie sofort ihrerseits anzulegen, sie zumindest anzuprobie-
ren. Gut steht ihnen das! Sie hat Macht über Tausende im
Wirtschaftsbereich, ungefähr wie ein Haupttreffer in der
Lotterie. Und dabei findet sie immer wieder Vorwände, um
keinem persönlich die Hand reichen zu müssen. Frau sein –
ein fortwährender Wink mit dem Pfahl der Hygiene. Immer beugt sich einer devot über sie. Zulieferanten halten ihr
einen Mantel auf und blasen Luft in ihren ungeschorenen
Nacken. All das viele Blut in den feinen Verästelungen der
Adern, es will hinaus ins Leben wie Samen, der ja auch
arbeiten möchte. Manchmal läßt man ihn, manchmal nicht.
Wütend kocht die Saat der Armseligen in ihrem prä-reser-
vierten Häuschen.

Morgen werden überall die Blutvorhänge vor der Landschaft zugezogen werden. Das gefällt dem Kaufhauskönig
gut, der ist ein schlichter Konsument vor seinem Braten und
seinem Wein, kann aber jederzeit über sich hinauswachsen.
Er wird wie er ist akzeptiert. Für gewöhnlich ist er einfach,
für Menschenversuche würde er sich nicht recht eignen,
was gäbe es schon an ihm zu sehen? In erster Linie setzt er
sich für die Natur und deren weiteren Fortbestand ein, seit
er seine Kaufhäuser abgestoßen hat. Am heftigsten setzt er
sich für seinen Forstbestand ein. Er ist ja nur ein einfacher
Bauer. Möchte aber selbst fortbestehen, und zwar in aller

Bequemlichkeit, daher muß alles rings um ihn herum ebenfalls bleiben wie es jetzt ist. So gefällt es ihm. Die Natur wandelt sich ständig, zielt aber im gesamten auf ihre Verewigung hin. Das gleiche gilt ihm für die Verhältnisse als angemessen. Das heißt, die Verhältnisse sind vor allem für ihn da. Er ißt und trinkt vor sich hin, dieses Festschwein mit seiner gekrönten Schnauze. Der küßt Frauen die Hand und verkehrt mit Ministern und Oberhäuptern per Wohlbehagen. Die gebratenen Tauben fliegen ihm in den Mund. Der und sich bücken! Nie! Nur wenn er auf das in riesigen Geschwadern flüchtende Rotwild anlegt. Die Gegensätze verschärfen sich in aller Unschuld zu lebenslänglich. Der Holzfäller drückt sich jetzt, ein demütiger Hauch, haltsuchend an den harten Zaum des Oberförsters. Dieser Mann hat ihn früher, als er, Erich, seinem Beruf entschwand, grob mit der Handschale weggescheucht. Erich belästigt heute die Managerin mit seinem Trachtenkostüm. Er ist am Ganzkörper wie nilgrün ausgefallen. Klebt sich entzückt (schon trennt sich bei ihm, wie beim Mann überhaupt, Lust von Laune) vor sie hin, unter dem Vorwand, der Weg sei schmal und ein PKW drohe ihm über die Fersen hinwegzufahren. Solche Scherze macht dieser Mann gar zu oft, und die Frau stellt sich ratlos an. Die Managerin springt jäh zurück, obwohl der Zaun dazwischen steht. Staub wirbelt über die Straße, aufgewirbelt von einem Opel Kadett wie die Welt ihn verträgt und noch Millionen davon vertragen könnte. Einer von diesen unzähligen Verläßlichen, Häßlichen befindet sich hier auf seiner täglichen Reise, die er bereits alleine zurücklegen könnte, ohne Fahrer. Dieser laufmaschige Pfad führt ja tagtäglich von einem gröblichst zusammengeschnitzelten Kleinbauernhaus aus Mischbeton zu einer Großtischlerei in den Nachbarort und wieder retour. Was dieses Auto zurecht verbirgt ist zur Zeit wenigstens gesund. Danke gut. Ein paar Meter weiter, vor der Tabaktrafik, beginnen zwei alte Frauen, die nichts zu tun oder zu bestellen haben, weil ihre Rente dafür nicht reichen würde, einander in ihrem einheimelnden geschmeidigen Dialekt anzuschreien. Es geht um nichts. Das einzige, was noch einen Funken Leben aus ihnen zu schlagen vermöchte, wäre ihre tägliche Ernährung und die Krankheitssymptome, die sie hervorruft. Sie nehmen beinahe nichts mehr wahr. Für ihre Leiber haben sie einen Pachtvertrag auf Lebenszeit unterschrieben, dann kriegt der Lehm, aus dem sie gemacht sind, sie wieder zurück. Gott sei Dank. Sie sind solche, die nach Jahren post mortem vom Gemeinde-Hilfsbediensteten mit der Schaufel zerhackt werden, wenn ihre Leichenklumpen im Lößboden allzu unversehrt verweilen. Im Leben haben sie immer zu den Versehrten, Verstörten gehört. Sind immer im Haus gehalten worden, und sogar die Kettenhunde zur Hofüberwachung werden in eigenen Hütten einquartiert. Die einen dürfen nicht hinaus, die anderen nicht herein. Sie würden sich vor laufenden Kameras ausziehen, so wenig nehmen sie sich in ihrem Alter vor den Launen der modernen Wirklichkeit in acht, und werden dafür von der Kamera mit dem Bann der Nichtbeachtung ihrer kleinen Sorgenfalten belegt. Für diese Alten ist das hervorragende Bild im Raum nichts als ein Kasten, in dem, wie in ihrer Küche, wo jetzt die Schwiegertochter regiert und den Lichtschalter widerrechtlich auf und zumacht, etwas passiert, ohne daß sie ein Stück mitgenommen würden. Es ist nichts und nie etwas gewesen. Sie müssen sich die Verläufe dort drinnen in der richtigen Reihen- und Rangfolge von ihren Enkelkindern laut und doppelt so langsam erklären lassen. Die Inhaltsangaben der Spielfilme und Serien, die gerade betrachtet werden, treffen mit der Geschwindigkeit und Heiterkeit von Sprache, also schwerfällig, auf ihre äußeren Hautfronten auf.

Der Holzknecht Erich geht, ein sicherer Handelsreisender in seinen allerneuesten Träumen und Begehrnissen (ohne die Fährnisse zu bedenken), zu seinem Einzelzimmer mit kaltem Fließwasser hin. Er hat keinen Gedanken an seine Familie mehr zu verschwenden, zumindest im Augenblick nicht. Eine Erscheinung ist ihm widerfahren, mit ähnlichen Symptomen wie eine Leibeskrankheit. Niemand lernt aus seiner Vergangenheit. Diese Frau, sie sah aus, als wäre sie eine Verschwendung ihres Schöpfers, so schön wie nur Unnötiges sein kann. Von ihrer Bedeutung für das Wirtschaftslebens ahnt er nichts. Den Konzern, von dem strahlender Glanz auf sie fällt, hat er leider nicht gesehen. Ein Lufthauch hat ihr das Haar vom Kopf geweht, wie Reisig schlug es in den Wind. Was für ein wunderbarer Schrank für das Leben! Auch dort drinnen, wo der Rauch ihrer Zigaretten hinzieht, sind die Schubladen gewiß hübsch austapeziert. Ericht denkt folgendes: Dem Mutigen gehört die Welt. Auf dem Berg, da kennt er sich aus. Er hat auch Bücher über Weiblichkeit und Leiblichkeit studiert, die er diskret mit dem Postversand erhalten hat. Der Rock und die Schnauze des Begehrens passen ihm so fesch wie sein Steirerhut den Feiertagen. Er hat weniger als ein Haus, sich hinein zu flüchten. Um zu ihm aufschauen zu können, das heißt, um endlich ja zu sagen, müßte diese Frau in den Boden wachsen wie Wurzelgeflecht. Sie ist wie auf einer Fotografie, nur hat sie eine gewisse Tiefe. Dieser Landmensch hat vor dem künstl. Medium Fernsehen weniger Ehrfurcht als andere, denn er hat keine andere Welt als die hiesige, um sich ab sechs Uhr abends darin aufzuhalten, genau, er besitzt keinen Apparat zum Hineinschauen. Gläubiger verfolgen ihn bis ins Wirtshaus. Das Land kennt nur den Mißbrauch seiner Bewohner an der Natur und den Schrecken der Natur für ihre Bewohner: diese kleinen, zurechtgehobelten Gestalten, diese Fehlfarben, und jetzt verfault ihnen auch noch ihre natürliche Umgebung unter den

Füßen! Sie werden gewiß durch ein Loch im Boden alle schweigend aus der Welt hinausfallen, der Apparat beginnt zu brennen, und die Pflanzenmütter, entstellt, stellen sofort ihren Betrieb ein. Die Sitten und Mißbräuche von denen, und zwar an ihren Wohnungseinrichtungen, werden zunehmend roher, seit sie gelernt haben, Pläne zu schmieden und alle paar Jahre alles, was ihnen einst so teuer war, auf Teilzahlungsbasis ersetzen zu lassen. Ihre Umgebung häutet sich wie eine Schlange, nur sie bleiben gleich. Erich schreit vor Freude auf seinem Heimweg laut. Er möchte am liebsten sein Organ ausfahren wie im Buch auf einem Querschnitt abgebildet.

Die Managerin leuchtet vor Ekel. Höhnisch sucht sie in ihrem halbverdauten Verlangen nach Eßbarem. Nein, sie kann nichts davon gebrauchen. Ein Geruch quillt ihr in die Rachenhöhle. Das ist ihre Fassade. An keinem wirklich hängen zu dürfen ist hart. Der Holzknecht ist keiner, ein Traumpaar zu bilden. Sie bettet keine tiefen Gefühle in ihre Panzerfaust. Sie schaut in die Ebene vor sich und hört den Mann noch in der Ferne laut lachen und juchzen. Der Vorschuß ist mit ihm ins Wirtshaus gegangen. Morgen, wenn die richtigen Schüsse knallen, wird er schon nichts mehr haben. Von dem schönen Privatgeld, halt, grausame Zeit! Man möchte das Geld noch einmal und noch einmal ausgeben können. Am liebsten immer dasselbe Geld, aber für verschiedene Dinge. In den Dorfgassen ungewohnt rechtskräftiger Verkehr heute, viele achten den Vorrang, denn die Autorität (die man sich als eine Kapsel oder Tablette vorstellen kann, also sehr klein, aber wirksam) weilt in unseren Mauern, nichtwahr. Sie stellen sich vor, ein Brunnen aus Geld wäre, einer Ölquelle gleich, in ihrer Mitte aus dem Boden gebrochen. Warum sollen die Araber mit ihrem Öl es so viel besser haben? Und der Oberförster hat das Glück, das Brünnlein in sein Bettchen zu leiten. Dort, bei dem wohnt die Filmschauspielerin, wohnt der Kaufhauskönig und sonst noch Menschen mit angeschmierten Gesichtern, so wie die Dörfler nie werden wollen, so bunt. Und die gehen eigens nicht unter die Leute, obwohl sie sich doch wirklich zeigen könnten. Aus Angst vor Gewinn wollen die Dörfler lieber so bleiben wie sie sind, aber zufrieden und gesund. Von einem Preisausschreiben würden sie es schon nehmen, da würde ihr Bild gezeigt. Bei solchem Geld hätten sie eher das Gefühl, es stehe ihnen zu. Sie geben doch jeden Tag fünf Schilling aus, um die Zeitung mit dem Ratespiel zu kaufen.

Die Männer, die keine Einladung zum Hirschentransport erhalten haben, schlagen bereits jetzt, noch ist kein Hirsch in den Eimern der anderen, Glücklicheren, die Augen nieder und halten die Flagge der Übergangenen hoch. Lächeln unter gefrorenen Wimpern heraus, diesen Staubtüchern für ihre beleidigten Augen, die fast Gott geschaut hätten, aber einen Kaufhauskönig nicht zu rühren vermochten. Gleich darauf blicken sie wieder in den Klaren im Glas und in die Zukunft ihrer Familien, die sie auch ohne Kaufhaus-millionäre zu ernähren vermögen, wie sie sich einbilden. Die anderen Bezuschußten verfeiern sich beim Wirten. Morgen werden manche von ihnen, die benötigt werden, zur Unzeit (und nach der anstrengenden Unzucht) in tiefem Schlaf befangen, Arbeit und Vergnügen verpraßt haben. Sie sind heute schon unwirtlich wie die ganze Umgebung. Eins der Kleider der Schauspielerin, um die Mittagszeit von einem Auge erhascht, aber zur zureichenden Beschreibung außerstande, ein Lederkleid mit Dazupassendem, wunder-bar im Glanz seiner Beifügungen, macht als Gerücht die Runde unter den Dorffrauen. Es hat sich schon auf das schrecklichste verändert, seit es zum ersten Mal aufgetaucht ist. Die Erzählerin steht zum sie weiß nicht wievielten Mal vor ihren Freundinnen wie ein Baupolier im Kreis seiner

Unverantwortlichen. Im Sprechen wird ein Maß sichtbar, das ein Film geprägt hat, aber woran sollen sie es anlegen? Draußen wird es rasch dunkel. Der Wirt in seiner Hartleibigkeit knallt mit den Getränken herum, rasend vor Haß auf die Steuern. Als der Chauffeur mit den Wolfshunden eintritt, schwappt ein Meer der Stille hoch auf, teilt sich wie in der Bibel, und der Mann schreitet hindurch. Auf die Theke zu. Dort ist vieles verschüttet worden, was jetzt extra wieder aufgewischt wird. Die Hunde gehorchen beide wie ein Mensch, der in der Früh aufstehen und zur Arbeit fahren muß. Gleichzeitig geschieht aber auch anderes, sich zu einem Taumel, nein, einem Tunnel verengend, aus dem andere Schwächlinge keinen Ausgang wissen. Viele Gleise hat das Dorf, nur wenige verstehen es, darauf halbwegs bequem dahinzufahren.

Man bleibt unter den Seinen, die einem gleichen. Am Sonntag werden die Bande der Familie gestärkt, damit die Frauen sich nicht vor den Niederkünften drücken können. Diese Unbewußten, die keinem Ausschuß angehören, der für sie sprechen könnte. Daher sprechen heute im Fernsehen Unbefugte über das Leben des Embryos, das ins Leben hinaus möchte. Ja, schon der Samen lebt bereits, kein Kunststück, denn es lebt die Wüste sogar! Nur die Natur ist hin. Die Lebensschützer schlagen schwitzend auf die steinernen Politiker ein, um ihnen eine Träne für die Hilflosesten zu entlocken, die nicht einmal außerhalb des Gebärmuttersacks existieren könnten. Aber da stehen die Waldschützer bereit: noch hilfloser als der Embryo ist der Baum, der in dieser Gegend schon oft Menschen im Fallen erschlagen hat. Das ist die Rache der Natur an den Unmündigen. Noch nie ist ein Waldbesitzer von einem Stamm erdrückt worden. Dennoch weint er laut in einer Zeitung, daß einmal kein Wald mehr um ihn säuseln könnte. Wofür und worauf könnte er dann noch bestehen, der Herr Graf, der Herr

Fürst, der Herr Führer. Unter der warmen Decke der be-
grünten Langeweile fällt denen zum Spaß die Natur ein,
dort wollen sie einen Park anlegen, damit die Menschen
darin im Kreis gehen sollen. Die Besitzlosen benötigen
nicht einmal Sport-Geräte, selbst Rodeln ist ihnen für ihr
Vergnügen fremd, sie brauchen nur ihre geraden Gebeine,
die sie sich wie dürres Holz brechen. Weinend schauen ihre
Frauen auf tote Körper. Ihre Handflächen schwitzen sogar
aus Angst vor dem Friedhofsverwalter, bei dem die Grab-
beigaben zu bezahlen sind. Die Sparbücher faulen ihnen
unter den schweißnassen Fingern. Niemand hört auf ihr
Heulen. Diese armen Frauen, kleine Behältnisse (denn die
Frau ist innen hohl) im Zentrum von vielen anderen, größeren Schachteln, alle ineinandergestellt, in denen nichts ist,
nur etwas Leichtes, das leise klappert und scheppert: die
Kammern ihrer Herzen, die für andere schlagen müssen,
für Geld und Gut. Sie verfügen über nur wenig oder gar
kein Vieh im Stall, von dem sie sich an den hohen Festtagen
ernähren und das sie ohne Liebe betrachten und warten
gehen. Sie stoßen mit den Füßen in das Fleisch, das von
ihnen abhängig ist. Soll das etwa Charakter sein? Wie lose
Plakate knattern ihre Häute im Sturm vor einem Gewitter,
das Heu verschimmelt vor ihren Augen. Die einzige Kuh ist
über Nacht nahrungslos geworden. Die Sonne geht auf.
Die Kinder dieser Rasse von Müden kollern überall herum,
verklebt mit dem sauren Saft des Schlafs in ungelüfteten
Dachkammern (der schönste Raum ist das wunderbar ge-
räumte eheliche Schlafzimmer, eine Fetischpuppe auf dem
mit Lebensschaum zugespritzten Doppelbett, nur der Arzt
sieht es jemals in Funktion. Die Kinder sind nichts als Leibs-
abfall, fressen Geld wie das Vieh Futter, bringen aber nicht
einmal den Naturalwert ihres Fleisches wieder ein), werfen
sich morgens in die gierigen Darmzotten des Postautos. Die
Sitzplätze sind den gereizt wie Bärinnen um sich schlagen-

den werktätigen Frauen sowie den frühen Friedhofsbesucherinnen und Einkäuferinnen zu überlassen. Diese Sitze sind das einzige, das sie je zu erlangen vermögen, und so verteidigen sie sie gegen diese stinkend ausgebrütete Invasion von fremdem Kleingezücht. Die Männer fahren derweil in ihren Autos vorbei. So ist es gut, und so bleibt es deshalb. Sie besitzen alle so wenig, daß man ihren Haaren bis auf die Wurzeln schauen kann.

Die Managerin, diese Pestsäule, steht in ihrem vorgeheizten Zimmer, stigmatisiert bis aufs Blut. Sie verschmäht das zärtlich aus Fertigteilen vorfabrizierte, mit Befremdlichem überkrustete Mahl ihrer Gastgeberin und verschlingt eine Wurstsemmel aus dem Papier. Trinkt Rotwein dazu. Gleich wird sie sich übergeben stürzen. Am liebsten würde sie sich abschließen, unter Wasser dahintümpeln, das Haar als Schutzschirm über sich, nur etwas schmutzigen Schaum in den Nasenlöchern. Sie spürt den stillen, aber aufdringlichen Geruch ihres Körpers, dieses Obdachs. Bricht gerade heute ein Knoten aus ihrer Brust in die Welt auf? Was wird er dort erleben müssen? Er würde sie sofort zu einer von jenen machen, die operiert werden müssen. Zärtlich schmiegen sich ihre Finger einen Augenblick aneinander. Der Holzfäller vorhin hat sie nicht bedroht in seiner Würde als von wem auch immer gepflanztes Wachstum. Außen groß, innen aber flüchtig, so einer war das. Wie gut, daß man sich ewig fremd bleiben wird. Sie tastet über fremde Möbelstücke, die ihr gleichgültig sind und die sie um keinen Preis, den sie freilich bezahlen könnte, besitzen wollte. Anderen diente eine solche Einrichtung zum Ideal. Sie ist ein geflügeltes Gerüchteinsekt über der Dunstglocke des Dorfes, in der Morgendämmerung, nachdem die Männer aufgebrochen sind und ihre Eingeweide unter sich entleert haben; eine Art Schmetterling, eine Motte, von erleuchteter Wohnküche zu Wohnküche flügelnd, solche Wünsche vereinigen die Frauen!

Ländlich und schlüpfrig wird es unter den Fingern dieser Frau, die gut eine Geigenlehrerin sein könnte. So kameradschaftlich sind ihre Hände zueinander, die eine weiß was sie nimmt, die andere weiß, daß sie nichts zu geben hat. Die Stiege knarrt. Die Erde ist jemandem leise. Das Glück lacht uns zu. Die Filmschauspielerin verlangt betrunken nach Schmerzmitteln, ihr Zaumzeug hängt ihr schief vom Kopf herunter, sie hat sich doch selbst in diesen gedeckten Stall geführt, zum Kaufhauskönig, das ist Jahre her. Jetzt ist sie seine Erbin. Der Kaufhauskönig ist vom Staat und seiner Steuergesetzgebung enttäuscht worden. Er hat aus Politikern Menschenknechte geformt, die er mit Peitsche und Porsche antreibt, damit sie die heimische Industrie antreiben. Jetzt ist er von ihnen auch enttäuscht. Eine gute Ehe spult sich hier ab. Den Knechten dieses Landes spritzt der Speichel vom Gaumen, wenn sie in den Nachrichten hören, wieviel andere an ihrerstatt verdienen, bloß weil es sie gibt! Und zwar als Abgeordnete. Die sie vertreten, die Vertreter der Vertreter. Wie geht das zu? Es geht in den Verbindungsstücken schon wieder auf, weil eine Zeitung den Wind von der falschen Seite her ins Gesicht gekriegt hat. Die Knechte arbeiten im Wald, damit ihre gesetzl. Vertreter sich am Wald erfreuen können. Morgen kommen der Minister und der Landesrat und noch weitere aus Gemischtwaren (wie ein Konzern) geformte Leute mit ihren Luxusautos an und fahren mit auf die Jagd. Sie sind ein fest geschlossener Personenkreis und haben Personal mitgebracht, so leichtes Zeugs, das allessamt nicht einmal ein einziges Spiegelbild zusammenbringt. Politiker sind hierher gerufen worden, um ihrer Freizeit willen, und Menschen werden eintreffen. Die politisch miteinander eins sind: Zwangsernährer ihrer selbst. Zwischen Tierkadavern, die mahnen, wie nah der Tod dem Menschen ist, der nicht rechtzeitig genießt, werden sie Anweisungen in der Form von Geldern erhalten.

Hier werden sie einmal frei von Verpflichtungen sein dürfen, denn ihre Verpflichtungen werden sie hier erst auf sich nehmen. Sie werden vom Kaufhauskönig verpflegt werden. Die Managerin antwortet, sich zeitig niederlegen zu wollen und übergibt sich routiniert in den mit geblümten Kacheln eigens schabrackierten Abort. Nicht einmal nötig, ein Geräusch zu machen. Es riecht ausgerechnet und ausgezeichnet nach Apfel. Diese Frau könnte Kinderköpfe ausspeien und würde nie das Gefühl haben, auch nur ein Gramm leichter geworden zu sein. Am liebsten griffe sie sich in den Schlund und risse Speiseröhre, Magen, Gedärme oben heraus. Jawohl, es ist schwer für eine Frau, Verantwortung zu tragen. So will sie an sich nicht viel zu tragen haben. Wieviele Lebendgeborene hängen von ihren Entscheidungen ab, ein ganzer Konzern schleppt hinter ihren Fersen her. Sagt man zu Frauen manchmal Königinnen: hier stimmt es wirklich. Bedenken Sie, daß andere, die auch nur wenig Gewicht haben, in diesem Augenblick Urlaubsdias gegen ihre Wände werfen, glühend in die Kopien ihrer Erlebnisse verfangen, als wären zumindest die Originale dieser Erlebnisse von Wichtigkeit gewesen. Diese Angestellten, die sich Fernreisen leisten können und, fern von ihnen wie eine zweite ganze Welt, leben die, welche wiederum sie lenken wie sie ihre Autos lenken. Ein Haar von der Managerin zählt, in angemessenen Beträgen ausgemessen, mehr als das ganze Hotel, in dem die Gäste sich wohlgefühlt haben. Durch gut getarnte bösartige Börsenaufkäufe und klug eingefädelte Paketgeschäfte hat sich der Konzern, dem sie in diesem Land zu Häupten steht, zu einem der größten Mischkonzerne in privater Hand getürmt. Anteile wurden auf Kinder und Enkel übertragen, ein Legoland, das heute nicht mehr zu zerbröckeln ist. Doch diejenigen, die darin arbeiten, sind weniger als Anteile, sie sind Bruchteile. Also nicht einmal in einem Stück hergestellt worden.

Die Managerin irrt, ohne direkt verlorengegangen zu sein, im Forsthaus herum. Nein, sie ist sich selbst eigentlich keine Last. Aber sie ist Belastungen ausgesetzt. Vor unbestimmtem Grausen (vor diesem Haus, das drei Tage lang mit unbekannten Säften geputzt worden ist) treibt es ihr – so ergeht es einem rasend sich drehenden Kreisel – die Arme vom Körper. Sie will sich nicht einmal unabsichtlich selber berühren. Die Lampe einer Ohnmacht senkt sich mild auf ihren Kopf herunter. Von unten, aus dem Erdgeschoß, hört sie, wie die Filmschauspielerin mitsamt ihrem Schoß freundlich von ihrem Mann eingeholt wird, dessen Innereien lachend vor Schweinsbraten zucken. Sie schließen aber, der Einfachheit halber, sofort die Tür hinter sich. Um sie vor den Zeitungen und Illustrierten abzuschließen, patrouillieren die Wächter ihrer Leiber vor dem Haus auf und ab und schreiben sich Autonummern auf. Gleich wird die Gendarmerie zur Sicherheit einreiten, damit sie dann schon da ist, wenn etwas passiert. Diese Privaten, locker wie das Erdreich, in dem sie sich bis zur Decke erstrecken. In Kisten und Seidenpapier gehen Delikatessen aus einem Innenstadtgeschäft der Hauptstadt diskret in Fäulnis über. Viel zu viel von allem, achtlos durch menschliches Zutun zusammengehäufelt, lose herausgefetzte Lachsstrünke, kaum angerührt, nur mehr Spuren von Speisekulturen. Die Förstersfrau, unendlich allein gelassen in ihrem hirschhornigen Gewand, wie es hier Sitte ist, rasselt mit einem Stück Schmuckbefall um ihren Hals, auch sie ist vorübergehend hauptsächlich geworden! Sie wird sich sogleich ans Klavier begeben, um dies zu dokumentieren. Sie hat eine Prüfung abgelegt und ist danach streng und direkt nach unten durchgefallen. Es wird ausdrücklich um Ruhe gebeten werden müssen, sodaß ihrem Aufenthalt am Flügel (eine Anwesenheit, ungeordnet wie ein Komponistenhaufen, unerfreuliche Unzucht) jählings zum Rückzug geblasen wird. Nicht einmal ein Häubchen hat man ihrem ehemaligen Talent gelassen, warm genug, ein Ei darunter zu verbergen. Lächelnd verstummt sie nach Erhalt dieser Weisung. Vom Braten ist der größere Teil übriggeblieben, obwohl der Kaufhauskönig ihn beinahe mitsamt dem Zimmer verschlungen zu haben schien. Die Gastgeberin hat aus Verlegenheit viel zu viele Speisen geformt und hergerichtet. Erzürnt stehen derweil die Tiere im Wald, entzündet sind die Flügelränder der jagdbaren Vögel, die, in Käfigen zum menschl. Verzehr gezüchtet, durch die Gitterstäbe die vom Gift besiegte Luft betrachten, in der sie morgen abgeschossen werden. Morgen soll der Stolz von Böcken und Hirschen gebrochen werden, oder spätestens übermorgen! Mit einem Zollstock. Man wird ihrer Herr werden, sie werden, je nach Größe ihres Geweihs, etwas oder nichts gelten.

Die Managerin (was für ein verpfuschtes Motiv in einem so angenehmen Bau), steht in ihrem geheizten Zimmer vor noch mehr Speisen und Getränken in Papier. Sie schlingt schon wieder. Das Stickgut wird sich nur kurzlastig in ihrem Körper aufhalten dürfen, so wie man auf seine Verkehrsmittel wartet. Sie trinkt Rotwein. Spürt den unruhig werdenden Geruch ihres Körpers. Es wird etwas durch ihren Türspalt gerufen, durch diesen nicht umkämpften Schlitz. Sie antwortet, ohne sich irgendwo anzulehnen. Andere tauschen jetzt, die Stunde ist günstig, denn es ist dunkel, Urlaubsfotos gegen ihr Zeitmaß in Leben aus, Zahn um Zahn. Leben um Leben in einem Album, damit endlich Schluß ist. Oder an die Wände geworfen, von einem hellen Schein umfangen, als wäre, was sie erlebt haben, überirdisch gewesen. Wir übrigen bewahren unsere Kinder vor dem Zubodenstürzen, drehen an unseren Lampen und Schraubverschlüssen herum. Verrücken Fernsehantennen, wenn das Bild uns entgleitet, und treten im Federschmuck des ewig Zukurzgekommenen gegen den Bildschirm, weil dort jetzt ein Streifen zu sehen ist, der nicht zu einem österreichischen Politiker gehört (dessen Kopf einfärbig ist). Die Kaufhauskönige kommen einzeln im Handel vor, wir hingegen zu einem Ensemble zusammengefaßt. Die Kinder schießen dann und wann aus den Frauen des Dorfes hervor, als gäbe es nicht schon zu viele unter ihnen, die genauso sind wie sie. Notdürftig hüllen sie sich in Abwaschbares, wie Fototapeten sind ihre Kleider, die so einmalig aussehen, wenn man sie kauft, und dann doch beliebig oft aus einem Negativ (also aus etwas, das weniger ist als nichts) herausgerissen werden können. Und die Kinder schauen aus wie von ihnen heruntergerissen. Sie kleben sich gegenseitig ein, und manchmal schneiden sie sich die Frauen derer, denen sogar die Ölkrise egal ist, aus einem Heft aus und kleben sie neben sich hin, weil sie ihnen angeblich ähnlich sehen. Wie die Nachbarin zum Scherz gesagt hat. Kaum lernen sie jemanden kennen, schon wollen sie auf der Stelle bei ihm bleiben, wer weiß, ob noch einmal jemand hier vorbeikommt.

Die Managerin trägt Jeans wie die meisten, die das Praktische schätzen gelernt haben, weil sie sich das Überflüssige nicht leisten können. Aber diese Frau hat ihre Gründe! Manche im Dorf sind vollkommen grundlos habgierig wie eine Mutter, die einfach alles will, aber doch nicht für sich, sondern absonderlicherweise für ihre Kinder! Und doch hat sie nur diese Kinder als Überfluß vorrätig. Links und rechts sinken sie zur Seite, von einem ungerechten Schicksal mitten im Straßenverkehr ereilt. Im Spital, auf der Unfallstation (Endstation!) reißen sie ihnen die Gräten heraus. Jenen Ausgeburten, wo die Augen größer sind als der Verstand und die Hände größer als der Tiefkühlschrank. Beim Aufschneiden merkt man das sofort.

Mit dem Gesicht den Käuferschichten am Wühltisch zugewandt, begreift die Verkäuferin plötzlich ihre Lage: eine gegen viele und ist ab sofort nur mehr Hausfrau und Mutter, eine gegen alle. Die Managerin, am Abend noch so vernünftig wie andere am Vormittag nicht, steckt sich den Finger in den Hals, damit die Nahrung wieder heraufkomme. Ihr Konzern redet inzwischen, ein vielstimmiges Konzert der rasenden Geldwaschmaschinen, ohne Ihre gütige Mitwirkung auf Verbände, Parteien, Regierung, Parlament ein. Beim Reden wird es nicht bleiben unter den kunstvoll gestückelten und plissierten Haarwerken der Meistbietenden. Das von der Försterin peinlich gepflegte Klobecken schlägt über dem Kopf der Managerin zusammen. Sie hat die Tür nicht vollkommen geschlossen, und die Gastgeberin hält die Hand aufs Herz, daß ausschließlich frische Zutaten verwendet wurden. Die Försterin beginnt ihre Lage zu begreifen, und kalte Furcht vor den Jägern und deren Maschinen umspannt ihren Brustkorb, wo bisher ihr Pflegetrieb gewohnt hat. Könnte es eine Lebensmittelvergiftung sein? In der Mitte des Lebens beginnt sich überhaupt für die Frau das Dasein sukzessive zu verdunkeln. Das Spülklo wurde unter großen Opfern und Krediten nachträglich ins alte Forsthaus eingefügt, eine Frischzelle in diesem alten Gemäuer aus der Kaiserzeit. Der Oberförster ist schwergewichtig, wenn es ans Mitreden und Forstschädenmelden geht. Er hat von den Politikern nur angemessene Gelder genommen, damit diese morgen himmelauffahren dürfen. Sie werden oben im Schloß, einem Horst, der mit diesem friedlichen Vornamen nichts gemein hat als den möglicherweise etwas schroffen Klang, (aber alle Absichten sind friedlich wie das Geld selbst, wenn es auf der Bank liegt!) über die Unterstützung einer heimischen Großpartei und deren Angehöriger, einer großen einzigen Familie von Faksimilisten (Menschen strengstens nachgebildet) ernsthaft diskurieren. Die Politiker werden dabei aufquellen wie das winzige Trockenobst, das sie sind. Wenn man sie in eine

Lake von Geld einlegt. In Windeseile können die sich auf das Vielfache ihrer selbst aufblähen, auch wenn sie nur ein Schnitzel in der Gastwirtschaft konsumieren, wo sie sich mit dem Volk ihrer Wahl, also dem Wahlvolk, zum Schein verbrüdern. Mit jeder Hand waschen sie eine andere und machen sich doch nie naß. Nazis! Nazis! Verbrecher, die Verbrechern eigens die Hand geben. Dazu fliegen sie sogar mit dem Flugzeug weithin. Eine Bagasche, die ihre eigene Muttersprache nur unvollkommen spricht und fremde Sprachen ablehnt, weil sie sie nicht versteht. Sie haben nichts gelernt, aber ausgerechnet sie sind wer. Bis zur letzten Seite sind diese Leute schon öfter vollständig ausgelesen worden, und doch weiß bis heute niemand, was wirklich in ihnen steckt. Sie denken so und sprechen dann ganz anders, mit dem Hut im Dickicht ihrer rein persönlichen Wünsche verheddert. Gleich fällt er ihnen vom Kopf, der Hut, aber der Kopf bleibt dran. Und auch diese Hausgeburten eines Parteiprogramms, das so flach ist, als wäre es gemalt, werden morgen zu ihrer Unterhaltung Lebendiges ermorden, das sie für ihren Unterhalt gar nicht benötigen. Das Fleisch werden sie fast zur Gänze zum Selbstkostenpreis an dessen Transportarbeiter vergeben (sie selbst kosten viel viel mehr!). Die Jagd ist nicht das eigentliche Ziel ihrer Reise, zu der es sie seit Jahren drängt, mit ihrem Mercedes aus der Landeshauptstadt. DAS GELD (schillernde Frucht auf einem Baum, an dem allerdings auch noch die nachsichtigen Berichterstatter mehrerer Zeitungen hängen und sich in den Rucksack hineinlügen, in den sie eigentlich die Namen dieser Früchterln legen sollten): du liebes bißchen Geld! Die Amtmänner aus der Regierung werden dich morgen gewiß von den Türmen der Gralsburg, die dem Kaufhauskönig gehört, herunterkratzen, bis ihnen die Fingernägel vom Fleisch fallen. Mit vor vernunftloser Begierde brüchigen Stimmen werden sie dem Kaufhauskönig vortragen, wo sie das Ziel für den Geldeinlauf aufgebaut haben: der eine wünscht sich eine kleine Segeljacht, der andere ein Sportflugzeug für seinen alters- und witterungsbedingten Sohn, der jetzt erwacht ist und Mädchen anschauen geht. Und diese massivstofflichen Herrlichkeiten werden sich diese Floßreisenden (ich will damit folgendes behaupten: die Unterlage, auf der sie stehen, ist sehr flach, kann aber trotzdem umkippen. Das Geld für die Abwässerreinigung haben sie längst und in Windeseile verspachtelt, jetzt wünschen sie sich noch mehr davon, Nachtblut! Nachtblut!) mit, wenn es sein muß, den eigenen Händen, diesen Riesenschaufelbaggern beim unaufhörlichen Nestbau (raffen ohne zu schaffen), das werden diese gegen ihr eigen Spielzeug «Arbeiter» total immunisierten Hanseln, diese Kartonmenschen, sich alleinig von dem, was übrigbleibt, also von den Abfällen, den Bröseln des Kuchens leisten können!! Bravo!

Die Managerin trägt achtlos an ihren Jeans, alles weitere lesen Sie bitte wo anders nach, in Heften, die gelb sind vor Neid, das Papier kräuselt sich schon unter der Hitzewirkung, während zur gleichen Zeit in der Stadt diese beiden schwerprächtigen untätigen Untäter, der Ministrant und der Landschrat, jene endlich aufgegangene Aussaat des halb vermoderten Samens von Generationen Beamter, die, wie Generatoren, ihre Nachgeburt immer wieder aufs neue in die Politik hineingeschleudert haben, bis sich einer endlich dort verfangen und festgekrallt hat, sich inkognito (sie erkennen einander immer, keine Angst!) zu einer anonymen Lagebesprechung zusammenfinden. Wir werden keinen Richter brauchen, steht fest. Diese Abstrakten, also die uns Entrückten, die machen solche Schweinereien, daß sie es nicht einmal wagen, dem anderen, mit dem sie seit dem Mittelschülerverband per Du sind und die Partei untereinander aufteilen, auch nur den wirklichen Namen der Nummernkonten anzuvertrauen. Diese Pollen, die herumfliegen und Monstrositäten züchten, diese Politiker, was erwarten sie von uns? Als Ergebnis der Natur und des blutigen Almauftriebs: schöne Frauen in eleganter Garderobe, die ihrer Frau daheim bis ins Mark unähnlich sein sollen bitteschön. Diese Frau hat ihnen seinerzeit das Studium finanziert und hält sie daher bis auf weiteres in der Faust fest umklammert. Längst fallen sie aber schon, stickoxidverseuchte Luftschwätzer, die Töchter, ja Enkelinnen ihrer Jahrgangskollegen im Sprung an, was ihre komplizierte Religion, deren Sakramente sie sakra sakra einnehmen wie ihre Vierteln Wein, von ihnen nicht gerade zu erwarten, aber zu tolerieren scheint.

Jedoch, aufpassen jetzt, die Filmschauspielerin, von der die oberen Provinzialgnome manchmal in den Leih- und Leibblättern ihrer Gemahlinnen gelesen haben, knallt aus dem Fenster des Forsthauses betrunken und ungezielt mit ihrer teuren Fotoausrüstung herum. Und die Managerin, wie schon vorfabriziert zur Erde niedergefallen, uninteressiert und ohne Höflichkeit, starrt in die Landschaft hinaus, deren Glück und Ende eine neue Fabrikansiedlung bedeuten könnte. Diese Frau ist so wenig an das Leben gewöhnt, daß sie wohl oder übel an die Wirtschaft glauben muß. Sie hat vor kurzem noch eine politische Karriere versucht, ist aber, mit ihrem von Parasiten zerfressenen Orientierungsorgan, schon im Vorfeld ihrer Bemühungen am falschen Flügel der Partei gestrandet. Ihr selbst gehört privat viel, aber sie hat wenig davon. Andere genießen sogar Vogelgesang oder wenn ein Fluß in einen anderen einmündet. Sie hat keinen Gewinn von ihrem Körper, der sie, ständig nässende Wunde wie bei einem Ritter (diese Kastratenwunde des Amfortas), nur ungern zu umhüllen scheint, dauernd stößt sie sich irgendwo an oder knickt mit dem Fußgelenk um. Ein Vorhang über (auch pekuniär) unsauberen Vorgangsweisen: Und wie herzig und herzlich schmiegt es sich woanders. Da kommen sie herbei, als zöge sie ein Wespenglas an, solche Frauen, die sich mit großartigen Frisuren und Makeup behüten. Es wird ihr die Tröstung des Ewigweiblichen zuteil, sie sei nicht häßlich. Auf Empfängen starrt sie die Schönen an, wie die mit ihren schillernden Aasflügeln flattern, so machtlos sind sie, daß sie den Männern zufallen. Dabei überragt SIE jede menschl. Sprache höher als die Dichtkunst es könnte, wenn sie einen schriftlichen Befehl fixiert. Sie kann nicht von sich wegschauen, das heißt von sich absehen, um einen Zusammenhang mit jemand anderem herzustellen, und das wäre auch schon das ganze Geheimnis der Liebe! Diesem Frühling der Kleinkunst traut sie nicht und vertraut sie sich nicht an. Wenn es stimmt, was man von ihr sagt, daß sie ganz entblößt und entblödet sei vor Gier, so merkt es ihr nach außen hin keiner an. Sie muß immer vorher die Gewißheit haben zu gewinnen. Das heißt, sie ist selbstbeherrscht, um andere zu beherrschen. Sie würde nie hinter jemandem herlaufen, denn es laufen die meisten hinter ihr her. Während sie rasch flußabwärts treibt, klingelnd vor lauter selbst angesteckten Lichtern: ihren weibl. Attributen, denen alle selbstverständlich tributpflichtig sind. Die Filmschauspielerin ist da eine schlichtere Rose in ihrer altproletarischen Sitte und Tracht (Moneten und Pracht), die bringt noch eine Schüssel mit Teig durch bloßes Anschauen zum Aufgehen. Sie paßt zu ihrem Mann im Glück, der auf das richtige Pferd gesetzt hat. Sie ist wie Gewürz (bestürzend in ihrer Wirkung). Sie will im Luxus herumturnen, ja, eigentlich ist ihre Existenz schön. Arbeit muß der Kaufhauskönig nicht in sie investieren. So kann er sich ganz seinen Börsentransaktionen widmen. Die Frau als solche ist (und symbolisiert das auch in vielen Filmen) die Liebe und für die Liebe. Die Schwierigen in den Randbezirken, einfach aus Zwang lebend, sind nur gut genug, ihre Anzüge und Mäntelchen, in denen sie ein

Weilchen geübt haben, für ihre Lebenspartner ein Gott zu sein, in Vorortelinien und Busse zu schaufeln. Unter dem Beil der Arbeit verkommen diejenigen, die einmal vielleicht schöne Kinder gewesen sind! Sie merken nichts und verdienen, was aus ihnen wird: nichts. Die Filmschauspielerin hat vor ihrer Karriere als Frau einen Schönheitswettbewerb gewonnen. Der Kaufhauskönig kennt sie seit ihrem siebzehnten Lebensjahr und ist immer noch nicht müde. Aus Aggressivität, die ihn aktiv macht wie den raketengestriemten Himmel, hat er die Frau bis jetzt noch nicht gegen eine andere eingewechselt. Er schlüge diese andere womöglich tot. Nun taumelt die Schauspielerin über das Spielfeld, eine Machtmotte, eine Raub-Libelle unter einigen Lagen Seide. Die Wimperntusche rinnt ihr über die Wangen hinunter.

Überhaupt: heute vergleicht der Gewerkschaftspräsident und dessen Helfershelfer (wie andere Menschen Frauenbrüste miteinander vergleichen) einmal zum Beispiel die Preise und was der Arbeiter dafür bekommt und für welchen Preis man einen Arbeiter bekommen kann.

Die Managerin hat ihre Papiere dem Chauffeur anvertraut und bereut jetzt schon, nichts zum Kosten und Kosen zwischen den Fingern zu haben, Computerausdrucke, Diagramme, an die sie achtlos gewöhnt ist. Tatsächlich trinken ausgerechnet in diesem Augenblick manche, wie an einer Leine zusammengehängt, Kaffee, denn sie tun es jeden Tag. Sie essen Linzertorte, die das beste von allem ist, das sie kennen. Schirmen das Abendlicht mit sich ab, dazu sind sie grob genug, milde in ihrem zerfallenden Fruchtfleisch, in dem von Zeit zu Zeit zu der Herrschenden Heiterkeit Wünsche leise detonieren. Aber auch diese Wünsche sind entsprechend klein und wissen nicht genau, wohin sich wenden in diesen betrübten Menschenhäupteln. Sie kennen gewisse Umgangsformen nicht, denn sie haben keinen Umgang mit den Wichtigen. Erbitten sich, sanft geworden von kapitalen Fehlschlägerungen, die ihre Familie denn doch betroffen gemacht haben, etwas Nagelneues ganz für sich allein, aber so neu kann es nicht sein, denn ihre Vorbilder auf dem Bildschirm tragen es ja längst oder spielen längst damit! Sie sind mit ihren Vorbildern identisch, aber mit ihren Wohnungsnachbarn wollen sie ein Spinnefeind sein. Ihre Fähigkeiten bleiben unter dem gröblichst verwahrlosten Tuch des Gemeindebaus, in dem sie geboren wurden, ein Leben lang versteckt. Noch nie durften sie sich selbst unter dem Tuch erblicken, denn diese Schutzmaßnahme hat der Herr Präsident von der Gewerkschaft getroffen, der ihnen den Lohn zumißt, den die Industrie lächelnd hinunterzuwerfen bereit ist. Um diesen natürlichen Kreislauf zu sichern, werden Naturschützer, die den Kreislauf der Natur sicherstellen wollen, von den Gewerkschaftsmitgliedern in die Knochen geboxt, damit Arbeitsplätze erhalten werden, die die Arbeitslosen aber nie erhalten.

Manchmal, wenn die Armen schnell fahren und der Wind ihnen ins Gesicht fahren könnte wie eine gute Mutter, wäre da nicht eine Scheibe zwischen ihnen und der guten Mutter Natur (dieser Welt im kleinen Maßstab), heulen sie auf, weil ihnen unter den Autoreifen eine Gestalt aufgeblüht und sofort wieder vergangen ist. Doch sie selbst haben sich gröblichst vergangen: ein Delikt! Sie müssen den Führerschein abgeben, diese Fahrkarte ins Glück, das man nicht kaufen kann, und sie erschießen sich dann, aber nicht in ihrem Büro, um mit sich nicht Schmutz zu machen. Für das Büro ziehen sie sich sogar jeden Tag etwas anderes an, das ist die Illusion des Ungebrauchten und damit Ungebrochenen.

Die Managerin ist jetzt nicht zu sprechen, weshalb nicht, das erfahren Sie aus der Zeitung. Sprechen Sie daher notgedrungen einmal mit sich selbst! Schon heute, noch vor der jagdlichen Auffahrt morgen früh, ist diese Frau zu jeder einzigen Liebkosung vollkommen unfähig. Ihre Hand zuckt vor ihrer schuppigen Haut zurück. Sie hat Schweißflecken unter den Achseln der Seidenbluse, die sie seit zwei Tagen nicht gewechselt hat, das ist schon viel für jemand, der sich überall nur kurz aufhält. Es ist nicht wie in dem Buch, das Sie gelesen haben: daß diese Großen, die Figuren aus sich formen, erlesen und einfach in ihren Verbrauchergewohnheiten sind. Es kann aber auch so sein, weil alles sein kann. Dagegen: diese Frau riecht sich selbst schon, das ist ihr Signal zur Gewalttätigkeit gegen sich. Raubtier gegen Raubtier. Ihre Speiseröhre kocht von der heißen heiligen Brechmasse, die dieses Gefäß entlang nach oben geschossen wurde. Manche gehen jetzt schon schlafen. Gute Nacht. Die Braven in ihren Maulwurfslöchern, ins Leben geworfen, mit ihren Kopferln, die oben herausgucken, die schmiegen sich jetzt eng aneinander, kleine Waffenlager, die jederzeit, allein von der Liebe geladen, losgehen könnten. Sie sondern träumerisch Bäche ab, aber Taten sind von ihnen nicht zu verlangen. Sie selbst verlangen dauernd, daß andere etwas für sie tun sollen. Zum Beispiel das Finanzamt. Die kuscheln sich in die Uferwölbungen ihrer Kaufhausbetten hinein, sperren weit die leiderfüllten Münder auf, woher die nächste Runde Raten nehmen, und wann kommt endlich die Rückzahlung? Sie bücken sich und werden sogleich noch weiter gebückt. Sind gesellig, diese frisch ausgelernten Gesellen, die morgen entlassen werden, weil die ungelernten Kräfte billiger kommen: kommen also zu mehreren vor. Haben alle dasselbe Schicksal. Eins für viele. Stellen sich hinter die Sträucher und pissen vor sich hin, das heißt, sie zeigen endlich Flagge. Man sieht sie, man hört sie. Schauen einander nüchtern, freundlich an, knacken hinter ihren hohlen Schläfen, wo schon der Umriß des Kugellochs in hellerem Blau erscheint oder der Strick um den Hals wegen des Streits mit der Nachbarschaft (es geht um ihre gesamte Barschaft!). Sie sind ja ganz mit Tränen überhäuft. Sie sind mit sich überlastet. Sie sind unzählige Überzählige.

Die Managerin öffnet die Augen in eine Welt aus Licht hinein, die sie nicht blendet, sie braucht nicht einmal in einem Film vorzukommen, so einmalig ist sie, sie ist auch sehr reich! Aus der Vergangenheit ihres Konzerns kommen die Ausgerotteten, Vergangenen längst nicht mehr hervor. Natürlich kennt auch sie die Geschichte und ihre Bewohner: sie ist nicht wahr! Und wenn doch, so haben ganz andere, sogenannte Vorgänger (die auch schon tot sind, aber fotografiert wurden) sie wahrgemacht. Sie hat damit nichts zu tun und glaubt es auch nicht. Sie ist nur die Urheberin des modernen Befehls von heute. Sie schaut sich alles vom Papier ab. Was sie tut, sie schlägt ihr Wasser auf dem Wendekreis des Papiers ab, allein mit dieser trägen Masse hat sie Umgang. Sie ist ein Lastwagen mit Anhänger. Das Papier, ganz weiß! So möchte sie es auch für sich geltend machen, dieses Fron-, dieses Fronleichnamskind, mit dem Kranz der Macht auf bedauerlich wechselvollen Frisuren. Wie soll sie nur die Macht mit sich zubringen und die Nacht? In ihren Geruch eingespannt. Ihrer Funktionen ist sie vorübergehend entkleidet, jetzt gilt es, die Schrecken des Urlaubs auf sich zu nehmen, für die sie nicht gerüstet ist. Was machen die Reichen aus ihrem müßiggängerischen Abfall, sie werfen die leeren Flaschen ins Meer hinaus. Im Vergnügen ist man besonders allein, deshalb lädt man gern sich Gäste ein. Die toten Tiere werden morgen aus ihren selbstgebastelten Schlupflöchern kollern, unter der hübschen Landschaftshaube werden sie der Verwertung preisgegeben, sie kommen auf kleine Wägelchen mit Strohschütt. Die Helfer haben mit diesen Kleinwagen ihre Erfahrungen gemacht und mißtrauen ihnen zurecht. Grinsend werden Schädel von der Wand lächeln. Sie sind nicht einmal für den Hunger der Welt, für den an allen Orten bei den Überflüssigen sammeln gegangen wird, gestorben, sie werden von zwei Politikern, einem Kaufhauskönig und anderen Dergestaltigen den Einwohnern gespendet. Und den Politikern wird ebenfalls gespendet, damit auf sie immer Verlaß ist und sie das Volk ihrer Aussaat im entscheidenden Augenblick verlassen können.

Die Managerin schließt sich krumm wie ein Embryo, sie riecht sich auch in den Schoß hinein, sollte sich waschen. Vor dieser Aufgabe bockt sie, will nicht in das mit neuester Handtuchware schabrackierte Badezimmer der Försterin gehen. Sie ist an ihren Standort gefesselt, ein einsames Heer ohne Krieg. Morgen wird sie tun was alle tun, die zum Glück die Jäger sind und nicht die Gehetzten (a Hetz muß sein), denn in ihrem Berufsleben sind sie immer sehr abgehetzt. Auf unerklärliche Weise in diese Gegend verschlagen, losgelöst von der Alpenschanze ihres Schreibtischs, der Fahrstunden entfernt ist, schaut sie auf das Wetter hinter dem Gitter des Fensterkreuzes. Sie tut also wie wir, die wir über sie durchs Papier unterrichtet werden. In Heften wühlen wir nach ihr und ihresgleichen herum. Und dabei ist sie direkt nebenan. Wenigstens ein Untergebener täte ihr jetzt gut. Vielleicht den Chauffeur noch einmal unter einem Vorwand, den sie gar nicht braucht, hierher holen? Und wo sind die braven Hunde? Nur damit heute noch einmal jemand an ihre Tür klopft. Die Filmschauspielerin jauchzt jetzt mit dem Kaufhauskönig, der unter dem Einfluß des Bratens und des Weines seiner Plumpheit, die direkt unter der Gesichtshaut lauert (geschult an unzähligen erfolgreichen Arisierungen, die aber nun auch vergangen und daher erlogen sind), auf dem Fußboden geradewegs freien Lauf läßt. Er hat wie immer freie Fahrt und Vorfahrt. Dieser Mann steigt wie ein Herr aus seinen Schuhen, das macht ihm kein zweiter nach; auch wenn er von seinen Wünschen noch so quirlig wäre: dies macht den Millionär aus und deshalb werden Sie niemals einer sein. Vieles ist diesem Mann gleichgültig.

Die Besitzer der Landschaft weinen vor Zorn, doch nicht ganz im blutigen Ernst (da haben sie was anderes zum Bluten zu bringen) bei folgendem Anblick: von Säure zerfressen greift ihr Eigentum nicht mehr zu den Sternen! Dieses riesige Sieb, durch das die Wettersignale achtlos zu Boden fallen. Dieses Eigentum krampt sich im Boden fest, um sich auf die Umzingelung durch Gewerkschafter von der Baufäller- und Holzfällergewerkschaft vorzubereiten: So schlagen sie auf Naturdemonstranten mit Knüppeln ein! Ziehen Schnappmesser aus den Ärmeln! Wo ist hier bitte der Ausgang? Überall, denn sie sind hier nicht in ihrer Wohnung. Dies ist leidergott (oh Natur, deine Stacheln!) die Wohnung der Besitzkräftigen. Hier sind Menschen bereit, für einen Wald notfalls zu sterben. Früher sind sie für dessen Besitzer gestorben. So übertrug sich Menschenliebe auf das Unbelebte und daher natürlich ungleich Beliebtere, aber, im selben Einbahnzug, auch auf den Embryo, der zwar lebt, aber noch nicht restlos fertiggestellt ist. Im Gegensatz: der Wald lebt schon seit Tausenden von Jahren, und deshalb ist er heute auch restlos fertig! Für beides muß man kämpfen: Da hausnet und jausnet der eine in seiner Gebärmutter, ein kleiner Astronaut, wie der Gynäkologe behauptet, in seiner feuchten Kapsel, und auf einem Schirm kann man ihn (wie den Wald) auch als Laie auf den ersten Blick erkennen. Ein Frauenarzt und Christ, er kann beides gleichzeitig sein und auch noch ein Haus in Spanien besitzen!, diese Kreatur, gibt vor, ausschließlich für das Leben eintreten zu wollen, er tritt aber nur für sein eigenes ein, möchte noch ein zweites Haus zum Jagen, vielleicht in Kanada. Dieser Kretinist, dieser Frauenuntersucher, dieser Setzhirsch. Nicht werdendes Leben zerstören, beschwört dieser gutbezahlte Agent seines Konzernherrn namens Jesus (immer noch hochaktu-

ell!), den sie aber auch umgebracht haben, wie dieser weiße
med. Betrüger gleichfalls prahlt. Der fegt Ihnen, wenn Sie
herschauen, die Herzkammerln aus wie mir nichts dir
nichts. Ihm aber alles. Möbel zahlt er Ihnen keine! Aber der
Wald soll wieder in alter Frische auferstehn, das geht in
einem einzigen Reinigungsvorgang, damit man mit dem
Kind später darin spazierengehen kann. Damit man einen
mächtigen Waldesschatten über dem machtlosen nahtlosen
Kopf (die Natur hat ihn aus Resteln zusammengestöpselt)
aufragen fühlen kann. Es kann auch Nacht sein. Der
Frauenarzt kennt sich in dieser Reihenfolge mit uns aus:
Gott, die Ausgeburt (Frau), die Nachgeburt. Er schlägt
anläßlich einer TV-Diskussion auf seine innere Glocke, wie
spät es schon ist: fünf vor Zwölf! Um die Nachgeborten zu
retten, daß sie alle auf der Welt herbeiströmen und ihm
zuhören sollen. Sie benötigen und bedingen einander gegenseitig. Der eine also auf dieser Seite, der andere auf der
anderen Seite. Die Menschen, von denen hier die Rede ist,
werden von Worten nicht gerührt, auch wenn diese von
einem Spezialisten herrühren. Die Kaufhauskönige spuk-
ken auf solche Lebensagenten, die noch zur Hälfte in ihren
eigenen Unterleibstaschen drinnen stecken. Öffentlich reden sie aber ganz anders, wenn ihre Lakaien, also das Fern-
sehpublikum, dabei sind. Die Könige wollen verschwende-
risch mit sich herumschmeißen im Spinnendickicht ihrer
Begierden. Lassen für den Wasserlauf der Geschichte schon
die Erdlöcher ausheben, in denen eine Brut hausen soll,
schlimmer noch als jede vorangegangene, zu der sie brutal
sein können. Die Existenz müssen diejenigen, die im Buch
des Lebens überschlagen wurden, wie einen Rucksack auf
dem Rücken herumschleppen. Dazu brüllen andere in der
Zeitung steht als Studenten verkleidete Agenten (und leben
noch auf unsere Kosten): die Natur soll hochleben! Dreimal
hoch, dreimal so hoch wie die Hinterräder von dem Karren,

vor den sie sich spannen lassen: der Kommunismus. Angeblich. Augenblicklich! Und die Studenten sind, haben sie erst einmal ausstudiert, dreimal so hoch wie all die Ungewissen, diese, was den Wald und seine Erhaltung angeht, Gewissenlosen, die nur Mittelklassewagen zusammenraffen können, die ihrer Klasse einfach nicht zustehen. Ihre Kinder: dienen der Züchtung von Keinem und Keimen. Die Studenten folgen einstweilen ihrem Gewissen. Wer nicht von selbst auferstehen und leben will, wird dazu gezwungen werden, damit er das Schöne bewundern kann, das ihm nicht gehört. Wissen Sie das absolut Neueste, schon jetzt lagert das Ungeborene, versteinert, in der bitteren Salzlake seiner künftigen Lage: der Angestellte und was ihm dabei dienlich sein kann (Fortbildungskurti) bzw. was ihm alles gehörig ist. Dafür muß er sein Leben lang auf andere hören. Es ist gekämpft und jahrelang sein schütter werdendes Haar gekämmt worden, damit er auf der Welt sein, sein Geld verdienen und sich ärgern kann.

Doch zurück zum WESENLICHEN! Jetzt sind wir, die ungestempelte Post, endlich eingetroffen und werden in ein hohes Haus eingeliefert, ein Gebäude, mindestens so grausam wie ein Krankenhaus.

Es ist jetzt Morgen geworden, und die Auffahrt zur Jagd kann auf der Stelle beginnen. Die Höhle des Oberförsters gibt ihren Eingang preis. Motore schimpfen unter ihren Luxushauben mit fast unhörbaren Stimmen. Manche sind schon vorausgefahren. Andere werden erst morgen eintreffen. Einige warten in einer Gruppe, wie von Zuckerguß überträufelt (vom Mehlspeisrüssel der Förstersfrau). Sie hat vieles anzubitten. Die Geländewagen fahren jetzt bald los. Der Hubschrauber kommt selten vor. Der Chauffeur der Managerin trägt zwei reinlederne Rucksäcke über den Kiesweg. Dazu die Kameratasche. Minister und Landesvorzugsmann sind eingetroffen und öffnen ihre mächtigen

Beißkörbe, später sogar die Brustkörbe, einander zugewandt, damit jeder vom anderen sieht, daß der mit nichts
hinter dem Berg hält. Ihre Forderungen wurden längst aufeinander abgestimmt, wie auch ihre sonstigen Habseligkeiten, die in strenger Relation zueinander zu stehen haben
(vor einem Untersuchungsausschuß würden sie nichts zu
gestehen haben!). Jedesmal, wenn eine Tür geöffnet wird,
werden sie von kalten Luftzügen gegeneinander gedrückt,
das seichte Wasser der Förstersstube, die bürgerliche Wohl-
anständigkeit, ein Milieu, dem sie entwachsen sind, um-
spielt ihre Knöchel. Ihre jovialen Stimmen, die fallweise
schneidend wie Röhricht am Seeufer werden können, falls
einmal ein Untertan wie im Traum hereingespült werden
sollte, dröhnen ihnen, ständig von Alkohol durchspült, wie
bequem dahockende Vierkanthöfe aus den Mündern. Sie
denken, was immer sie tun, nicht oder nur an sich. Sie
denken, noch während sie sprechen, über das großartige
Erziehungsgeschenk der Parteispende nach, das sie in der
unheimlichen Heimeligkeit des Hochgebirges in Empfang
nehmen und gemeinsam nach Hause direkt in ihre Schlünder geleitet werden. Sie denken nur das Beste darüber und
werden nach bestem Wissen und Gewissen die Wünsche
des Kleinkönigs berücksichtigen, wenn es ans Beschließen,
ans Bescheißen von Bürgerhoffnungen geht.

Die Försterin ist zum Umfallen müde von den unerfüll-
ten Machtträumen der letzten Nacht, und jetzt fahren alle
schon wieder fort von ihr. Zerstreut an ihrer monströs ländlichen Knechtstracht nestelnd, (ein Nest für einen recht
unscheinbaren Vogel) schlägt sie kurz die Augen auf, zum
Abschied von den Prächtigen, und lauwarme Tränen, letzter Spülwasserrückstand schaler Komplimente, rinnen ihr
die Wangen, den bedauerlichen Kopf hinunter. Sie verbirgt
sich hinter dem Vorhang. Von weitem gewahrt sie ein Gebäude, in dem sie eine Herrscherin sein könnte, es sind das

Konzerthaus und der Musikverein in Wien, die schon einmal in Griffweite gewesen sind. Ausgerechnet sie aber mußte danebengreifen, in die Natur und deren Oberförster hinein. Jetzt hat sie es. Jetzt hat sie es nicht.

Die Managerin: warm vor Abscheu schießt ihr die Zungenspitze aus dem Mund, sie grüßt niemanden und richtet auch keine Grüße aus. Sie schneidet seltsame Grimassen, wie ein Tier in einem Fach seines Verstecks im Dickicht. Die ganze Nacht ist sie, ohne sich auszuziehen, denn obwohl die Bettwäsche ihre eigene ist, vermochte sie nicht darin zu baden, am Fenster gestanden und trotzdem noch ganz sie selbst geblieben, das heißt ein einziger Höhepunkt. Sie war bemüht, nirgends im Zimmer anzustreifen. Hat ihr Gewand an sich gedrückt wie einen lieben Menschen. Waschen kann sie sich manchmal nicht. Den mit einem Wundmittel blankgeschrubbten Toilettesitz hat sie mit Utensilien und Verwünschungen dicht belegt. Die Förstersfrau wird sie später als erstaunlich bescheiden beschreiben, während ihre Putzfrau verätzt im Bad röchelt. Die Managerin setzt im Hinausgehen eine Kopfbedeckung auf, während andere die ihrige (um der Managerin zu Gefallen zu sein) hastig herunterreißen.

Auf dem Dorfweg erblühen Menschengruppen, die gerade nichts zu tun haben, neugierig in ihren Hubertusmänteln, überhaupt diese Kleidung: ein Plagiat von Haut! Darin Sprünge von Enttäuschungen. Sie sind keinen Schuß Pulver wert, diese Leute, müssen also am Leben bleiben, während andere töten dürfen. Sie drehen sich wie wild um ihre Achsen, lebendige Ziele, aussortierte Musterstücke. Nach ihnen wird höchstens einer benannt, den sie gezeugt haben, aber keine Serie wird nach ihren Maßen hergestellt werden. Ebenso machtlos und unwirksam krähen nur die Hähne. Geschlachtetes fällt auf den Boden. Grob Ausgeselchtes klatscht auf die Morgenteller, aber der Mann, der zu seinem

Beruf eilen sollte, ist die Reichen in ihrem fernen Reich anschauen gegangen. Seicht steht der Kaffee in den Häferln. Munition wird sortiert, nachgezählt, zusammengestellt. Ein Helfershelfer trägt die gebündelten Jagdwaffen wie einen Schutzmantel um sich her. Vom Wegrand hebt ein zahmes Haus-Tier den Kopf und erschrickt ebenfalls. Der Leib der Schauspielerin gerät davon nicht in Erregung, sie wird nämlich von ihrem Mann geleitet, ein Licht in einer Kathedrale, was kann schon passieren? Eine Sonnenbrille schlägt ihr Gesicht mit Dunkelheit. Die Späher des Dorfes haschen nach jedem Zeichen von Beachtung – eine schwächliche Turnerriege und ihr unerreichbare Geräte. Sie wären auch nicht griffsicher. Die Jagdgäste waren hier und sind gleich wieder fort. Aus dem einen Wagen wird eine Hand herausgehalten.

Hier steht eine Verwalterin von immensen Vermögenswerten. Vor ihr, im Halbkreis aufgestellt, sind diejenigen, die auf innere Werte hören, also Trinkgeldempfänger, das sind Volksradios mit ihrem kleinen Radius: Heimat! Österreich regional. Nachher werden sie, vom Pfarrer gejagt, ihre Verfehlungen, die ohne Folgen blieben, schleimig aus ihren Mäulern husten und dann sterben, in nichts als einem kirchl. Sakrament geborgen, und ihr Leben war ja auch ringsum geborgt. Nun, wer kommt da von der Höh auf uns zu? Es ist Erich, der Holzfäller. Das Schnellgericht. Er und die Managerin stehen einander unversehens gegenüber, nein, das muß ein Versehen sein! Nicht der Schatten eines Engels wacht über sie. Die Managerin fügt sich bereits willig und bereitwillig ihrer Laune von gestern abend: er soll ruhig auch mitkommen! Der Holzknecht ringt die Hände, steht dann einen Moment wie ein Peitschenknall still in der Luft, ein Gemisch aus Baukastenteilen, die vielleicht eine neue Zusammenstellung (eine Lebensstellung) vertragen könnten, ja, er ist für alles bereit, das heißt er steht bereit!

Schon macht diese Frau ihm indirekt Vorschriften, wie er sich im Paradies zu benehmen haben werde. Er dürfe um keinen Preis (also um einen bestimmten Preis, den sie festsetzen wird) an sie anstreifen. Ansonsten sind seiner Phantasie aber keine Grenzen gesetzt, außer jenen der stumpfen Natur. Ein Gemetzel findet in seinem Hirn statt: ist es nun ER, den sie will, oder ist es seine Arbeit? Beides kann er voneinander nicht trennen. Wird er benötigt, um den Wald ums Wild zu berauben? Auf seinem Körperschubkarren die artesische Nummer mit dem Hirschen, eine Humoreske der Berge, vorzuführen? Der Minister und sein Ministrant, der Mann aus der Regionalregierung, sind jetzt schon, gespeist von den Lebenslinien in ihren Taschenflaschen, zu ungeheurer Fröhlichkeit aufgebläht, zersplitterndes Aas, das tagelang in der Sonne gelegen ist. Sie sind, jeder für sich genommen, mindestens drei auf einmal, betrachtet man was sie essen können, also ihr Volumen, nun ja, aber in Wahrheit vertreten sie, jeder für sich aus der Natur herausgeschält, tausende von Menschen, die sich auf sie verlassen! Das gesamte Bundesland blickt jetzt auf sie, die sich durch Fernseh- und Fotografierverbot strikt dagegen abgesichert haben, daß die Öffentlichkeit sie hier mit einem der Machtvollen betrachten kann, mit so einem, der sich schon zu Lebzeiten ein Marmormonument in Gestalt eines Klerikalbaus (ein Autobus für Gott und die hl. Jungfrau ganz allein) auf seinem eisigen Grund hat erschaffen lassen, wo jeden Sonntag Leute singen dürfen. Damit sie sich daran gewöhnen, nach seinem Tod erst recht um seinet- und seiner Seele willen Gesang zu betreiben. Gelder und Glieder werden wie Springfluten von einer Börse in die andere wechseln (wie das Wild), droben auf dem Berg, inmitten rasenden Höhenglücks, mit Tieren, denen die Häupter voll Wunden gemacht worden sind. Was sie sich jetzt alles kaufen können diese Taschenfeiteln!

Der erste Wagen fährt bereits an. Die Eindringlinge, die hier zuhause sind, die Dörfler, diese federleichten Baumflechten (genauso schädlich für den Wald. Die zerdrücken alles mit ihrer Unlast, sind aber niemandem zunutze), sie drücken sich schüchtern gegeneinander, schieben sich zu einer devoten Menschenkuppel zusammen, drehen dabei die Hälse zur Seite, instinktiv von den Preisgekrönten fortstrebend. Das bedeutet: durch deren persönliche Anwesenheit werden die Preise in den Kaufhäusern erst richtig mittels klug berechneter Rabatten gekrönt! Die Dörfler, diese nichtigen Kunden, glauben, wenn sie nicht sehen, sieht man auch sie nicht. Tun, als wären sie zu einem Zweck hierhergekommen, zum bloßen Gaffen. Die Alten allerdings schauen ganz ungeniert drein, was kann ihnen noch geschehen, das Fruchtwasser ihres Lebens ist ihnen doch längst aus den Nähten herausgeschossen und vom Rauch billigster Zigaretten und gröblichst geräuchertem Speck ersetzt worden. Sie wollen zuschauen, sperren ihre mageren Rachen auf, denn die Filmschauspielerin, treulich geführt, durchpflügt das Spalier argloser Augenhöhlen. Hände, die sie wie Feldstecher belästigen, sie lächelt, eine freundliche Klassenkameradin. Sie wird einst das Mehrfache ihres Luftraums allein an Vermögenswerten erben, an den Händen des Staats vorbei, der den Kaufhauskönig unwissentlich aber wesentlich beleidigt hat. Ihre Saat geht immer auf.

Die Managerin spricht noch zu ihrem Fahrer und den lieben Hunden, schon hat sie an einem Menschenrequisit, dicht neben ihrem dampfenden Kostüm, schwer zu tragen. Erich ist da. Und bleibt da. Die Managerin hat sich noch immer nicht umgezogen, aber eine dicke Strickjacke hat sie darübergezogen. Die Wagen füllen sich jetzt rasch, Sonnenfinsternis (die Schönen fahren fort o je!) erfüllt den Tag, eine Wolke schiebt sich dahin, das Licht wird gelöscht. Würzig verbreitet sich der Schweißgeruch der Managerin, dieses Angstprodukt, in die Austrositze des Spezialgefährts hinein. Ihr neu gekaufter Reisekamerad schmiegt sich, glänzend wie eine Patrone, neben sie, und es wird heller, heller, heller. Das Dorf hat diese Paarung zwar wahrgenommen, aber wie wird die Bewertung ausfallen? Beim Quizspiel sollen Lichter an- und abgedreht werden, das nennt man den Lichttest. Viele haben sich beworben, wenige wurden ausgewählt. Sie sind ausschließlich in Arbeit konvertierbare Währung. Am Holzknecht haben sie niemals etwas bemerkt, das ihn als Menschen vor allen anderen ausgezeichnet hätte, nicht einmal ein Preisschild. Jetzt sitzt er neben dieser Erscheinung einer Frau. Knackend schlägt er die Augen nieder, wie es ihm in der Schule beigebracht worden ist. Während die Dorfleute aus ihren Wohnritzen gekrochen kommen, sich am Wagenfenster hochhangeln und vereinzelte Blicke aufzufangen versuchen. Es ist auf besonnenen Wunsch keine Blasmusikkapelle zu ihrem grausamen Tun angetreten. Hausfrauen sinken am Wiesenrain zusammen, schlecht geflochten sind ihre Traggriffe, schlecht zusammengesucht ihre Kleider. Scherzend klettert der Oberförster auf seinen Sitz, ein schmutziggrüner Haufen Wetterfleck, der sogar das Wasser abstößt. Der Wagen fährt an, ein Schweif Unnützer (aber häufig Benützter), die diesen Höhepunkt zum ersten Mal in diesem Jahr erleben, singt nachher im Chor, es sei ihm alles zu schnell gegangen. Schafsgeblök in der Menge. Dem Minister unter seiner Tarnhaube hat niemand auch nur den Span einer Bittschrift überreichen können! Der Menschenfächer auf der Straße spreizt sich auseinander, die Erde stellt sich den Fahrzeugen mahnend entgegen, der Weg kippt, es geht ab sofort rasch aufwärts.

Die Förstersfrau steht noch lang nach dem Verschwinden der Meute am Zaun, um sich etwaigen Blicken darzubieten, denn nun könnte man mit ihr als zweiter Wahl vorlieb nehmen, erblickte man sie nicht jeden Tag, von den blutigroten Furchen ihrer Einkaufstaschen bis zur Kenntlichkeit gezeichnet, im Konsum, gleich neben gleich, sich um Nahrung bemühend. Und dennoch: ihr Ich – ein Gedicht! Auch sie hat ein schlagendes Herz, das für den Reichtum entbrannt ist, aber die Dorfleute sehen in diesem Pulsschlag nichts Besonderes. Sie ist wie alle, und mit kurzen Grüßen, die nicht einmal ihren inneren Gehörgang erreichen, zerstreut sich die Gemeinde, ohne Spuren zu hinterlassen. Hinter der Kurve bleibt das Dorf aus trauriger Gestaltlosigkeit, eingehüllt in Staub und Benzinverwesung, zurückgesetzt wie es ist. Der Konsum wirft die Angeln der ersten Waren aus und vereinigt die frühen Hausfrauen zu einem undurchdringlichen Knäuel aus Gespräch, in dem nicht einmal die Eigennamen (diese Intimitäten) richtig dargeboten werden. Dieses Fälscherbüro hat seine Tore weitgehend geöffnet: nicht einmal die Farbe des Filmschauspielerinnenkleides wird von der Mehrheit richtig bestimmt. Sie wenden mit ihren Gabeln das Geschehene um und um, dann wenden sie sich den viel trüberen fisteligen Schicksalen ihrer halb erwachsenen Kinder zu. Die Großen gehen ihrem Jagdglück entgegen, und schon gewinnt ein frischer Armbruch, heimgeholt aus dem Holz, die Dimension, die ihm zukommt, verdrängt die sich verwischenden Fotografien derer, die das Holz unter ihrer Fuchtel haben (und die Sägewerke, die Brettererzeugung, die Möbelfirmen), die aus ihrer üblichen Unsichtbarkeit in die übliche Unsicherheit unsrer Wahrnehmung getreten sind. Der Preis von einem Kilo Äpfel ist wieder wichtiger geworden als jene, die den Preis bestimmen, um den der wählerische Kunde selbst zu haben ist.

Dicht schließt sich der Wald, von kräftigem Unterholz gesprenkelt, um die Holzfuhrstraße, für die man eine Sondererlaubnis braucht. Die Geländewagen mit Allradantrieb spalten die Landschaft dröhnend in zwei gleichwertige Teile, die beide gleichermaßen dem Bund gehören. Der Bund, das sind wir. Bald aber wird die Grenze kommen, hinter der das dunkle weite Land des Kaufhauskönigs beginnt. An dieser Stelle endet staatliche Willkür, private Boten sind eingesetzt, den Waldzustand zu untersuchen, Studenten der Forstwirtschaft entnehmen Bodenproben und lassen heiße Tränen hineinfallen. Junge Menschen, von ihren Eltern zu entzückenden Kuscheltieren gezüchtet, werden von der Exekutive ihres Landes auf die Jahresringe ihres Kopfes gedroschen. Sie haben ihre Habseligkeiten in die Hainburger Au geschleppt und sich in trügerischen Zelten betrügerisch geborgen gefühlt, bis die Wiener Polizei mit ihren Stäben über die Böschung niederging, die Hunde am Gürtel festgehakt. Diese Unförmigen! Die würden nicht einmal dulden, daß es auf ihren Klos so ausschaut wie in den Auhäuseln, wo welche unstet zur Gitarre singen. Haben die keine Stereoanlage? Der Kaufhauskönig schaut zu seinem Reich empor, noch drei Spitzkehren, dann sind die Fichten, Tannen und Lärchen sein Eigen! Ein dunkler Rumpf, hebt der Fuß des Berges die Jäger zu sich hinauf. Sie schrauben sich höher, die müde Herbstsonne, ein zäh von sich abstrahlender Ball, kaum über den Horizont geschleudert, nicht heller als eine Schweißperle am Himmel, fällt ihnen auf die Motorhauben und Wagendächer. Die Nebel sinken links und rechts neben ihnen hinunter. Das sogenannte Eiserne Tor ist erreicht, jener Punkt ohne Wiederkehr, ab hier auch verboten ist der Weg für private PKWs, ob mit oder ohne Sondererlaubnis. Das Schild am Tor spricht außer Privat! Befahren verboten! noch andere gefährliche Drohungen aus. Nach zählebigen, von Unsummen unterstützten Scharmützeln mit Landes- und Forstregierung mußte der Weg für Bergwanderer erhalten und zugänglich bleiben, doch den Fahrzeugen ist er streng untersagt, die dürfen nur die Bundesstraße unter ihren Gummischutz nehmen, wenn sie denn unbedingt Natur brauchen. Diese Behörden! Das Profil ihrer Schuhsohlen ist das einzige, das sie haben, wenn sie vor dem Thron des Prächtigen stehen.

Links neben dem Tor eine Jagdhütte, wo ein Aufseher wohnt, und ein nichtöffentlicher Brunnen, noch ein kurzes Stück, und bald sind wir ganz privat unter uns, von zählebigen Stacheldrahtzäunen zärtlich eingehüllt wie von Frauenhaar. Von Elektro, Elektron, Atom abgesichert. Hier stapeln sich die lebendigen, wenn auch privaten Habseligkeiten zur Seligkeit des Kaufhauskönigs und seiner Gäste hell auf, ein unübersehbares Meer an Natur jeder Reifestufe und Verfallsklasse. Das Verbrauchsdatum, diese äußerste Demarkationslinie, die die Natur uns gesetzt hat, ist schon außen an der Packung abzulesen. Und zum unverzüglichen Verbrauch ihres Eigentums schreiten sie jetzt, die Könige in ihren Bereichen: Wirtschaft, Natur, Kultur. Die Kultur wird von der wunderbaren Filmschauspielerin repräsentiert, die etwas aus ihrem Kosmetikkoffer verlangt, das ihr auf der Stelle gereicht wird. Sie ist ansonsten leicht zu überschauen, wie eine Steppe, ohne Begrenzung durch Taten, die sie je gesetzt hätte. Ihr Mann dagegen eilt seit frühester Jugend von Tatort zu Tatort. Die Aussicht ist schön. Ungeahnte Schrecken lauern in den Nadeln der schlichtesten Fichten. Die Wagen sind zu einer Festung zusammengestellt, wie eine Pyramide aus Gewehren. Der Kaufhauskönig führt das Wort im Mund, was ihm von zwei Forststudenten, die ein Stück mitfahren durften, sofort bestätigt wird. Der Zustand des Waldes des Königs ist längst überprüft und als besorgniserregend bis entsetzlich disqualifiziert worden. Es ist nicht seine Schuld, er steckt Unsummen in die Erhaltung und Erneuerung seines Baumbestandes, und das Ergebnis der Bestandsaufnahme für das schla-

gende Herz des Besitzers ist so unerfreulich wie dieser ganze
Staat. Fremde Schandstoffe, womöglich aus dem Osten
(Richtung Ostern) schweben Tag für Tag hernieder, der
Luftraum sollte ihnen abgesperrt werden! Sie sind aggres-
siv wie die Russen und giftiger als die Notdurft eines Kindes
aus einem Arbeiterbezirk. Der König donnert hinter seinem Schlitz, der sonst seine Waren auswirft, er geht kaum
zur Seite und pißt grob ins Moos. Dabei läßt er das Schimpfen keinen Augenblick lang sein. Die Untergebenen nicken
in zuckenden Stößen, einer trinkt einen tiefen Schluck am
Brunnen. Er hat einen guten Zug in der Gurgel, einen Fla-
schenzug. Für beste Qualitätsweine. Dem König lösen sich
die Drohungen vom Mund ab. Er droht dem Staat, dem
Gesetz, dem zuständigen Minister, mehreren nicht seiner
Norm entsprechenden Abgeordneten. Unten, in der Dü-
sternis von anderen Landschaften, heben bis aufs Blut vom
Landschaftsgift Gereizte die Handstummeln mit den
Transparenten hoch, damit die Umweltpolitik endlich
transparenter wird. Sie sind alle einer Meinung unter dem
bleiernen Himmel! Es wird ihnen rechtgegeben und recht
geschehen. Inzwischen sind alle dafür, also für das, wofür
die anderen auch sind, denn sie sehen bereits ihre wunderbaren Heimatorte (Erde!), ihre Geburtssümpfe, ihre grandiosen Feuchtraum-Wiegeplätze unter den unstet gepolsterten Planen aus Gift versinken. Sie dulden Raketen!
Dort, wo ihre Mama sie einst herumgeschleppt hat, erhebt
sich jetzt eine käsige Deponie von Industriegeschwüren,
Furunkel des Bodens, die aus der durchsichtigen Folie von
Holzschutzmitteln wie Krater hervorbrechen, von einer
Kapsel Eiter wie mit einem Kronenknorpel gekrönt. Wer
hat ihnen denn immer beigebracht, daß sie alles schützen
sollen, was sie besitzen? Es steht ihnen alles unversehrt zu,
diesen Fußballanhängern, die doch selber flach sind wie
Kofferanhänger (sie gehören zu etwas dazu, zumindest

müssen sie sich dauernd an etwas anlehnen). Es steht ihnen zu, denen, die sinnlos jubeln und verstandlos von einem Bildschirm ihre Haushaltsschürzen zerreißen (schauen sie nicht aus, als könnten sie für eine Milliarde sehr wohl gut ausschauen?). Sie versuchen zu klagen, eine Hymne aus machtlosen Limonadenköpfen, aber sobald die Abendnachrichten mit ihrem Gesang anheben, verstummen sie gleich, um nichts vom Aasgestank aus dem Ausland zu versäumen, wohin sie ab und zu fahren, und erst die Sportberichte! Wie könnten sie überleben, ohne stets das Neueste, an dem sie nicht teilhaben und das sie nicht mitnehmen können, wenigstens aus einem Menschenmund über einer handgeknüpften Krawatte herausstauben zu sehen: das Pulver, das keinen Schuß wert ist – ihr morgiges Schicksal, das heute schon von solchen wie dem Kaufhauskönig in dessen Heimwerkstatt zusammengeflickt wird, aus Stoff- und Lederresten. Der bezahlt die Minister, die sie vertreten sollen, warum bezahlt er nicht gleich die Armseligen, sie würden viel weniger verlangen. Dafür ist ihre Zahl bedeutend größer, und so kommt es aufs gleiche heraus.

Die Managerin schaut aus ihrer glatten Statuettenhülle in die schöne Landschaft hinaus. Sie fällt, ein heller Lichtkegel, auf unschuldige Matten und Weiden. Liebes Mädel, du kaufst die Hefte nicht nur, du glaubst ihnen auch! Betritt Österreich von irgendwo her, und du erfährst, daß es auf den äußeren Schein nicht ankommt, sondern daß der Wert einer solchen Frau nicht in Milliarden Schillingen auszudrücken ist. Der äußere Anschein ist ja nur ein abgestandenes Täschchen, das manche sich widerrechtlich als Wärmeplane überstülpen. Die Managerin schaut auf eine Privatstraße hinaus, die zu ihren und ihresgleichen Zwecken erbaut und ihnen gewidmet wurde, sie braucht gar nicht weit aus dem Fahrzeug hinaus zu schweifen. In nächster Nähe bereits sieht sie den grün bewachsenen Schoß eines Holzfällers (an ihrer Seite) emporragen. Hervorragend. Er hat sich seit der Abfahrt nicht ein einziges Mal in seiner besten Joppe umzuwenden gewagt. Sein Atem zermalmt hörbar die Luft, die vom Schweißgestank der Frau schon ganz schleißig und mürb geworden ist. Auf ihrem inneren Rummelplatz laufen die Blutbahnen kreuz und quer, es will etwas zu blühen beginnen kommt uns vor. Diese Hauptflüglerin! Sie und der Mann wagen es nicht, einander anzusehen, jeder streckt eine Zungenspitze aus seinem privaten Gruselkabinett heraus. Das Land schreibt sich derweil in Ruhe in seine Prospekte ein: hier könne jeder jeden Sport betreiben, den er wünsche. Die Frau möchte jetzt eine Maßnahme oder eine Verhaltung diktieren, ist aber auch zu entsetztem Schweigen bereit. Da sind sie also, Freund und Feind, die Lifte sind in Betrieb. In der Natur der Natur liegt es offenbar, selbst die unnatürlichste Begattung noch nachsichtig zu dulden. Aber alles, was über Esel mit Pferd hinausgeht, hat auf diesem trügerischen Moorboden wirklich nichts mehr verloren.

Die Filmschauspielerin lächelt, ihr Maß und ihr Gewicht sind von Gott so bestimmt worden. Dafür hat sie seinerzeit Preise gewonnen. Sie ist unzerstörbar durch Alkohol, regeneriert sich jede Nacht wieder, dieses Schneewittchen, welch ein Reiz für die Außenstehenden! (Also alle übrigen Artisten auf dem Lebensseil, die aufpassen müssen, daß sie nicht herunterfallen). Sie steigt jetzt aus und macht ein paar wahllos zusammengesuchte Aufnahmen, darunter eine als Witz von ihrem seichenden Kaufhausmann, der ihr lachend die Hand vors Objektiv hält, als wollte er sie schlagen. Die zu objektiver Berichterstattung berufen wären, sind zum Glück nicht hier zusammengetroffen. Sie essen gerade ihre Entschädigung unten im Wirtshaus auf. Der Glanz dieser Alpenbesitzer hat sich wie ein feister Seemannsknoten um sie geschlungen. Der Kaufhauskönig dröhnt, eine gutmü-

tige Trommel, schließlich ist er ein dumpfer Menschen-
schlag, der es zu Schlössern gebracht hat, während andere
in Verschlägen hausen. Seine Frau entdeckt soeben ein kleines Gewächs auf dem Boden und läßt es erfreut in ihrem
Apparat verschwinden. Sie beachtet das Geringste noch,
aber es ist ihr egal. Dieses Pflänzchen ist eine Naturalab-
gabe, die von ihrer Hand, der Hand der Macht, zur Bedeutung gebracht wird. Ein solch wilder Hauch kann das Unkraut streifen, wir aber nehmen lieber an einem heiteren
Hüttenabend teil. Der Minister und seine Ministerebene
wetteifern, berstend vor Ländlichkeit, miteinander, wer für
den Eigner dieser Landschaft erkenntlicher sein könnte:
den einen erkennt man schon auf hundert Meter als Betrüger, den andern auf zweihundert als erpreßbar, zumindest
als käuflich. Sie verdienen wirklich jeden Groschen, den sie
kriegen können. Hier, auf dem Land, sind sie erst recht
zuhaus, diese Wiege soll ihnen der Kaufhauskönig gefälligst
auspolstern mit Weichware! Ein gut gefülltes Gewissen ist
das beste Ruhekissen. Die Managerin hustet vor Furcht.
Ihre Flanke wird seit neuestem von der felsigen Küste des
Holzknechts bedrängt. Was zieht sie zu solch finstren Meß-
dienern hin? Der scheint ja noch an das Wunder der Liebe zu
glauben, wie eins seiner Versandhandels-Bücher heißt, und
zwar einem Wunder zwischen: wer immer den einen Partner hergeschickt hat und einem zweiten Beliebigen, der sich
in nichts von einem anderen Unbeliebten (oder Unterbe-
lichteten) unterscheidet. Der Holzknecht erinnert sich mit
äußerster Präzision (ist ja viel Platz in seinem Kopf, den er
nicht einmal für Fremdenverkehrsprospekte hinhalten
mußte) an seine in der Darstellung üppig, in der Erklärung
eher trocken ausgestatteten illustrierten Aufklarungsbü-
cher, die er sich gekauft hat, und beschließt nun mit kreide-
bleichem Gesicht, sich zu dieser Frau hinzuwenden. Sie ist
ihm teuer wie ein Foto. Er öffnet den Mund, ein Lämpchen

beginnt zu glühen, genau durch ihn hindurch. Was er in seinem regionalen Dialekt, der rasch umschlägt in das verlegene Stammeln von Gemeindeplätzen, von sich gibt, wird ihm gleich wieder höflich zurückgereicht. Die Frau hat es zwar vom Boden aufgehoben, aber nicht gebrauchen können. Gleich ruht er wieder still wie Bad Gastein. Die Managerin umfaßt vor Leere mit den Armen ihren eigenen Oberkörper und wiegt sich selbst darin. Was muß der Mann da glauben? Daß sie wie vom Fernsehen beschützt sein möchte. Niederträchtig fällt ihr das Haar vom gesenkten Kopf, schweißfeucht, wie bei einer Leblosen dringt ein Ohr aus dem Gespinst hervor. Als gehöre es nicht zu ihr. Unter ihren Augen, die jetzt vollkommen unsichtbar sind, senkt sich schon das Gewebe zu Nistplätzen des Alters. Sie könnte noch nicht ganz die Mutter des Holzknechts sein. Die beiden allerwertesten Amtsträger (der Minister und der andere halt) haben wenigstens den Übermut ihrer Stallungen unter den Sitzflächen. Wenn sie etwas nicht fürchten, so ist es das Alter, in dem sie noch viel mehr besitzen werden als heute.

Das Land (Österreich) gibt manchmal noch nach Jahren wieder heraus, was es in seine Gletscherspalten geschluckt hat. Die Menschen sind oft unbarmherziger. Die meisten wollen nichts hergeben.

Erich, der Holzfäller, wird bis über die Vorderräder in diese Frau einsinken, und sie wird ihn großzügig entlohnen, er ist nämlich keiner den man kennt. Das heißt, er wird nichts zu plaudern haben. Andere Geschmacklosigkeiten sind ihm freilich zuzutrauen, freut sich die Frau auf diesen bekannten Bereich der Natur. Kaufhauskönig und Schauspielerin wälzen sich vor Freude und von Freunden umstanden mitten unter den Findlingsblöcken auf der Berghalde. Sie strahlen unter dem Sonnentransformator. Jäh werden sie dann ernst und betasten die lieben Stämme, die ein giftiger Regen freigelegt hat. Ihre Gehirnrinden fassen dieses Ausmaß an Zerstörung noch kaum. Ungeplanter Mutwille der Industrie und der privaten unvernünftigen Transportgier, immer neuer, immer schneller, immer höher hinaus, haben diesen Menschen ihr Eigentum zerstört und schämen sich nicht. Die Zeitungen ringen die Hände wie wir vor einer Zahnbehandlung. Die Einheit zwischen Arbeiter und seinem ersparten PKW muß zerstört werden, die sollen wieder ihre Füße gebrauchen lernen, da sie ja von der Arbeit ihrer Hände leben. Wozu brauchen sie nur all die motorisierten Transportboxen unter ihren Freizeitschuhen? Sie wissen nicht, daß es auch anders Spaß bereiten kann, und daß sie anderen Spaß machen, wie sie so dahinstrampeln mitten im Auswurf des Lebens. So weit sie auch fahren, erleben werden sie doch nichts, was sie zuhause auch nicht erlebt haben. Einer muß es ihnen ja sagen, diesen Schatten, die in den befreundeten Landschaften aus dem «Österreichbild» keine Fußstapfen hinterlassen: Jeder Regen ist mächtiger als sie!

Die beiden Politiker haben ihr ganzes Leben lang gelogen und anschließend die Einnahmen gezählt. Der Kaufhauskönig zählt nun auf sie. Der Minister geht hin zu ihm, seine Aufwertung machen. Notfalls wird später der Staatsanwalt vermitteln. Diese zwei ersten Diener ihres Staats! Ihr Säckchen hängt ihnen vom Gürtel, die besten Beeren werden sie einsacken, versprechen sie einander entgegenkommend. In einem Knall entrollt sich das Banner des Morgens, während es für die meisten morgen wie heute völlig gleich aussieht. Alle freuen sich aufs Schießen, in der schönen Gewißheit, ihre Art werde nicht aussterben; was auch geschieht, sie wachsen immer wieder nach, wie die Glieder mancher niedriger Tiere. Sie bewegen sich nicht weit von ihrem Fahrzeug fort, damit ihnen ihr Geldgeber nicht abhanden kommt, mit dem sie verhandeln wollen, und zu Hause warten schon die Muskeln der Industrie und der Kommunale auf ihr Nachtöl. Sie, die Wasserträger des Fleißes, werden sich vorher einen kräftigen Teil herunterzwicken, denn auch ihre Familien wollen gut leben, dafür zügeln sie schließlich ihre Nerven und ihren Geist. Gleich ist es soweit, dann springen sie hinter einer Barriere hervor und sprengen ein Jugendzentrum in den Boden hinein, damit ein Einkaufszentrum neu erstehen kann. Die nie im Zentrum der Beachtung stehen, brauchen zum Ausgleich Zentren, wo sie sich austoben dürfen, also ihr Geld spazierenführen, denn das Geld wiederum muß unter die Leute gebracht werden, die damit mehr anfangen können als sie. Auch an Sonn- und Feiertagen wollen sie sich breit geöffnet erhalten, diese Portikusse! Weg mit den Ladenschlußzeiten! Mit den herzlichsten Grüßen.

Der Holzknecht preßt vertrauensvoll, wie im Roman üblich, einen Schenkel gegen den Spottfuß der Managerin. Wie heißer Schlamm durchdringt ihre Hautwärme das Hosenbein. Nicht jedermann, der das Bedürfnis nach einem Liebesgemetzel hat, fährt gleich zweitausend Meter hoch hinauf, um sich zu befriedigen. Manche vertragen dieses Klima gar nicht. Und müssen daher nach Italien oder Griechenland reisen. Diese Frau wird gleich den Kopf unter die Flügel stecken. Hier, ganz allein auf sich gestellt, stellt sich ihr wiederum die gleiche alte Frage: eine Frau ist eine Frau. Aber zu welchem Zweck? Keiner kümmert sich besonders um sie, um diese Architektin sonderlicher Zweisamkeiten. Unter den Hufschlägen ihrer Natur duckt sie sich, vertraut sich dem internationalen Gerichtshof der Gefühle an. Sie wird diesen Holzfäller, dem sie jetzt schon mehr gilt als seine dürre Heimat, nämlich dient sie ihm als Geldquelle und Mutterersatz (also Ernährerin und Sprachlehrerin), später strengstens zu meiden wissen. Ihre Wolfshunde sind ihr noch lieber als einer dergleichen. Doch jetzt, in diesem Augenblick, von der Fliehkraft des Gefühls überwältigt (das bedeutet: es treibt zwei durch Naturgesetz auseinander, sobald sie sich aufeinander zubewegen), stülpt sie ihre Dunstglocke, ihre Gunstglocke über Erich, den Holzknecht. Der macht einen derben Scherz, den er einmal im Holz dröhnen gehört hat. Die Schulterknochen stoßen ihm oben aus der Landesjacke heraus. Seine Kinder werden durch gütige Jägerskraft einmal studieren können, wenn sie wollen, das heißt, sie werden sich niemals der Rotte der ungelernten Arbeitskräftigen zugesellen müssen. Das ist gewiß der Fortschritt und sein unmenschl. Antlitz! Die Managerin verharrt still. Sie scheint sich um jeden Preis im Schlamm dieses kleinen Holzbocks wälzen zu wollen: SIE dagegen sei längst erhöht worden und werde erhört, wohin sie auch komme, kichert die Filmschauspielerin mit dem Mund in ihre silberne Jagdflasche hinein und steigt auf dem Boden heftig, ohne Scham vor Begegnungen, herum.

Jetzt müssen sie alle wieder einsteigen, damit es weitergeht, befiehlt der Kaufhauseigner. Sie fahren nun die letzten Höhenmeter über einen kaum noch kenntlichen Pfad, der den Geländefahrzeugen aber keine Mühe zu bereiten scheint, zum ehemals kaiserlichen Jagdschloß hin, das am Rand schroffer Felsklippen ruht, die besteckt sind mit Edelweißpatzen, ein Felshorst, auf den eigens das Elektrische von Hand hinaufgespannt worden ist, diese universelle Völkerverständigung. Allein der Blitzschutz hat ein Völkervermögen verschlungen. Das Personal und vereinzelte andere Gäste sind schon vor zwei Tagen eingetroffen, um Betten zu überziehen, für das Publikum die Öfen anzuheizen, den vormals einfachen Räumen Wärme und Behaglichkeit zu verleihen und alles zu säubern, bis die Geschosse brüllen werden. Ein immens hoher und roher Stacheldrahtzaun hüllt diesen Fuchsbau ein, elektronische Menschenfallen schließen den Bergwanderer endgültig und ein für allemal aus und die Bergbesitzer mit sich selber ein. In dem Wärterhäuschen, einer glänzenden gläsernen Kassette für eine Person mit Hund, vor der die verschlungenen Nichtigkeiten von eingebauten Mikrophonen, Bildschirmen, Lautsprechern, Suchscheinwerfern, Panzerglasfenstern aufgereiht sind (der Wärter weiß nicht, wohin zuerst schauen!), herrscht sofort helles Erwachen. Leibwächter schauen aus farblosen Augen auf ihre ankommende Fleischration, über die sie sich, in einem umgekehrten Instinktvorgang, bei Gefahr zu werfen haben werden. Alles ist bereit. Das wunderbare Gebäude, vom ehemaligen Kaiser einst in äußerster, gewählter Einfachheit gezeugt, ist mittlerweile zu einer Alpenfestung von ausgesucht abstoßender Festigkeit (vor allem gegen Andersdenkende, aber auch gegen das Gesindel der Luftkurortbesucher) ausgebaut worden. Eintritt für Unbefugte (solche, in die man nicht hineinsehen kann) strengstens verboten. Hier brechen sich die Wellen der Besitzer, der eine tut nämlich dies, der andere jenes, je nach Lust und Laune. Während wir immer nur tun können, was unser Geldbeutel erlaubt. Hier wird eine Kaltfront gebildet, elektrische Fontänen zerquetschen jeden, der dies Eigentum berührt. Diese Bergkanone ist gegen die Gesetze des Lebenswägelchens gerichtet: sie zerfetzt den zuwideren Alpinisten bis aufs Haar. Hier wurde bezahlt wie in einer Basilika, nur viel mehr! Man kann sich gegen Stirn, Hals, Brustwirbel klopfen und erhält doch keine Erlaubnis, kurz zu rasten. Unter dem Kaiser war das anders, außerhalb der Jagdgezeiten durfte das Gelände von Menschen betreten werden, die damals freilich noch Naturfreunde hießen (Mitglieder im Verein für Zivilisation). Hier soll sich niemand als Abfall hinschütten dürfen! Am liebsten sähe es der Besitzer, wenn die Bewohner der Gegend sich selbst in Plastiksäckchen verstaut durch die Landschaft trügen: Ja, er ist einer von den Besitzern, ihre Flut schwingt sich empor und bricht sich hoch droben auf dem Felsen (wo niemand es wagte, ein Einfamilienhaus hinzustellen, noch dazu mit geborgtem Geld: diese Vollmondscheiben! Mehr scheinen als sein!). Die wollen doch allen Ernstes ihre Art Mensch erhalten wissen! Dafür hat der Kaufhauskönig in mehreren Hauptstädten anonyme Adressen und eine ganze eigene Insel im Ozean (oder?), der ist sein eigener Hochsicherheitstrakt. So unterscheidet wenig ihn von seinen erbittertsten Lebensfeinden, die man gewaltsam ausgesiedelt hat, bevor er den Athletenfuß des Geldes überhaupt in sein Areal setzen konnte. Aufs äußerste gereizt von den verschleuderten Erhaltungsgeldern, die er um seiner Wälder willen schon verausgabt hat, (doch wer kann schon den Regen aufhalten? Wenn es einer kann, dann er.) Der Regen, dieser Hinterbliebene der Natur, zeigt die Zerstörungen vor, die er den Bäumen zugefügt hat. Alles abgefressen, vieles abgeknickt. Da muß jetzt nur noch ein kräftiger Windstoß kommen, und die Natur fällt zusammen wie ein korrupter Minister nach seiner Enttarnung. Der Kaufhausbesitzer legt seiner Frau die Faust in den Nacken vor Wut. Der nächste Wolkenbruch (noch schlimmer: der Schwebefall des Schneebefalls) wird den Schleier dieser Wälder, wie schön waren sie früher!, endgültig aufreißen. Gedenkminute bitte: Der König betritt dann zügig seine Bergfiliale, die Gedanken schon dem Töten zugewandt. Die Dienstboten speien zitternd hinter seiner jäh verschlechterten Laune aus. Gleich soll mit dem Oberförster und anderen Hilfsmenschen, die dem Wald zuhilfe kommen sollen, eine Konferenz abgehalten werden, was tun? Selbst wenn der Oberförster sich mit ausgebreitetem Mund und offenen Armen vor den industriellen Fertigungsregen stellte, er hielte doch die Gottesgabe vom Himmel nicht auf. Mit vor Gewohnheit flatternden Wimpernschlägen starrt die Filmschauspielerin in ihr Fotogerät. Sie will einen Bildband herausbringen, du und der Wald, dieser Weg wird ihr geebnet werden. Wie immer optimistisch, was ihre Zukunft angeht, lächelt sie in vollem Flaggenschmuck anspruchslos in das Gesicht der Haushälterin hinein. Sie ist eine von denen, die freundlich über ihre brüllenden Männer hinwegblicken, als wären diese immer schon so unangenehm gewesen. Eine geschliffen gute Ehe, zärtlich wie beim amerikanischen Präsidenten! Bis in die Gurgel hinunter verstehen diese beiden Menschen einander. Nichts Ernstes!

Die verderbliche Ware von Tieren schiebt sich, kunstvoll um des Sports willen vermehrt, durchs Dickicht. Ihr Untergang in einem heißen Schwall von Gedärmen und Adern ist beschlossen. Das Wild wird eigens für den Schußwechsel herangezüchtet, vernichtet die Wälder und wird schließlich selbst der Endverwertung zugeführt, so lautet der Kreislauf der Natur und deren Nutznießer. Der Minister und der Landespolitiker umkreisen einander in heller Vorfreude und Aufregung, sie haben soeben ihren Termin zur Übergabe eines Gartens voll Geld erhalten. Sie umringen einander wie frisches Grün. Das ganze Parlament, ja sogar die Presse stehen jederzeit zu ihrer Verfügung. Für sie werden farbige Bezeichnungen extra gefunden (von den Findigen, die Skandale ausgraben und dann gegen Bargeld von seiten des Zeitungseigentümers eigentümlicherweise wieder vergessen). Erst dann dürfen wir mitreden, wenn es in der Zeitung gestanden ist. Die beiden (einnehmenden) Einnehmer werden erwartet werden. Von dem Kaufhauskönig dürfen keinerlei Fotos gemacht werden, also der hat sich ja selber aus der menschlichen Gesellschaft hinauskatapultiert! Attentäter sollen ihn nicht nach seinem göttlichen Bild erkennen können, diesen Menschensohn. Aber die beiden Politiker haben sich längst ihr eigenes Bild gemacht, grausam setzen sie ihre kleinen Hebel an. Doch was sind das für neue Bedingungen, aus einer Kaufhauslaune heraus entstanden und so schwer durchführbar? Ein Teil der Spende müsse für die sichere Verwahrung der Natur ausgegeben werden? Was soll das heißen? Sie bewahren die herrliche Natur ohnedies – mittels Verkaufs von Seegrundstücken, Villen, Matten und Bergeshöhn (zum puren Bergeshohn) – vor den schmutzigen Fingern derjenigen, die sie, wortlos, nur abnützen würden. Was könnte man denn sonst noch erlassen außer Betretungs- und Benützungsverboten?, jenen Vorboten der Mächtigen. Schilder kosten nichts. Man müßte Stellen durch Markierung bezeichnen, die nie wieder von den Gemeinen, den Gefreiten im Heer der Namenlosen betreten werden dürfen: Naturpark! Naturpark! Museen, wo die Natur sich abspeichert, das Künstliche im insgesamt doch wildlings Gewachsenen. Darin werden nicht nur Auserlesene wandeln, sondern die ganz Normalen, die schon vor Beginn ihres Schicksals Ausgelesenen. In denen kann man lesen wie in offenen Büchern, und man ist schnell damit fertig. In Scharen sollen die TurnschuhKraxler die letzten Felseinöden verlassen, von ihren Trittspuren endlich befreien: die einen werden in Parks zusammengefaßt, damit die anderen allein und ungestört ihr Bergeigentum genießen und verwalten können! Durch die Allgemeinwälder wie durch die Privatwälder kann man jetzt schon hindurchblicken auf das, was sein wird – Felswüste, abgewaschen, abgewachsen. Wie gesagt, wir müssen nur den Blick oben drauf halten!

Die beiden Politiker werden bald vor ihren Gesäßen, mit denen sie ihre Arbeit sonst angemessen verrichten, zu einem Waldplatz hereilen, um mit dem Milliardär die letzten Einzelheiten ihrer Zukunft zu besprechen. Im Freien wird sie niemand hören, durch dessen Fensterchen etwas nach draußen dringen könnte. Sie sind ganz ohne Zeugen und bezeugen jederzeit ihre schlimmen Absichten, die sie mithilfe der Kaufhausmillionen auf der Stelle in Taten umsetzen wollen. Außerdem werden, untermauert und unterminiert von jedem Menschen riesig erscheinenden Geldsummen, Fragen des Einzelhandels und seiner ungerechten gesetzlichen Regelungen (die abendliche Ladensperre – das Ideal des Heinzelmanns! Weg damit!) zwischen den allerwertesten Politikern und ihrem Käufer, dem Kaufhäusler, zur Sprache gebracht und damit endgültig erledigt werden. Der Kunde ist der König. Die beiden von der Öffentlichkeit so grob verzogenen Politiker (sogar über die Farben ihrer Krawatten steht am nächsten Tag etwas in der Zeitung, aber nichts über die Farben der von ihnen ausgegebenen Scheine), sie könnten vor Freude glatt hinfallen, einander umarmen, die Natur zu sich empor in Augenhöhe hieven, um sie an sich zu drücken, sogar aus ihr läßt sich ja Profit schlagen! (sogar Wunderboote und Wochenendhäuser können sie sich bald um den hohen Preis des Natur – und Industrieschutzes zulegen!) Bald werden sie im Gänsemarsch, viel zu früh vor ihrer Verabredung, zu dem ihnen als Vorgabe angewiesenen Treffpunkt marschieren, wo sie dann zu gegebener Zeit ihren Vampirsaft zu sich nehmen und bald ihre Anweisungen an ihre Untergebenen ausgeben werden. Es existieren schließlich direkte Telefonverbindungen von hier nach draußen und warum nicht? Zuvorkommend streiten sie sich jetzt schon um den materiellen Prospekt dieses Problems, nämlich: wer wieviel und wen müssen wir sonst noch schmieren? Das Schwarzgeld ruht schadenfroh in seiner hl. Kartause. Es ist längst daran gewöhnt, daß sich manche den Schädel dafür einschlagen. Die beiden Jägersmänner werden je ein Gewehr mit sich nehmen, um sich mit diesem männlichen Attribut als Männer zu tarnen. Als gingen sie zu ganz normalen Fließbaldverrichtungen! Doch für die Jagd wäre es, wie jedes Kind weiß, zu dieser Tageszeit bereits zu spät. Die Waffen geben den Politikern und ihrem Hobby einen harmlosen Anstrich von Tugend und Jugend, in einer beliebten Modefarbe (rot), die sich der normierte Mitbürger, der ein Ziel ansteuert, ohne dabei auf Schritt und Tritt die leeren Hülsen um sich zu verstreuen, nicht leisten könnte. Seine Gemeinheiten sieht ihm zumindest die Gattin leider immer gleich an der Nasenspitze an.

Da das Öffentliche damit erledigt worden ist, also die Öffentlichkeit ist mundtot gemacht, wenden sich die Entsprechenden (sie wollen dem Bild entsprechen, das die Aussichtslosen mit ihren schlagenden Herzen von ihnen aus den Zeitschriften ausschneiden und an die schlaffen Wände ihrer Mansarden nageln) ihrer besondren Liebhaberei und den dazugehörigen Sportgeräten zu: die Hände der Managerin springen wie an Scharnieren befestigt nach vorn. Sie umklammert den Holzbock schraubstockartig, als wollte sie ihn nie mehr loslassen. Die Perlen dampfen ihr von der Oberlippe. Sie glaubt, so ein Waldmensch müsse funktionieren wie durch Münzeinwurf (wie durch eine eigenartige Fristenlösung): schnell, unkompliziert und ohne seine Federn nachher alle wieder aufzulesen. Irgendeiner kann ihn anschließend mit dem Jeep wieder hinunterfahren. Die Belohnung wird in seinen Taschen klimpern. Er muß nur durchhalten und dichthalten. Der Anblick der sich ruhig ausstreckenden Berggipfel an Stellen im Gebiet, wo sie jederzeit wieder aufgefunden werden können, läßt die Frau beruhigt in sich hineinschauen, in die Schlucht ihres Unterleibs. Der Holzknecht drückt sich verlegen gegen die Wand. Wunderlich Schönes wird gleich geschehen: er möchte endlich endlich wieder bei sich (das heißt bei jemand anderem, der von der Kraft des Kapitals angetrieben wird) zuhause sein! In Gedanken und Worten sucht er nach Geld und Glück, diesen Haifischen der Heimat. Nach Art eines machtlosen Mannes ruht seine Hand, nicht schwerer als ein Staubpartikel, auf der Schulterhaut der Managerin, grüß

Gott! Die Hand wird schwerer, lastet ganz auf ihr. Sie legt flüchtig ihre Wange drauf, beide machen ein stilles Gebilde miteinander. Der Ton macht die Musik, bietet der Holzknecht als quasi religiöses Motiv an. Die Schulterblätter der Managerin schieben sich kurz und irritiert gegeneinander als sei ihr kalt, entspannen sich wieder. Wer wagt gewinnt, sagt das Buch Erich mit wenigen Worten, die nicht aus seinem Herzen kommen, aber was für eine kleine Tragödie liegt in ihnen beschlossen. Die Frau beginnt unwillkürlich zu flüstern, obwohl es nicht nötig wäre. Erich fordert freie Bahn dem Tüchtigen, der er aber auch nicht ist. Gleich könnte er fallen wie ein Stamm. Solche Frauen wie auf einem Plakat betören einen gar zu leicht, Trugbilder, der Industrie bzw. dem Fleiß der Menschen entsprungen. Die beiden werfen sich mitsamt ihren traurigen Gestalten einander zu, die Fluten von Haut kommen wie in einem Inferno (nein, lieber: wie in einer Sinfonie!) herab, ein Zirkuszelt, dessen Hauptmast jählings abgeknickt ist. Die Managerin öffnet eine ihr zunächststehende Tür, eine Art Schleuse. Die Dienstboten in Tracht drücken sich zu ausgewürgten Haufen zusammen, verschwinden in Unsichtbarkeit. Gut geschult und in Würdigung ihres Monatsverdienstes, werfen sie sich in strengster Verschwiegenheit, weich wie eine Lache Erbrochenes, mit ihrer gesamten Anwesenheit über diese großartige Zweipersonen-Delegation. Der Tragetrupp flüchtet mit Taschen, Koffern, Waffen in irgendwelche Räumlichkeiten, entzieht sich den Blicken. Sofort werden sie sich in die Gesindeunterkünfte zurückziehen, bis es nach ihnen klingelt. Die Hirschhelme starren von den Wänden herunter. Auch die Filmschauspielerin lächelt in ihre Handtasche hinein und geht sich ein wenig hinlegen. Andere Gäste wiederum sind zu Spaziergängen mit ihren Spezis aus Wissenschaft, Industrie, Kultur aufgebrochen. Das Haus ist still. Hinter jeder Tür ein gedecktes

Zimmer, eine gemähte Wiese. Heute wird das Wild nämlich noch gefüttert und gezüchtet, bis morgen die Büchserln krachen. Die Schwächeren wie immer zuerst, die zur Züchtung nicht weiter Zugelassenen. Der Jagdherr wird die besten Schüsse bekommen und es zu vertuschen wissen, wenn er nicht aufs Blatt trifft. Die Gäste dürfen nur hinmorden, was er ihnen in seiner Laune zu morden übrigläßt.

Der Holzknecht verstummt endlich in seinem Umschlag aus Lodenkotzen. Vor sich sieht er eine lebendige Abbildung, ein Evangelium, wie aus einem Heftl herausgerissen. Schon schreitet die Staatspolizei über die Zufahrtswege und spottet über die reichhaltigen Streiche des millionenfachen Besitzers; ihr Trinkgeld wartet bereits ungeduldig, gemessen in Promille Alkohol, wie ihr Vermögen ja auch nur Promille von dem des Kaufhauskönigs beträgt. Wald! Du lieber Wald! Jäh entblätterter Wald! Die Managerin will nichts als ein in den Schlamm der Wirklichkeit einsinkendes Gefährt sein, also mit der Spitze ihres Kopfes gerade noch die Macht der Gefühle berühren. Und das sofort! Erklärungen abzugeben ist ihr ein Greuel. Weiß dieser Gebrauchsangewiesene denn nicht, was heute auf dem erotischen Tagesprogramm steht? Seit Jahren erschließt sich ihr Gelände nur dem völlig Fremden, aber hoffentlich ein wenig Ortskundigen. So einem, den sie nur ganz kurze Zeit herzlich grüßen lassen muß. Dann sind sie wieder fort. Im Gegensatz zum bewährten Haustier (oder auch der Hausfrau), vertraut sie nur dem, den sie nicht kennt und nicht kennenlernen muß. Doch wer kennt umgekehrt sie nicht aus den Medien? Diese Erscheinung, die wie die Sonne über der Vegetation aufgeht (genau wie die Rechnung übrigens, daß solche immer gewinnen!). Sie würde den Holzknecht im Leben nicht einmal ihrer Leibwächtertruppe einverleiben. Doch jetzt trachtet sie danach, sich ihm anzuvertrauen, nur um ihn nachher, mitsamt seiner Belohnung, wieder ins Tal hinunterlassen zu können. Heute noch! Sie kann es kaum erwarten. SEINEN lieben Namen will sie nicht erfahren, um nicht das Gefühl zu bekommen, ihn schon einmal irgendwo gehört zu haben, auf Wiederhören. Dieses planlose Herumschlendern! Ein Fragespiel ohne Antworten, am besten man fragt nicht. Doch was passiert jetzt, diese gemähte Wiese (man sieht ihr bis auf den Grund) beginnt davon zu phantasieren, sie habe eine Frau und mehrere Kinder an jemanden, der im Dienst des Waldes stehe, verloren oh weh, wo bekommt er um diese Zeit Ersatz her? Er hat verlernt, sich in Zweifelsfällen an die Muttergottes zu halten, was sogar der Papst tut, aber hier steht ja eine wunderbare Erscheinung, direkt vor ihm! Als ihr eigenes Gegenteil, ein Weibsteufel, aber das weiß er nicht. Auf den Schweiß ihrer Untergebenen können nur wenige Unternehmer mit gutem Grund (Rationalisierungsgrund!) verzichten, und diese Vermieterin eines riesenhaften Hauses ist von sich mehr eingenebelt als eingenommen, kurzum eine Festung, die eingenommen werden möchte. Wie Regentropfen rinnt es vor Angst an ihr herunter, nachlässig reißt sie an ihrem Gewand. Schnell, schnell. Bevor es zu spät ist. Für den Fäller und Fänger ist es, als öffne sich die Erde vor ihm zu einer Spalte: daß Bücher so schrecklich wahr werden können in Color! Doch erst will er das Bürokratische erledigt wissen, dieser Taschenrechner, klein aber horuck, und was kommt anschließend? Gewiß wird er auch nachher noch gern gesehen (gern geschehen!) sein und möchte konsumieren wie ein Schwimmbecken das Wasser. Viel! Mehr! Die Frau nennt zerstreut eine ferne Summe und spaltet damit wie ein Blitz das Firmament, also das Niveau ihres Knechtes (seine Gedankenebene). Der Knecht versteht nichts an diesem längsten Tag. Er will bei der Frau bleiben dürfen, soll ihm möglichst schon vor seiner winzigen Leistung garantiert werden. Sie droht, in der nächsten Nacht schon werde er belohnt, zumindest weit fort sein. Der Holzknecht sieht sich aber hartnäckig als einen Herkunftsort von Gefühlen an. Er benennt sie in der Reihenfolge ihres Auftretens, ohne aber die Worte für sie zu kennen. Deshalb heißt's ja Gefühl, weil es für jene da ist, die partout nicht hören wollen oder können. Seine Frau, seine eigenen Kinder! Sind ihm fortgenommen worden, also wie in der Luft zerborsten. Doch er könnte gewiß aufs neue zeugen, um nur noch ein einziges Mal von sich selbst Zeugnis ablegen zu dürfen! Er hat keine Angst vor dieser Frau, nimmt er sich vor. In der Praxis geschieht aber folgendes, sie zieht sich schon die Bluse von den Schultern und verlangt in ihrer fernen frenetischen Sprache der Gier einiges, das den Holzfäller, der immer noch bekleidet ist, vollständig zerrüttet. Sie spottet, worauf er warte, es sei ohnehin gut eingeheizt. Er muß um ihretwillen nicht besonders einfallsreich sein, aber schnell muß es gehen, bis sie, zusammengeknüllt wie ein Taschentuch, eine Figur auf diesem Nistplatz ergeben. Dann, anschließend, kann sie endlich baden und sich neu einkleiden wie sie es gewohnt ist: das Alte wird weggeworfen, und sie kann mit den übrigen Raubtieren jagen gehen. Mit seinen Öffnungen voran schaut der Adlerhorst des Jagdschlosses ins Tal hinunter, Wärterfiguren aus staatlichen, zwischenstaatlichen und privaten Ämtern schnüren über die Wege, Hunde neben sich. Oh, wäre doch das Wild ebenso schußsicher wie die grünlich und gründlich schimmernden Glasfronten der Fenster! Der Holzknecht, nichts als ein Hobelspan in diesem raffiniert zubereiteten Gebäude, er fürchtet aus irgendeinem Grund, zunichte gemacht zu werden. Wie, woran könnte er sich halten? Ist das nicht auch eine Frau wie viele? Was will sie von ihm? Was will sie überhaupt? Allmächtig sein? Eine fleischfarbene Reproduktion der festlichen Festung Fernsehen? Er schaut die kreuz und quer Liegende an. Sie ist ungeduldig, das merkt man, diese

Meisterin ihres Fachs, es ist heute das Fach: Persönliches. Gleich wird der Holzfäller abgelegt werden. Die Schaumkronen ihrer Unterwäsche kräuseln sich auf dem Teppich. Gleich wird sie eine Zigarette rauchen müssen, denn der Holzknecht macht noch immer keine Anstalt aus sich, in die sich diese Frau hineinbegeben könnte, um geschont zu werden wie das Wild in seinem Jahreszelt. Er selbst ist ja auch nie geschont worden, wie sein Schicksal ihr verrät. Gleich wird er sein Leben fertig erzählen. Er solle seine Joppe auf diesen Haken hängen oder nicht, ihr sei es egal. Stirbt der Wald, stirbt auch der Mensch: um beide sei es nicht schade, meint die Frau. Nach uns die Sintflut, weil die kaputten Wurzeln das Wasser nicht mehr aufzuhalten vermögen. Diese Heimatbewohner hier, der Holzknecht ist nur ihr Knecht, wie schon sein Name sich dauernd unabsichtlich verspricht, würden am liebsten Ösen und Ringe an ihren Körpern befestigen: sie wollen nur wissen, wohin sie gehören, und dort soll man sie dann fest annähen. Ihr Grund und Boden gehört ihnen nicht, er gehört dem Eigentümer, der sie mit Schnaps, Schokolade und Keksen für ihre Trage- und Treiberarbeit belohnt: der Hirsch muß hinab, sie aber können niemals aufsteigen. Dazu Gulasch aus einer Kanone: früher wurden sie noch selbst geschossen!

Die Managerin hat den Naturkriegslauf verletzt, indem sie diesen Mann zu sich hinuntergebogen hat. Er spannt seinen Rücken, als ob er darauf etwas trocknen wollte und zieht linkisch an seinen Jackenärmeln, soll er etwa selbst Eigentum werden? Er hätte nichts dagegen, wenn man ihm nur sagen wollte, wohin er hören soll, falls mehrere Befehle zugleich eintreffen. Die Frau greift nach ihrer Handtasche aus seltener Tierhaut und wühlt in ihrer Brieftasche, schon wieder kein Geld! Nein, es reicht doch. Vielleicht erwartet er sofort den Zuschuß zu seiner Tierkörperverwertung, und auch noch in bar. Vielleicht soll ihm ein Anreiz zur

Leistung geboten werden? Sie versteht sein Maß nicht, ist es in Hundertern oder Tausendern auszudrücken? Vielleicht läßt er sich nachher, wenn alles vorbei ist, nicht mehr in die Schranken seiner Geburt zurückverweisen? Sie tastet flüchtig nach dem Klingelknopf neben dem Bett, er ist noch da. Er funktioniert gewiß, verrät das Gesetz dieses Haushalts. Was aber antwortet ihr das natürliche bürgerliche Gesetz der anmutslosen Armut in diesem Menschen? Von außen sieht man es nicht. Schon beginnen ihm, nach Männerart, die Ausreden wie dunkle Sekrete von den Lefzen zu tröpfeln, immer schneller. Sie überstürzen sich. Da hat sie sich was angelacht! Einen Brocken, zu zäh um auf einmal verschlungen zu werden. Umschlingen soll er sie! Es können durchaus verschiedene Welten einmal zusammenkommen wie in der Eurovision (Sänger und Publikum, also Sieger und Besiegte), die in den internationalen Wertsystemen Sport und Musik die einzelnen Sendestationen zusammenführt. Warum zögert er noch, die Gelegenheit wird ihn schon nicht umbringen! Heimat! Hier ist sie ja! Die Liebesdiktatorin oder sollte man sagen dieses Diktaphon, denn wie sie in den Mann hineinspricht, so soll es ihr auch zurückschallen, eben ganz wie in Wald und Heimat: Sie bestimmt seine Lage, eine Polizeibeamtin der Lust. Da liegt sie also wie ein Hund auf dem Sofa und greift nach ihm, oh je, mitten in der harten Wintersonne. Um sie herum ein Gebirge aus Kleidern mit Markenzeichen, die bestimmte Leute an ihrem Namen erkennen könnten, und wie unnötig sind doch die Marken, denn jeder kennt diese Frau vom Sehen her, also von einem Bild, das es von ihr gibt. Sie greift vor sich hin, einer wird schon dort sein, wo sonst Luft ist. Der Mann will sich jetzt entschlüsseln in seiner Sucht nach Heim und Familie. Was er einmal besessen hat, das möchte er stur wiederhaben, es darf sogar (aus Gefallsucht) ein bißchen größer ausgefallen sein. Er wirft sich mit dem Oberkörper nach vorn und legt den Wirrkopf unter ihre weißen Flügel, mit denen sich der Unternehmer als Engel vorzustellen pflegt. Er spricht noch immer, wie endlos (scheint ihr), erzählt ihr von seiner verschollenen Familie, er hat nicht einmal die neueste Adresse! Alle sind sie fort. Alle sind sie umgezogen. Die Frau soll ihm hier auf der Stelle, die ihm gut gefälle, wenn er ehrlich sei, (so viele Räume und so sauber!) Ersatz für das Verlorene schaffen: sich selbst. Es scheint, als öffne ein universeller Bastler-Supermarkt seine Tore, für jeden etwas, wer vieles hat, wird vielen etwas Kleines auf den Löffel legen können. Der Holzknecht wünscht, daß er am Abend von der Arbeit, die er nicht hat, in ein frisch gedecktes Zuhause kommen kann, das er auch nicht hat. Schon spricht er über seine Zukunft und hat doch die Gegenwart nicht einmal als Gerücht herumgeistern gesehen. Er glaubt, sein Schicksal endlich im Griff zu haben und hält doch nur die Oberarme dieser erstaunten Frau umspannt. Unglücklich zerrt er (zu spät!) an der Decke, von der die Managerin oberflächlich bedeckt wird, diese Frau, deren nun endlich einsetzendes endloses Gelächter sich ihm schwer auf den Kühlerblock legt, unter dem jedes Denken ab sofort erstickt. Die Frau wirft lachend die Decke fort und zerrt an ihrem Knecht wie an einem Ästchen. Sie lacht und lacht. Er verliert den Halt und stürzt nach einer kurzen unwillkürlichen Schrittlänge mitten in seiner Landesträchtigkeit über sie hin. Alle seine Vertreter im Dorf, Leute, die an sich herumschneidern lassen, nur weil die Ärzte es ihnen befehlen, blicken in diesem Augenblick einmal im Leben hell hinauf zum Gipfel des Berges, mit unverschleierten Augen, wie hoch wird morgen die Temperatur steigen? Einer von ihnen ist ausgewählt worden, also hervorgehoben. Aber auszeichnen kann er sich bei ihrem Leibe nicht. Für sehr kurze Zeit folgen die beiden Hauptdarsteller je einer ihrer Launen und zerren maßlos an Haaren und Gliedmaßen, was ihnen gerade in die Hände fällt.

Noch ist der Mann nicht einmal ganz entkernt und entkeimt, und schon fleht er, nicht weggeschickt zu werden BITTE! Die Managerin hakt sich, unersetzbar in ihrer Wut, an seinem Geäst fest, schlingt Arme und Beine um den Kollegen, wie froh wird sie erst sein, ist er nur wieder fort! Nur eine kleine Weile noch in der fettäugigen Liebessuppe kochen, dann kann sie sich endlich waschen gehen. Sie zerrt mit ununterdrückbaren Lachstößen, die sich Bahn brechen, aus ihr hervorsprudeln, von seinen ratlosen Blicken erst recht angefacht, an seinen Hemdknöpfen, die noch von der ehemaligen Frau angenäht worden sind, der Zwirn ist von hellerer Farbe als sein Original, das Hemd hat es aber tausende Male in allen Konsumfilialen gegeben (wie seine Besitzer in spe übrigens). Die Frau lacht. Der Fäller im Bett schreit, ein wütendes Kleinkind, zu dem die Mutter nicht kommen mag, und ist doch ein recht stämmiger Reisender in diesen unbekannten Gefilden, wo sogar ein Jäger mehr gilt als er, übrigens gilt ein Jäger für die Managerin überhaupt nichts. Der Holzknecht wirft sich von der Frau gewaltsam herunter, reißt sich seine Jacke unter den Nagel und flüchtet durch die Tür ins Freie hinaus, dort ist er schon eher zuhaus. Wo die lieben Straßensperren aus lebendigen Wachepersonen auf ihn warten, Männer mit Schulterhalftern, aus denen es jederzeit laut knallen könnte, falls nötig. Plötzlich ist er wie im Krieg, aber kein durch Orden geehrter Teilnehmer, besser wäre er jetzt tot!

Motore röhren auf, die dazugehörigen Jeeps und BMWs stellen sich quer, Hunde züngeln, von ledernen Bändern kaum noch gezügelt. Unter vereinzelte Vogelschreie mischen sich sofort die schnarrenden Spielzeuglaute von Walkie-Talkies. Der Wald erstarrt in seiner Rüstung von Videokameras in Baumkronen, blinkenden Ferngläsern, zärtlich schimmernd wie verliebte Tieraugen; Uniformen werden durchs Dickicht getragen, das neckisch und wirkungslos an ihnen rupft wie das Reh an seinem Strauch. Im Schrittempo tänzeln die wendigen Wagen zwischen den verseuchten Stämmen herum. Die Eigentümer sind endlich insgesamt eingetroffen und wollen ganz unter sich bleiben. Ein Herr, enorm für Friedenszeiten, sorgt dafür, daß das so bleibt und sortiert die Menschen in zwei Haufen: ja oder nein. Der Hochadel sitzt, fertig zum Abknallen von Lebewesen, (und allzeit bereit, mittels Fünffarbenmagazinen seine Lebensweise als unerreichbar fern unter die Hausfrauen zu tragen, die sich das Geld für die Hefte von ihren Mündern und den Mündern ihrer Lieben absparen) auf seinen angestammten Hochsitzen, die von einfachen Bäumen getragen werden. Sie nennen sich einfache Bauern. So verbirgt man sich als Verfolger vorm Wild. Man sieht es, aber das Tier vermag keinen zu erkennen, weil es immer nur geradeaus vor sich hinschaut. Von oben sieht man besser, ist eine uralte Erkenntnis. Millionen unterschreiben unterdessen Volksbegehren für eine schöne Natur, die den Millionären gehört, die ebenfalls unterschreiben, es geht um ihren angestammten Besitz! Unter ihren Füßen der treue Erdboden, der nicht von alleine wegrennen kann. Er gehört ihnen, und über ihnen der Bodensatz, also die Hefe der Leute, die am Sonntag mit ihren Familien in frischer Luft promenieren möchten, die Hand von keinem hält sie auf dem Boden fest: so flanieren sie durch die weltberühmte Aulandschaft, die wiederum dem Staat gehört, der bauen kann wo er möchte. Es sei ihnen gegönnt, was ihnen zustößt. Den einfachen Bauern muß es geben, sonst könnte man nicht Schach spielen. Den einfachen Bauern muß es geben, weil die Raiffeisenbank ihn für ihre Dividende benötigt, und mit Hilfe der Bank kann sich wieder der Bauer seinen Traktor kaufen. Der Bauer wohnt bequem auf seinem Berg aus Tierfleisch, und seine Kinder, bedeutend schlechter gehalten als das Vieh, werden alle lungenkrank. Allerdings ist die Natur grausam. Sogar Tiere müssen schon Milch geben!

Aus dem Dorf kommen die Treiber und Hirschtransporteure beklommen emporgeklettert und werden zu Dutzenden zusammengefaßt und in ihre Verschläge eingeschlossen, bis es soweit ist, daß sie als Statisten auftreten dürfen. Diese Stell- und Stallvertreter. Von wirklich grausamen Menschen, die sich Wild heranzüchten lassen, damit sie es durch die Luft fliegen lassen können. Jeder Schuß ein Treffer. Auf einmal stehen diese Tischler und Installateure und Holzhacker wie die Betriebsblinden vor einer einfachen Wand aber aus Panzerglas. Diese Weggeworfenen einer den Boden verpestenden Wegwerfgesellschaft, also das Letzte! Stopfen alles in Plastiksackeln, die ihre ehemaligen Eigentümer um ein Vielfaches überleben werden. Sonne, komm heraus! Sie haben die Natur, in der sie das ganze Jahr über leben müssen, aber ganz anders in Erinnerung! Zum Beispiel als sie unter der Lawine lagen. Da haben sie nichts mehr gesehen, und nun sieht man hinter Schießscharten auf sie herunter. Vielleicht sollen sie heute das Wild darstellen? Gewehrläufe schieben sich ihnen frech entgegen. Die Mündung erscheint ihnen als Gottes Auge. Die Jagdgäste sind vor allen Elementen auf diese Weise gesichert, sogar aus der Luft werden sie strengstens behütet. Die und ihre guten Herzen, mit denen sie für die Bedürftigen spenden. Sie sollen gesegnet sein, spricht der Pfarrer, und sind gesichert. Wir dürfen nicht einmal deren Sperrlinie überfahren. Dafür werden Kinder von denen überfahren, (auch Geflügeltes), wie sie so daherbrausen. Im Konvoi. Wer spendet, bestimmt, wie der andere das Geld verwendet. Wer was anderes glaubt, der spinnt. Der Torero und sein Lokalmatador nämlich: also der Minister und der Landschrat (beide aus dem Büchel von ein und derselben Partei herausgestanzt), sie stehen in einem Sicherheitsareal von mehreren Quadratmetern eingepflanzt und warten auf den Kaufhauskönig, wie verabredet, und hier kommt er auch schon, ohne durch etwas eigens gekennzeichnet sein zu müssen (jeder kennt ihn ja!), als durch seine Zuneigung zur Natur, Natur, die er sich selbst zugeeignet hat. Ob Tier oder Wald, egal, der Mann glost noch unter seinem kleinen Dach aus echtem Menschenhaar (sein Toupet) vor Wut wegen der Waldvernichtung durch Industrie- und Menschenabgase, die er den ganzen Tag schon mitansehen mußte. Was wird aus seinem Besitz? Bald wird er bis in die hohe Tatra zum Jagen fahren müssen. Sollen denn ein Lebenswerk und ein Lebensstandard vergebens gewesen sein? Und dabei gehört der Wald uns allen, um uns Schatten zu spenden und Papier draus zu machen, und wir stehen auf der Schattseite und lesen in der Zeitung von den Sonnenkindern.

Zwei Leibwächter bleiben, kugelsicher gewestelt, in einem Abstand stehen und sichern ihren Chef und die wichtigen Ehren-Gäste. Illegal wie ein Flammenmeer und fast ebenso schnell ist der verstörte Holzknecht inzwischen vorangekommen. Er durchrast ohne zu rasten verschiedene heikle Kontrollpunkte, wo er unter dem Glas von Grobianen betrachtet wird. Er wird zum Abschuß, zumindest zum Abschub freigegeben. Schon sind ihm diverse Fachkräfte an die Spur geheftet worden, klingeln Telefone in kilometerweit entfernten ländlichen (jetzt wie Intensivstationen verstärken) Gendarmerierevieren. Geräte keifen. Hunde schnellen sich insgesamt vorwärts. Der Weg jedes einzelnen hier wird bestimmt von den Wegen und Wünschen des Kaufhauskönigs. Der Knecht fliegt pfeilschnell durch das Areal, das demjenigen zum Verwechseln ähnelt, in dem er früher als Arbeiter tüchtig und tätlich geworden ist. Ein plumper Lodenvogel, bemüht er sich, etwas zu vergessen, das gar nicht gewesen ist. So ergeht es den meisten, sie vergessen schon, bevor sie überhaupt noch gelebt und gelernt haben. Jauchzend schlägt er, eben fällt ihm eine zweite Chance ein, die er morgen! vielleicht bekommen könnte, gegen einen morschen Stamm. Erst will er jetzt feiern, denn beim zweiten Anlauf wird er sich nicht mehr so blöd anstellen! Gewiß wartet sie schon wieder auf ihn, diese Frau, süß aber gefährlich. Mit solchen Worten würde er von ihr sprechen, wäre er allein. Er springt übermütig (ja, jetzt kann er leicht mutig sein!) über mehrere Bodenhindernisse. Ein Automotor heult ganz in der Nähe auf, Scheinwerfer springen am hellen Mittag mühelos an. So viele waren noch nie in seinem Leben auf seiner schwächlichen Schweißspur, so viele Wichtige, aus der Stadt! Aus dem Ausland gar. Sogar die Technik allein jagt hinter ihm her, es fehlen nur noch Kurzstreckenraketen. Der Kaufhausmillionär und die beiden lokalen Zwergerln unterhalten sich leisestimmig, aber prächtig über die Widmung der Gelder und die gute Profitwitterung des Kaufhausmillionärs, sogar deutsche Minister haben von der Industrie etwas Reichliches geschenkt bekommen! Diese Männer entwickeln ihre Strategien wie Fußballtrainer (wie diesen würde auch ihnen das ganze Volk ständig dreinreden, wenn man es ließe!), und einiges von dem Geld dürfen sie sogar für sich selber behalten, freuen sie sich jetzt schon gemeinsam mit ihren Familien. Und vom Rest werden sie sich auch noch etwas abzweigen können! An diesen Weihnachtszweigen hängt ihre frohe Zukunft, hängt ihre Villa, ihr Motorboot, keiner wird es wagen, diese Mitwisser und Mitesser der Gemeinschaft eigenhändig auszudrücken. In dieser Demokratie. Die wissen genau, an welchem Wipfel ihr Stern glänzt, diese Privaten! Jesus komm heraus, und du, Sonne, du auch!

Die Leibwächter dieses Privatiers, ich nenne sie jetzt einmal grob gute Menschenbeobachter, gehen in Stellung, denn sie sind jederzeit kündbar, wenn sie sich nicht bewähren. Es ist ihnen ein unbekanntes Flugobjekt avisiert worden. Ratlos spricht eine Stimme in einem Spielzeuggerät mit sich selbst, wie ist dieser einfache Bauersmann aufs verbotene Gelände, ins Sperrgebiet gekommen? Dieser Attentäter. Der Jagdbesitzer muß von diesem Zwischenfall überhaupt nichts mitkriegen, wenn wir es geschickt anfangen, nehmen sich die Fachleute vor und spannen ihre Hähne an, um den Mörder im grünen Kotzen sich einmal an die Brust zu nehmen. Oben sind mittlerweile die Leibköche nichtsahnend an die Arbeit gegangen, bald gibt es ein raffiniertes Mittagessen, das alle Stücke spielen kann (auf edlem Porzellan), die man ihm beibringt. Zuvor aber vertreten sich die drei Herrschernaturen (zwei davon halten sich zumindest dafür) ein wenig die Beine auf diesem eigenen Grund und Boden. Der offizielle Geldverwertungsteil ist fast abgeschlossen, lediglich Kleinigkeiten sind noch zu erklären. Nun wird da plötzlich einer abgeschossen, oder was? Die Leibwächter verfallen ohne Übergang zu ihrem sonstigen Leben in die Combatstellung und rufen ihre Tiergebell ähnlichen Warnrufe, die ein Aufgeregter niemals verstehen könnte. Er hat ja an anderes zu denken. Dieser Mann ist ja nicht gewohnt, irgendetwas auf sich persönlich zu beziehen. Der Holzknecht springt auf die Lichtung hinaus, von der Flamme zum Buschbrand geworden in der Macht seines Schicksals, angetrieben von nichts als sehnenden, wenn auch nicht hellseherischen Regungen in seinem Tank. Er rast, ein unsicheres Ziel, durch den Wald daher. Was hat er gerade eben für eine wunderbare Erscheinung in einer seidenen Bluse getroffen! Er möchte es sogleich möglichst vielen erzählen, denn unter vielen ist er schließlich auserwählt worden. Beim nächsten Mal wird er sich schon viel weniger fürchten! Denn er wird das Glück schon gewöhnt sein. In seiner unübertrefflichen Freude sieht er vor sich drei Menschen in einer Gruppe auftauchen, die alle drei berühmt sind, will sagen schon oft als Vision zweidimensional erschienen sind, wenn man es am wenigsten erwartete. Das bedeutet, eine wichtige Dimension, ihre Tiefe nämlich, ging der Öffentlichkeit bis heute völlig verloren! Die sprechen ernst und hoffnungsvoll miteinander und reißen vor dem Holzknecht die Augen auf: da ist ein Fremder! Ein Fugenloser, Unverfliester! Wie kommt er hierher? Das ist keiner wie wir. Vielleicht ist er ein Reisender, aber hierher gehört er nicht. Erich, der Holzhauer, wird von jemand in seinem Rücken, einem Parasiten auf diesem Waldboden, grob angeredet, aber er sieht und versteht Mann und sein Wort nicht. Die Fäuste ernstlich angehoben, fährt er rasch herum: ist das ein ernstzunehmender Gegner oder ist das ein schlichter Hügel, ein Marschflugkörper, ein bloßes Gerücht? Wer spricht hier? Will ihn an seinem Glück hindern, die Arbeit wegnehmen, ihn reizen? Wer will ihn mindern? Sonne, du Nichtsnützige, jetzt kannst du endlich kommen!

Zum Scherz hebt Erich die Fäuste vor sich in die Höhe, vielleicht will er boxen, der Waldmann, oder glaubt er, in einem Film vorzukommen, aber er ist aus dem Leben herausgerissen und in den Papierkorb geworfen. Den Witz dieser Fäuste versteht keiner rings um ihn. Für den einen ist die Faust Arbeitsgerät, für den anderen ein Sport. Wird es jetzt ernst? Ein Hirsch hebt seinen beim Gehen beschwerlichen Kopf, auf dem das Gehörn lastet. Die Natur kann einen schon an der Entfaltung hindern! Grün stellt sich Erich zum Kampf, der ihm aber nicht mehr gegönnt wird. Er sieht ja seinen Gegner nicht einmal richtig. Nur ein Schatten im Holz. Versteht auch die Ansprache nicht, die verlangt, daß er seine armen Hände hochheben möge. Er lacht einige Leute auch noch lauthals aus, die sich ihm nicht persönlich zum Streiten zur Verfügung stellen wollen. Er wird nochmals aufgefordert, wozu, das versteht er nicht. Er springt zum Himmel hinauf, wenn auch nicht sehr hoch.

Das Leben erfordert viele sinnlose Anstrengungen von denen, die es hergeben müssen. Ein Leibwächter schießt, weil er seine Nerven verloren hat und nicht auch noch seinen Job loswerden möchte. Der Schuß fällt hin, und einer von uns allen fällt um, fällt, von seiner eigenen Last gezogen auf die Knie, dann auf alle Viere, dann ganz auf die Seite. Schon wieder ist ein Vertreter der Mehrheit umgefallen, und keiner merkt es, denn an den Mehrheitsverhältnissen ändert das überhaupt nichts.

Vielleicht hat er ja auch von den Verhandlungen zwischen den Beherrschern der Wildnis zuviel mitbekommen. Er muß etwas gehört haben, das er nicht hören sollte. Es war nicht für ihn bestimmt. Fast tot, flach wie eine Freske, so blutet er sich ins Gras der Lichtung hinein.

Es war ein Unfall, heißt es.

Wir alle heißen ja auch irgendwie.

Was wir nicht wissen, ist ein sanftes Ruhekissen.

Sonne, los jetzt!

Elfriede Jelinek

«Hier ist eine Begabung am Werk, in der man hinter dem rüden Zynismus und der ironischen Anmut jene ‹gewisse Melancholie› ahnt, die Robert Musil dem jungen Kafka zuschrieb».　　　　　　　　Klaus Harpprecht, Titel

wir sind lockvögel baby!
Roman
rororo 12341

Michael
Ein Jugendbuch für die Infantilgesellschaft
rororo 5880

Die Liebhaberinnen
Roman
128 Seiten. dnb 64

Die Ausgesperrten
Roman
272 Seiten. Broschiert und als
rororo 5519

Die Klavierspielerin
Roman
rororo 5812

Rowohlt

Literatur für Kopf Hörer

Berühmte Schauspieler lesen authentische und ungekürzte Texte. Literatur für Kopf Hörer auf Rowohlt Tonband-Cassetten ist eine neue, zeitgemäße Art, Literatur zu erfahren.

Exklusive Originalaufnahmen, für alle, die gern freihändig oder mit geschlossenen Augen «lesen».

Erika Pluhar liest aus:
Elfriede Jelinek
Oh Wildnis, oh Schutz vor ihr
Keine Geschichte zum Erzählen
*1 Cassette
mit 90 Minuten Spieldauer (66002)*

Rowohlt